La Cuisine anticancer

Photographies Pierre-Louis Viel. Stylisme Valéry Drouet.

Photographies p. 8, 10, 11 et 384 : Philippe Vaurès Santamaria ; p. 12 : © J.-C. Druais.

© Odile Jacob, avril 2016
15, rue Soufflot, 75005 Paris

ISBN : 978-2-7381-3375-5

www.odilejacob.fr

Pr David Khayat
Cécile Khayat

La Cuisine anticancer

avec Nathalie Hutter-Lardeau

Odile Jacob

Introduction du Pr David Khayat

Prévenir le cancer est encore le meilleur moyen d'éviter les souffrances de la maladie, les traitements, les douleurs. Pour autant, prévenir cette maladie reste un immense défi. D'abord du fait de son ampleur : en France, un homme sur deux, une femme sur trois sont ou seront touchés par le cancer durant leur vie. Ensuite, parce que depuis plus de dix ans, le cancer est devenu la première cause de mortalité dans notre pays, comme d'ailleurs dans le monde. Enfin, parce que, tant au plan médical que scientifique, le cancer, malgré tous les incroyables progrès réalisés ces dernières années, reste encore un grand domaine à explorer.

Peut-on faire quelque chose pour essayer de réduire ce risque qu'une telle mécanique infernale se déclenche et se mette en place dans notre corps ? La réponse est oui, et c'est heureux. Bien sûr, il n'est pas question d'affirmer, ni ici ni jamais, que notre destin en matière de cancer soit réellement et totalement entre nos mains. Ce serait trop beau !

Nous pouvons, par un certain nombre de nos comportements de tous les jours, réduire quelque peu notre risque de cancer. Les règles pour cela sont relativement simples et, au total, ne constituent rien d'autre que les bases d'une vie saine.

● Ne pas fumer car le tabac est responsable de 30 % des cancers. Et pour ceux qui fument malgré tous les messages de prudence, espérer qu'un jour prochain nous disposerons de cigarettes moins cancérigènes.

● Faire de l'exercice physique régulièrement et éviter l'embonpoint, car il est aujourd'hui parfaitement prouvé que l'obésité et la sédentarité sont des causes de cancer.

● Faire les vaccins ou les traitements préventifs des maladies à l'origine de certains cancers comme ceux du foie, des ganglions, du col de l'utérus, du pénis, de l'anus, de la bouche, de l'estomac et j'en passe…

● Éviter l'exposition au soleil, surtout dans l'enfance, bien sûr, mais également à l'âge adulte.

L'alimentation est responsable d'environ 20 % des cancers. Et pas seulement des cancers digestifs, mais tout autant des cancers du sein, de la prostate et bien d'autres. Un cancer sur cinq est donc dû à ce que nous mangeons, à la façon dont nous choisissons nos aliments, à la façon aussi dont nous les préparons.

Mieux manger, plus sainement, tel est l'objectif de ce livre de cuisine que ma fille Cécile, pâtissière, qui connaît également bien la cuisine puisqu'elle a tenu un restaurant à Paris, et moi-même avons écrit pour vous.

Voici quelques règles simples qui pourront aider chacun d'entre vous.

● Diversifiez votre alimentation, suivez les saisons : prendre du jus d'orange par exemple tous les jours pourrait augmenter le risque de développement du cancer de la peau. Les oranges, c'est l'hiver qu'il faut les manger.

● Diversifiez vos modes de cuisson.

● La cuisine au barbecue ou au wok est clairement cancérigène. Alors n'en abusez pas.

● Évitez de marquer vos aliments par la flamme, qu'il y ait du « noir » dessus, car ce « noir » est en fait de nature identique à la fumée du tabac et entraîne donc les mêmes risques.

● Régulez votre poids, notamment par l'exercice physique, on l'a dit.

Nous avons choisi pour vous des aliments intéressants pour votre santé, nous les avons classés par saison, nous vous avons apporté toutes les données historiques, nutritionnelles, gustatives et, à partir de ces 60 produits, nous avons préparé pour vous 120 recettes santé. Elles sont savoureuses et bonnes car on peut faire bon pour le goût et bon pour la santé en même temps. Elles sont très faciles et assez rapides à réaliser, qualités nécessaires pour une approche moderne de la cuisine de tous les jours. Elles ne sont pas onéreuses, car là aussi, l'argent ne doit pas, de mon point de vue, faire la différence. Nous les avons toutes goûtées. Nous les avons fait évoluer jusqu'à ce que nous en soyons en tous points satisfaits.

Au total, notre recommandation, à travers ces recettes, est de manger un peu moins de viande (même si la viande telle que nous la consommons en France n'est probablement pas cancérigène), un peu plus de légumes frais, des protéines provenant de légumineuses, et plus généralement des repas moins riches, moins sucrés, moins salés, moins gras.

Ces 120 recettes reflètent cette philosophie de « plaisir-santé » qui doit être, selon nous, la base de la cuisine de demain.

Alors voilà, ce livre, nous vous le proposons pour que vous cuisiniez des recettes plus saines tout en conservant le goût des bonnes choses.

Voici des recettes gourmandes, faciles à réaliser pour tout un chacun, homme ou femme.

À vous, à présent de les réaliser.

Bon appétit et… bonne santé !

SOMMAIRE

PRINTEMPS

ÉTÉ

AUTOMNE

HIVER

ORGANISATION GÉNÉRALE

POUR COMMENCER

1. Vérifiez la liste des ingrédients. Il n'y a rien de plus frustrant que de se rendre compte qu'il vous en manque un au milieu de la réalisation d'une recette !

2. Lisez la recette en amont afin de bien vous rendre compte de ce qui vous attend et éviter les mauvaises surprises. Vous pourrez également préparer le matériel nécessaire avant de commencer.

3. Ayez toujours une grande planche, un couteau et un torchon prêts à être utilisés, ainsi qu'un grand bol comme poubelle sur votre plan de travail pour gagner du temps.

4. Nettoyez au fur et à mesure le plan de travail. Croyez-moi, vous serez content(e) à la fin.

5. Gagnez du temps : allumez le four dès le début de la recette. Faites de même avec votre bouilloire ou une casserole d'eau chaude. Vous gagnerez de précieuses minutes lorsqu'il s'agit de cuisiner rapidement.

6. Pour éviter la course et le stress : faites les préparations à l'avance ! Nombre d'entre elles (lavage, taillage des légumes, etc.), qu'on appelle la « mise en place », peuvent être faites la veille pour que le jour même vous n'ayez plus qu'à vous occuper des cuissons.

7. Prévoyez toujours un peu plus : un peu de petits pois en trop à garder pour un prochain plat, ou de ragoût à congeler qui sera parfait pour un autre soir ! Vous ne le regretterez pas !

8. Goûtez, goûtez, goûtez ! N'oubliez pas de goûter à chaque étape ! Tous les ingrédients n'ont pas le même goût, les fruits et les légumes changent avec les saisons, donc n'hésitez pas à goûter.

9. Attention avec les assaisonnements : il s'agit ici de mettre en place une cuisine certes gourmande, mais saine. N'abusez ni du sel ni des matières grasses, mais vous pouvez compenser par des épices, du poivre ou des graines qui donneront du goût à vos plats.

10. Les recettes proposées dans ce livre sont d'abord et avant tout pour vous une source d'inspiration, pas une bible. Faites-vous confiance, suivez vos goûts et n'hésitez pas à faire quelques ajustements si nécessaire, qu'il s'agisse d'un ingrédient ou d'une façon de présenter le plat !

USTENSILES À AVOIR

Balance : elle est indispensable, surtout pour la pâtisserie qui nécessite beaucoup de précision.

Cuillère à glace : hyperpratique et pas seulement pour les glaces, elle permet de portionner des boulettes de viande, des cookies…

Économe : le classique, à utiliser aussi pour des tagliatelles de légumes ou des copeaux de chocolat.

Gros couteau bien aiguisé : la BASE ! Pas besoin d'en dire plus, sans lui, rien ne marche.

Jarre et pot à confiture : pour la conservation de certaines sauces, confitures ou pickles, et une jolie idée déco pour vos étagères.

Mandoline : pour une découpe fine et régulière facile. En revanche, attention à vos doigts !

Mixeur ou blender : peu importe la forme, plongeant ou non, il vous fera économiser du temps et de la vaisselle !

Pince en métal : c'est certainement l'ustensile le plus pratique ! Il sert à tout : tourner une viande, remuer des pâtes, bref une extension de vos doigts qui ne craint pas le chaud.

Pinceau : très utile pour de jolies finitions, veillez à bien utiliser des pinceaux alimentaires.

Presse-ail : il est ultrapratique, il fait gagner beaucoup de temps, vous pouvez même y mettre l'ail entier avec la peau.

Spatule ou maryse : c'est la cuillère du pâtissier si on peut dire ; pour mélanger et bien racler les bords… pour le malheur de ceux qui cherchent à lécher les fonds de casserole derrière vous !

Zesteur Microplane : parfait pour râper finement du parmesan ou des zestes d'agrume, c'est l'ustensile qui permet d'obtenir une finition pro de tous vos plats. À acheter dans des magasins de cuisine ou sur Internet.

QUELQUES TERMES EXPLIQUÉS

Appareil : c'est le mot du pâtissier ! Il désigne les pâtes, les crèmes, les mousses, bref les éléments créant les bases d'un dessert ou d'un plat.

Bain-marie : une cuisson dans un récipient placé au-dessus d'une casserole d'eau bouillante ou dans de l'eau bouillante. La cuisson se fait donc indirectement et tout en douceur.

Beurre pommade. On parle de beurre pommade lorsqu'on laisse le beurre ramollir à température ambiante et qu'on le travaille pour obtenir une consistance lisse et souple.

Blanchir : la plupart du temps, pour ce qui est des légumes, blanchir équivaut à précuire dans de l'eau bouillante. Pensez à préparer un grand bol d'eau glacé à proximité pour y tremper les légumes une fois cuits : cela stoppera la cuisson et permettra qu'ils conservent une belle couleur !

Chemiser : il s'agit de recouvrir un moule de beurre puis soit de sucre soit de farine, ou tout simplement de papier sulfurisé, pour éviter que la préparation colle. Une étape très souvent indispensable.

Ciseler : couper plus ou moins finement, le plus souvent des herbes. Je préfère en général ciseler les herbes grossièrement pour un goût et un visuel plus attrayants.

Déglacer : ajouter un liquide, souvent du vin ou du bouillon, afin de décoller les sucs de cuisson.

Mariner : une technique qui consiste à faire macérer des aliments avec des épices ou des condiments. Ces derniers vont s'imprégner dans la chair pour plus de goût. Une petite astuce : faites des entailles pour que la marinade pénètre bien !

Monder : ce terme signifie plonger dans l'eau bouillante un ingrédient afin de le peler facilement. Cela se fait pour les tomates que l'on plonge ensuite dans l'eau glacée avant de les peler.

Mouiller : on utilise cette expression lorsqu'on ajoute du bouillon ou de l'eau dans un plat, notamment dans des cuissons lentes comme pour un risotto.

Pocher : l'aliment cuit dans de l'eau frémissante ou bouillante, une cuisson donc non grasse.

Tempérer : pour le chocolat, cela consiste à le faire passer par trois seuils de température différents pour le rendre brillant et facile à travailler, cela se fait aussi pour des bonbons ou des plaques de chocolat.

Tourner : pour les légumes, en particulier les artichauts. Cela signifie tailler le légume en enlevant les parties extérieures petit à petit pour ne garder que la partie comestible au centre. Donc, pour les artichauts, on retire la base et toutes les feuilles extérieures.

Zester : pour les agrumes, c'est le fait d'enlever l'écorce pour ensuite aromatiser une préparation. On essaie au maximum de la prélever grâce à un zesteur Microplane ou à l'aide d'un économe, et surtout on évite de prendre la partie blanche, car elle est très amère.

CONSEILS SANTÉ

RÈGLES DE BASE

1. Consommez de préférence des produits artisanaux, de terroir, issus d'une agriculture raisonnée : préférez toujours des produits avec le moins de pesticides possible.

2. Lavez soigneusement les fruits et légumes, et même avec un peu de savon, avant de les rincer et de les éplucher.

3. Épluchez les fruits et les légumes, impérativement les choux et les salades.

4. Diversifiez les modes de cuisson : les cuissons vapeur ou mijotée, rôtie et poêlée légèrement sont bien meilleures pour la santé.

LES CUISSONS À PRIVILÉGIER

Cuisson vapeur : les aliments ne sont pas cuits par la chaleur directe du feu mais par celle de la vapeur produite par l'eau bouillante.

Cuisson en papillote : une cuisson dans du papier sulfurisé qui conserve donc tous les arômes des produits. Et quand vous l'ouvrez, un flot de bonnes odeurs ! Cette cuisson permet aussi de ne pas ajouter trop de matière grasse.

Poêler : opération qui consiste à cuire rapidement une viande ou des légumes avec peu de matière grasse. L'aliment cuisant ainsi conserve tous ses arômes et ses vitamines.

Rôtir : une cuisson plus lente, au four, qui garde les aliments tendres, et qui ne nécessite également que peu de matière grasse.

COMMENT LIRE CE LIVRE

Pour chaque saison, plusieurs produits ont été sélectionnés pour leurs propriétés anticancer. Chacun est « mis en scène » dans deux recettes saines et gourmandes afin que vous profitiez de leurs bienfaits tout en vous faisant plaisir.

PAGES PRODUITS

LA MYRTILLE ET LES FRUITS ROUGES

Des petits fruits gorgés de propriétés antioxydantes et anticancéreuses exceptionnelles à ne pas négliger si l'on veut prévenir l'apparition de cancer.

Les fruits rouges appartiennent à trois catégories de fruits différentes : celle des baies pour la myrtille et le cassis, celle des drupes pour la framboise et la cerise et celle des faux fruits pour la fraise uniquement.

Aujourd'hui répandus sur tous les continents, ces délicieux petits fruits n'ont pas tous la même origine : la fraise poussait à l'état sauvage en Amérique, en Europe et en Asie tandis que la myrtille, le bleuet (variétés de myrtille) et la canneberge venaient d'Amérique du Nord. Gorgés d'eau et de savoureux arômes, ils ont fait tour à tour le bonheur des chasseurs-cueilleurs et des hommes modernes. Les Grecs sont à l'origine de la légende divine sur la couleur rouge des framboises. Les Amérindiens, conscients de l'exceptionnelle qualité nutritionnelle des myrtilles et des bleuets, vouaient quant à eux un véritable culte à ces baies. Ils avaient probablement déjà compris que se rassasier de fruits rouges n'est pas un péché mais un acte salutaire !

LEURS PROPRIÉTÉS ANTICANCER

Protection du système digestif et du côlon en particulier

● Les fruits rouges sont d'excellentes sources de phytocomposés aux vertus antioxydantes et anticancéreuses dont les plus remarquables sont l'acide ellagique, les anthocyanidines et les proanthocyanidines.
Selon les résultats de certaines études, l'acide ellagique, par l'intermédiaire de plusieurs mécanismes, permet l'inhibition de la prolifération des cellules cancéreuses, l'activation de leur autodestruction, la rupture des liaisons entre les agents cancérigènes et l'ADN et le blocage de la construction de réseaux de vaisseaux sanguins qui alimentent la tumeur pour qu'elle se développe. Il s'agit donc d'une formidable molécule à l'efficacité prouvée dont il serait dommage de se priver.
● Les anthocyanidines et les proanthocyanidines, responsables de la couleur rouge et noir bleuâtre des fruits rouges, montrent des propriétés similaires dans les essais menés.

162

● Les fruits rouges sont par ailleurs une très bonne source de fibres : ces substances favorisent le bon fonctionnement du transit intestinal et joueraient un rôle dans la prévention du cancer colorectal.
● Enfin, dans une étude récente publiée dans le *British Journal of Nutrition*, il a été démontré que les plus gros mangeurs de fruits rouges avaient un risque significativement inférieur de développer un cancer du côlon par rapport à ceux qui en consommaient moins.

LEURS ATOUTS NUTRITIONNELS

Les fruits rouges sont de véritables réservoirs à vitamine C, une substance antioxydante appelée aussi acide ascorbique qui semble particulièrement intéressante dans la prévention de certaines maladies comme le cancer. Ils sont également source de manganèse et apportent des quantités intéressantes en vitamine B9, une vitamine intervenant entre autres dans la synthèse protéique et dans la reproduction cellulaire.

Valeurs nutritionnelles pour 100 grammes	Fruits rouges (framboise, fraise, groseille, cassis)
Énergie	47 kcal
Eau	86 g
Glucides	5,3 g
Fibres	4,6 g

LES ACHETER ET LES CUISINER

Frais ou congelés. À l'arrivée de la période estivale, on voit apparaître sur les étals de jolis petits paniers remplis de fraises, de framboises ou de cerises. Le reste de l'année, il est possible de se tourner vers le surgelé pour profiter de ces beaux fruits. Mis à part la fraise, les fruits rouges s'y adaptent très bien. Le surgelé présente en outre l'avantage de préserver les qualités nutritionnelles des fruits. Ce n'est en revanche pas le cas de la cuisson ! Si vous souhaitez en effet bénéficier de la vitamine C présente dans les fruits rouges, il est préférable que vous les consommiez crus. La vitamine C est en effet sensible à la chaleur et ne restera pas dans vos coulis, confitures ou crumbles de fruits rouges.
À déguster. Pour les plus gourmands qui n'y résistent pas, variez simplement les formes de dégustation. Les fruits rouges crus s'apprécient par exemple en salade accompagnés de fromage blanc, en jus ou smoothie mêlés à d'autres fruits, mais aussi mélangés à du müesli ou du granola maison au petit déjeuner.

163

● Les principales propriétés anticancer du produit sont mises en exergue.

● Valeurs nutritionnelles et apports principaux pour chaque produit donnés selon les sources suivantes : la table Ciqual, Anses (référence française, lien : https://pro.anses.fr/tableciqual/) et l'USDA National Nutrient Database, United States Department of Agriculture (référence américaine, lien : https://ndb.nal.usda.gov/), sauf mention contraire.

« Chacun des aliments présentés est source de plaisir gustatif et de bienfaits dont on ne connaît pas encore toute l'étendue. Dans ces pages, nous nous sommes évertués à retranscrire toutes les propriétés anticancer démontrées par les données scientifiques actuelles. » Nathalie Hutter-Lardeau

PAGES RECETTES

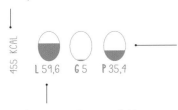

Pour chaque recette, nous vous indiquons :

- La valeur calorique pour une portion.

- Ces petits symboles plus ou moins remplis selon les pourcentages vous permettent de voir d'un simple coup d'œil si le plat est plutôt riche en graisses, sucres ou protéines.

- Les pourcentages en lipides, glucides et protéines.

PRINTEMPS

L'AIL

Utilisé dans toutes les grandes civilisations anciennes pour protéger la santé, l'ail a des vertus anticancer aujourd'hui scientifiquement démontrées. Il existe de nombreuses façons de profiter de ses bienfaits sans être incommodé par son odeur prononcée. Ne le négligez pas !

L'ail provient d'une plante vivace appartenant à la famille des alliacées. Chaque tête d'ail se compose de trois à vingt gousses utilisées comme condiment. Sa culture date de plus de cinq mille ans et aurait commencé en Asie et au Moyen-Orient avant de se diffuser vers l'Occident.

L'odeur prononcée de l'ail lui a longtemps valu d'être dénigré par les nobles. Il est pourtant symbole de force et ses bienfaits sont reconnus depuis l'Antiquité : les premières traces de son utilisation à des fins médicinales remontent à l'Égypte ancienne. Les données archéologiques révèlent aujourd'hui que l'ail était utilisé dans toutes les grandes civilisations anciennes pour entretenir la santé et traiter les maladies.

Ses propriétés sont telles qu'il fait partie des aliments fortement recommandés dans le cadre d'un régime sain et préventif. De même que pour la grenade, le curcuma et le thé vert, il est conseillé d'en consommer fréquemment.

SES PROPRIÉTÉS ANTICANCER

Protection du système digestif

● Les alliacées ont la particularité de contenir en abondance certaines molécules qui, une fois le tissu végétal brisé, se transforment en composés soufrés très réactifs. L'un d'eux, l'allicine, est issu du broyage de l'ail en cuisine ou par mastication. Il possède des propriétés antioxydantes, anticarcinogènes, antivirales et détoxifiantes.

● La consommation de légumes de la famille des alliacées aurait notamment un effet protecteur contre les cancers du système digestif, et en particulier de l'estomac, des intestins et de l'œsophage.

● Des études épidémiologiques ont montré l'effet bénéfique de l'ail en prévention de certains cancers. Il a ainsi été mis en évidence que les populations les plus consommatrices d'ail (6 gousses par semaine) avaient un risque diminué de 30 % de développer un cancer colorectal ; s'agissant du cancer de l'estomac, ce risque diminue de 50 %. D'autres études suggèrent par ailleurs une corrélation positive entre consommation d'ail et diminution des risques de cancers de la prostate et du sein.

● Selon la littérature scientifique, l'allicine et les autres composés actifs de l'ail sont impliqués dans plusieurs mécanismes de protection de l'organisme. Ils montrent une capacité à éliminer les substances étrangères pouvant causer des dommages dans l'ADN, et à inhiber la croissance des cellules cancérigènes.

SES ATOUTS NUTRITIONNELS

À poids identique, l'ail est doté de vertus antioxydantes supérieures à la majorité des fruits et légumes. Même consommé en petites quantités, il constitue un superaliment très intéressant pour compléter les apports nutritionnels journaliers. Ses vertus proviennent de ses teneurs en vitamines, minéraux, composés phénoliques et soufrés ; riche en manganèse, phosphore, potassium, cuivre, vitamine B6 et vitamine C, il contient aussi du sélénium aux propriétés antioxydantes reconnues ainsi que des tocophérols, des polyphénols et des flavonoïdes.

Valeurs nutritionnelles pour 100 grammes	Ail cru
Énergie	93 kcal
Protéines	7,1 g
Fibres	1,8 g

L'ACHETER ET LE CUISINER

Pour bénéficier de ses bienfaits. Il est préférable de peler et d'écraser les gousses d'ail avant de les cuisiner. Le fait de broyer les tissus végétaux entraîne la formation d'un composé sulfuré, l'allinase, dont la capacité à inhiber la croissance des cellules cancéreuses a été montrée en laboratoire.
Cru ou cuit. La température et le temps de cuisson influent sur la teneur en composés sulfurés de l'ail et sur ses propriétés antioxydantes. Les vertus protectrices de l'ail sont supérieures s'il n'a pas subi de cuisson ; l'allinase, par exemple, résiste très peu à l'épreuve de la chaleur.
En cuisine. On peut appliquer ces conseils en utilisant de préférence l'ail cru et broyé dans les salades composées, les soupes de légumes, les plats de viande et de poisson… Il se révèle aussi essentiel pour relever le goût d'un plat, au même titre que les épices, et diminuer ainsi les teneurs en matières grasses et en sel des préparations culinaires.

COBBLER À L'AIL RÔTI ET AUX TOMATES CERISES

636 KCAL
L 40,9 G 46 P 13,1

PRÉPARATION 20 MIN ● CUISSON 1 H ● MOYEN ● €

2 têtes d'ail
1 kg de tomates cerises jaunes et rouges
3 cuil. à soupe d'huile d'olive

POUR LA PÂTE
150 g de farine
30 g de parmesan
30 g de polenta
1 sachet de levure chimique
1 cuil. à café de thym
1 cuil. à café de romarin séché
140 g de beurre doux
4 cuil. à soupe de lait
sel, poivre

FINITION
20 g de parmesan

1. Préchauffez le four à 200 °C.

2. Coupez le chapeau des têtes d'ail et placez-les entières sur une plaque allant au four recouverte de papier sulfurisé. Versez 1 cuillerée à soupe d'huile d'olive et enfournez pendant 30 à 40 minutes. Surveillez la cuisson.

3. Pendant ce temps, dans une sauteuse allant au four ou dans une cocotte, faites revenir les tomates cerises avec 2 cuillerées à soupe d'huile d'olive, à couvert pendant 15 minutes à feux doux. Assaisonnez, puis faites cuire à feu moyen, sans couvercle, pendant 10 minutes. Remuez régulièrement en veillant à ne pas trop écraser les tomates cerises. Réservez hors du feu.

4. Préparez la pâte à cobbler : versez la farine, le parmesan, la polenta, la levure et les herbes dans un bol. Salez, poivrez, puis ajoutez le beurre bien froid coupé en petits cubes. Frottez le beurre avec le bout de vos doigts au mélange d'ingrédients secs pour l'intégrer, comme pour un crumble. Affinez ensuite le mélange entre les paumes des mains, sans laisser de gros morceaux. Ajoutez le lait au fur et à mesure en mélangeant. Dès que le lait est bien intégré, arrêtez de mélanger. Vous devez obtenir une pâte assez épaisse.

5. Sortez l'ail du four et baissez la température à 190 °C. Faites sortir les gousses d'ail de leur peau : elles doivent être très molles et s'extraire facilement. Écrasez-les grossièrement en purée et intégrez délicatement cette purée d'ail rôti aux tomates en mélangeant bien.

6. À l'aide d'une cuillère, formez des petites boules de pâte régulières en les répartissant sur le mélange tomates et ail dans la sauteuse ou la cocotte. Parsemez de parmesan et enfournez pour 30 minutes jusqu'à ce que le cobbler soit bien doré.

SALADE CÉSAR LIGHT

572 KCAL

L 37,2   G 8,8   P 53,6

PRÉPARATION 20 MIN ● CUISSON 10 MIN ENVIRON ● FACILE ● €€

8 cœurs de sucrine
2 petites échalotes
600 g de filets de poulet
1 cuil. à soupe
d'huile d'olive
40 g de parmesan en
copeaux

POUR LA VINAIGRETTE
4 gousses d'ail
2 filets d'anchois
4 cuil. à soupe
de vinaigre de vin
6 cuil. à soupe
d'huile d'olive
6 cuil. à soupe d'eau
2 cuil. à café de
moutarde en grains
1 avocat
30 g de parmesan
sel, poivre

1. Coupez les sucrines en quatre dans la longueur et disposez-les joliment dans un plat de service.

2. Ciselez finement les échalotes et parsemez-en les sucrines.

3. Salez et poivrez les filets de poulet.

4. Faites chauffer légèrement l'huile d'olive dans une poêle, saisissez les filets de poulet à feu vif pendant 2 à 3 minutes d'un côté, puis 2 à 3 minutes de l'autre. Baissez le feu, et laissez cuire encore 2 à 3 minutes. Éteignez le feu et couvrez la poêle. Laissez les filets reposer et continuer leur cuisson dans la poêle encore chaude.

5. Pendant ce temps, préparez la vinaigrette en mixant tous les ingrédients ensemble. L'avocat tout aussi liant mais plus sain remplace ici l'œuf et la crème liquide de la traditionnelle sauce César.

6. Versez la vinaigrette sur la salade.

7. Découpez les filets de poulet en tranches en biais et déposez-les sur la salade.

8. Finissez par des copeaux de parmesan, et dégustez !

LA BAIE DE GOJI

N'hésitez pas à découvrir cette jolie baie exotique qui a su séduire
par sa richesse en antioxydants et son action protectrice de l'organisme.
Elle agrémentera avantageusement desserts, goûters et même petits déjeuners !

Joli petit fruit ovale et charnu, la baie de goji provient du lyciet de Barbarie (*Lycium barbarum*), un arbuste de la famille des solanacées, dont sont issus la tomate, le piment et l'aubergine. Avec sa couleur rouge éclatante et sa forme allongée, la baie de goji fraîche ressemble d'ailleurs à une tomate cerise.

Très appréciée pour ses nombreuses vertus, on la trouve aujourd'hui dans le commerce sous plusieurs formes : séchée, en poudre ou en jus. Son nom, goji, vient du tibétain *gou qi zi* qui signifie « le fruit du bonheur ».

Elle a su convaincre grâce à ses teneurs élevées en antioxydants, mais ce n'est pas son unique atout : protection du foie, des yeux et des reins, stimulation du système immunitaire, ralentissement du vieillissement neurologique, effets anti-inflammatoires… autant de bienfaits qui font qu'elle est considérée comme un superfruit.

SES PROPRIÉTÉS ANTICANCER

Lutte contre l'inflammation ● Favorise la destruction des cellules abîmées

● Les antioxydants contenus dans la baie de goji permettent de lutter contre le stress oxydatif de l'organisme, ce qui a pour conséquence de limiter l'état inflammatoire des tissus. À long terme, la prise régulière d'antioxydants permet de diminuer les risques de développer des maladies liées à l'inflammation chronique telles que les cancers, les maladies cardio-vasculaires ou encore le diabète.

● Les principaux composés contenus dans la baie de goji sont des polysaccharides appelés polysaccharides du *Lycium barbarum* (LBP). Ils présentent des propriétés tout à fait intéressantes. De nombreuses études réalisées sur modèle animal ont montré l'impact positif des LBP contre la prolifération des cellules tumorales, et ce quelle que soit l'origine de la cellule tumorale étudiée (côlon, prostate, estomac, sein, foie). D'autre part, plusieurs études ont mis en évidence l'activité stimulatrice des LBP en faveur de l'apoptose, c'est-à-dire l'autodestruction des cellules

abîmées. Ils agissent ainsi directement contre la croissance des tissus cancéreux en obligeant les cellules cancéreuses à se suicider.

● La baie de goji contient aussi des teneurs intéressantes en fibres alimentaires solubles. Celles-ci sont utilisées dans le côlon par les bactéries autochtones de la flore intestinale. Il en résulte une production locale de composés qui joueraient un rôle bénéfique dans la prévention des maladies intestinales, et notamment du cancer du côlon.

SES ATOUTS NUTRITIONNELS

La baie de goji séchée est un concentré de nutriments, vitamines et minéraux, ce qui lui confère un excellent rôle de complément de l'alimentation quotidienne. Étant très riche en sucres simples, on ne doit pas la surconsommer au quotidien : une portion de 30 g suffit à obtenir les bienfaits de la baie de goji sans conséquence sur la glycémie.

La baie de goji est par ailleurs source de vitamine E et de vitamine C, et apporte d'autres antioxydants tels que des polysaccharides, des caroténoïdes ou encore des flavonoïdes.

Valeurs nutritionnelles pour 30 grammes	Baie de goji séchée
Énergie	104,7 kcal
Eau	2,3 g
Protéines	4,3 g
Glucides (dont sucres)	23,1 (13,7) g
Fibres	3,9 g

L'ACHETER ET LA CUISINER

Bio de préférence. La baie de goji provient quasi exclusivement de Chine. Les produits commercialisés peuvent présenter des taux élevés de sulfites, utilisés pour préserver leur couleur. Il est donc préférable de choisir des baies de goji issues de l'agriculture biologique.

Mode d'emploi. Selon la cuisine chinoise, on peut consommer les baies de goji sous diverses formes et avec des aliments différents selon la saison. Ainsi elles s'apprécieraient séchées au printemps, avec du thé vert en été, accompagnées d'un fruit charnu en automne, et en guise d'agrément dans un plat de viande en hiver.

Mais selon vos envies, vous pouvez aussi bien agrémenter vos plats ou desserts avec ces délicieuses petites baies ; elles sont merveilleuses le matin avec un peu de fromage blanc ou mélangées à des flocons d'avoine. Et, pour le goûter, vous pouvez concocter des barres de céréales maison à base de goji, de müesli et d'amandes : un vrai régal pour l'organisme.

Augmenter sa saveur. Pour plus de saveur on peut choisir de réhydrater les petites baies avant consommation, par exemple dans du thé vert ou dans du jus de grenade. La texture devient alors plus tendre et savoureuse.

PLAQUE DE MENDIANT
AUX BAIES DE GOJI

236 KCAL L 35 G 50,1 P 15

PRÉPARATION 40 MIN ● REPOS 2 H AU FRAIS ● ÉLABORÉ ● €€

50 g de baies de goji
séchées
50 g de noisettes
30 g de pistaches
30 g d'orange confite
300 g de chocolat noir
pâtissier

MATÉRIEL SPÉCIFIQUE
thermomètre
de cuisson

*Si vous n'avez pas de
thermomètre, je vous
conseille de faire fondre le
chocolat tout doucement
au bain-marie en évitant
de trop le chauffer,
et d'ajouter une cuillerée
à soupe d'huile neutre
avant de l'utiliser :
vous aurez ainsi un
chocolat moins terne.*

1. Préchauffez le four à 180 °C.

2. Placez les noisettes sur la plaque allant au four recouverte de papier sulfurisé et enfournez à four chaud pendant une dizaine de minutes jusqu'à ce qu'elles soient légèrement dorées. Laissez-les refroidir, puis concassez-les grossièrement. Réservez.

3. Faites de même avec les pistaches. Une fois celles-ci refroidies, hachez-les finement. Réservez.

4. Coupez les oranges confites en petits cubes et réservez-les également. Il est important d'avoir tous les ingrédients prêts afin que, une fois le chocolat fondu à la bonne température, vous les ajoutiez au mendiant sans attendre et avant que le chocolat ne durcisse.

5. Préparez le chocolat : pour cela il faut le « tempérer » afin qu'il soit brillant une fois refroidi. Faites fondre les carrés de chocolat dans un bol au bain-marie jusqu'à 50 °C mais sans dépasser 55 °C, sinon des traces blanches se formeront sur la plaque de mendiant. Une fois cette température atteinte, faites refroidir le chocolat à 27-28 °C en remuant régulièrement. Pour accélérer le processus de refroidissement, vous pouvez plonger le bol de chocolat fondu dans un bol d'eau froide en continuant de mélanger. Remettez le bol au bain-marie jusqu'à ce que le chocolat atteigne 30-32 °C. Le chocolat obtenu sera parfait pour tout type d'utilisation qui demande une jolie brillance, par exemple des décorations en chocolat.

6. Versez le chocolat dans un moule ou un plat, de préférence carré ou rectangulaire. Parsemez les baies de goji, les noisettes, l'orange confite, finissez par les pistaches hachées. Essayez de bien les répartir pour avoir un peu de tous les ingrédients dans chaque morceau. Laissez prendre au réfrigérateur pendant 2 heures.

7. Démoulez la plaque et cassez-la en morceaux pour déguster !

LIMONADE AUX BAIES DE GOJI

211 KCAL

L 2,2   G 90,9   P 7

PRÉPARATION 2 H (OU LA VEILLE) + 5 MIN ● FACILE ● €€

80 g de baies de goji
2 citrons jaunes
1 morceau de 30 g
de gingembre frais
(avec la peau)
4 cuil. à soupe de miel
1 l d'eau gazeuse
500 ml d'eau
1 pamplemousse
1/2 botte de menthe

1. Faites tremper les baies de goji dans 500 ml d'eau pendant au moins 2 heures, ou la veille, afin de les ramollir. Elles doivent être totalement molles.

2. Dans un blender, versez les baies de goji avec l'eau de trempage.

3. Ajoutez le jus d'un citron et demi, gardez l'autre moitié de côté.

4. Épluchez et grattez très finement le gingembre, ajoutez-le ainsi que le miel dans le bol du blender. Mixez jusqu'à obtenir un liquide homogène.

5. Filtrez ce liquide à l'aide d'une passoire et placez-le dans une carafe remplie de glaçons. Ajoutez l'eau gazeuse afin d'obtenir la limonade.

6. Découpez le reste du citron en tranches, ainsi que le pamplemousse. Ajoutez le tout à la limonade.

7. Effeuillez la menthe : faites des petits tas de feuilles de menthe et déchirez-les en deux en les écrasant légèrement afin d'en libérer le maximum de parfum. Ajoutez-les à la limonade.

8. Goûtez : la limonade doit être fraîche, épicée avec le gingembre, mais pas trop acide. Si c'est le cas, n'hésitez pas à ajouter un peu de miel selon votre goût.

LE BASILIC

Plante aromatique par excellence, le basilic est utilisé dans le monde entier pour relever le goût des préparations culinaires. Son parfum témoigne d'une grande richesse en polyphénols, des composés aux propriétés antioxydantes dont l'intérêt anticancer est démontré.

Il existe environ soixante variétés d'*Ocimum basilicum*, les plus connues étant le basilic grand vert (appelé aussi basilic commun) caractérisé par ses généreuses feuilles vert émeraude, le basilic citron et le basilic thaï ; toutes présentent des parfums et des saveurs variés grâce aux différents composés aromatiques qu'elles contiennent. Elles offrent ainsi une large palette d'arômes tels que l'anis, le clou de girofle, le citron, le jasmin, le gingembre ou encore la réglisse.
Originaire d'Asie ou d'Afrique, le basilic a traversé les âges et les civilisations en faisant naître de nombreuses légendes. Plusieurs d'entre elles font référence aux scorpions : sentir avec insistance les arômes du basilic ferait par exemple surgir des scorpions dans la tête.

SES PROPRIÉTÉS ANTICANCER

Limite l'oxydation des graisses, la croissance et la prolifération des tumeurs • Activité antivirale

• Le parfum du basilic témoigne d'une grande richesse en polyphénols aromatiques, des composés aux propriétés antioxydantes. Le principal est l'acide rosmarinique, qui agit avec la vitamine E pour augmenter ses vertus. Sur modèle animal, les extraits de feuilles de basilic affichent ainsi une aptitude à augmenter la réponse antioxydante et à limiter l'oxydation des graisses. Cette herbe aromatique protège les cellules contre les dommages causés par les radicaux libres, notamment sur l'ADN.
• En complément de leur activité antioxydante, certaines molécules agissent directement sur les cellules cancéreuses pour en limiter la croissance et activer leur autodestruction. C'est le cas de l'acide ursolique, qui inhibe la prolifération des tumeurs en empêchant les cellules de se diviser. Ces observations ont été faites sur un cancer de type myélome. Des essais précliniques menés sur des souris ont par ailleurs mis en évidence l'intérêt du basilic pour limiter la croissance du cancer de la peau.

● La consommation du basilic présente en outre un intérêt pour les personnes qui souffrent d'hépatite B et qui ont par conséquent un risque plus élevé de développer un cancer des tissus hépatiques. Il possède en effet une puissante activité antivirale qui agit directement sur le virus de l'hépatite B.

SES ATOUTS NUTRITIONNELS

Cinq feuilles de basilic (l'équivalent de 2,5 g) apportent moins d'une calorie. En quantité supérieure le basilic devient intéressant car il contient de nombreuses vitamines et minéraux, en particulier du bêtacarotène, de la vitamine C, du calcium, du potassium et du fer. Il est également source de fibres alimentaires : malgré leurs propriétés reconnues pour le transit intestinal, celles-ci sont encore aujourd'hui consommées en trop faibles quantités par la population française.

Valeurs nutritionnelles pour 100 grammes	Basilic cru frais
Énergie	30,7 kcal
Eau	90 g
Protéines	3,1 g
Fibres	3,4 g

L'ACHETER ET LE CUISINER

Conseils d'achat. Les feuilles du basilic doivent arborer un vert homogène, sans taches, ainsi qu'un aspect lisse et sans aspérité. Ces qualités garantissent un produit bien frais qui procurera un maximum de saveurs. Si vous achetez le basilic en pot, il est préférable de le rempoter, et de le placer dans un endroit ensoleillé, de l'arroser régulièrement en évitant toutefois que l'eau ne stagne. Les feuilles de basilic emballées doivent pouvoir respirer par des trous d'aération ; elles se conservent quelques jours au réfrigérateur.

Préserver ses qualités. Les antioxydants contenus dans le basilic sont sensibles à la chaleur et perdent leurs vertus s'ils subissent une cuisson trop importante. Il est donc préférable d'incorporer les feuilles en fin de préparation ou après la cuisson au moment de dresser les assiettes.

Pour bénéficier de ses bienfaits. On peut réaliser soi-même un pesto maison avec des pousses de basilic grand vert dit « Genovese ». Préparée sans cuisson, par simple broyage du basilic avec de l'ail et de l'huile d'olive, cette sauce ravira vos papilles et votre santé !

OMELETTE VERTE,
« GREEN OMELET »

424 KCAL L 57,3   G 5,3   P 37,4

PRÉPARATION 30 MIN ● CUISSON 5 MIN ● FACILE ● €

POUR L'HUILE DE BASILIC
1/4 de botte de basilic
50 ml d'huile d'olive
sel, poivre

POUR L'OMELETTE
100 g de pousses
d'épinard
125 g de fromage frais
à tartiner
10 œufs
1/4 de botte
de ciboulette
1/4 de botte de persil
1/4 de botte de basilic
2 cuil. à soupe
d'huile d'olive

1. Préparez l'huile de basilic. Mixez le basilic entier avec l'huile d'olive. Salez, poivrez. Réservez.

2. Lavez, ciselez grossièrement les pousses d'épinard, mettez-les de côté.

3. Versez le fromage frais à tartiner dans un bol et travaillez-le un peu à la fourchette pour le rendre plus souple.

4. Cassez les œufs dans un grand bol, salez, poivrez et fouettez vivement.

5. Effeuillez et ciselez finement les herbes fraîches ensemble.

6. Faites chauffer, à feu moyen, l'huile d'olive dans une poêle, versez-y les œufs battus dès que la poêle est chaude. Parsemez du mélange d'herbes fraîches. Faites cuire environ 5 minutes à feu moyen, en ramenant les bords vers l'intérieur de la poêle à l'aide d'une spatule afin que la cuisson soit homogène. Remuez un peu la poêle pour éviter que l'omelette n'accroche ou ne brûle.

7. Placez la poêle hors du feu, tartinez délicatement l'omelette de fromage frais. Ajoutez par-dessus les épinards, repliez l'omelette.

8. Disposez l'omelette dans un plat de service et parsemez de quelques gouttes d'huile de basilic. Servez aussitôt !

Vous n'utiliserez ici que quelques gouttes de cette huile de basilic que vous pouvez conserver pendant une semaine.

RAGOÛT DE LA MER

549 KCAL

L 8,6   G 15,2   P 76,2

PRÉPARATION 20 MIN ● CUISSON 35 MIN ● FACILE ● € €

6 gousses d'ail
8 petites échalotes
2 cuil. à soupe
d'huile d'olive
2 fenouils
200 ml de vin blanc
500 g de tomates
cerises
2 rougets en filets
500 g de filets
de cabillaud
8 grosses crevettes
600 g de coques
2 pincées de piment
d'Espelette
1 botte de basilic
1/2 botte d'aneth
sel, poivre

1. Dans une grande sauteuse, faites revenir les gousses d'ail et les échalotes finement ciselées avec l'huile d'olive, pendant 5 à 10 minutes.

2. Pendant ce temps, coupez le fenouil en lamelles très fines, avec une mandoline si vous en avez une.

3. Ajoutez-les dans la sauteuse, salez, poivrez et faites revenir encore 5 minutes.

4. Versez le vin blanc, les tomates cerises, puis couvrez et laissez cuire 10 minutes à feu doux.

5. Pendant ce temps, assaisonnez les filets de poisson et les crevettes. Rincez les coques à l'eau froide.

6. Ajoutez-les dans la sauteuse, mélangez délicatement, en essayant de ne pas briser les filets de poisson. Ajoutez le piment d'Espelette.

7. Couvrez à nouveau et laissez cuire 10 minutes, à feu moyen.

8. Pendant ce temps, effeuillez et ciselez grossièrement les herbes.

9. Tous les filets de poisson doivent être cuits, les crevettes bien roses et les coques ouvertes. Si ce n'est pas le cas, prolongez la cuisson encore 5 minutes.

10. Goûtez et ajustez l'assaisonnement si nécessaire, parsemez le plat avec les herbes fraîches avant de servir !

Vous pouvez agrémenter ce plat de quelques gouttes d'huile de basilic (p. 30) au moment de servir.

LA BLETTE

Ce légume ancien qui ne cherche qu'à être aimé est à redécouvrir car ses qualités nutritionnelles, sa richesse en fibres et ses vertus sont indéniables. La blette contient aussi des phytocomposés particulièrement actifs pour la prévention du cancer.

La blette (*Beta vulgaris*), légume de la famille des amarantacées, est une sous-espèce de betterave dont on ne consomme que les feuilles et la carde — nervure centrale qui relie la feuille à la tige et qui est très charnue. En fonction des variétés, la carde de la blette peut arborer une couleur blanche, verte, orange, rouge ou violette : de quoi apporter des couleurs dans l'assiette ! L'époque actuelle n'est pourtant pas toute rose pour la blette qui pâtit d'une image de légume monotone et terreux, sorte de « plat du pauvre ». Rien à voir avec l'époque gréco-romaine où elle était appréciée tant pour son goût que pour ses vertus médicinales. Populaire jusqu'à la fin du XIXe siècle, elle a acquis au fil du temps beaucoup de noms vernaculaires : blette, bette, poirée, bette à carde, jotte, joute…

SES PROPRIÉTÉS ANTICANCER

Protection de l'organisme contre le stress oxydatif ● Protection du côlon

● Les feuilles de blette sont riches en caroténoïdes comme le bêtacarotène et la lutéine. Un régime riche en bêtacarotène serait lié à une augmentation du risque de cancer du poumon, uniquement chez les fumeurs, aussi devraient-ils éviter d'en consommer avec excès.

● Pour les non-fumeurs en revanche, il n'y a pas de raison d'hésiter, le bêtacarotène fait partie des substances qui protègent l'organisme contre le stress oxydatif.

La blette contient également des apigénines, phytocomposés de la famille des flavonoïdes qui montrent en laboratoire la capacité d'inhiber la prolifération des cellules cancéreuses. L'un des mécanismes évoqués par les chercheurs serait la capacité des apigénines à rendre possible la mort des cellules cancéreuses et donc à limiter la croissance anarchique du tissu cancéreux. Les apigénines présentent aussi une activité anti-inflammatoire qui contribue à diminuer à long terme le risque de développer des maladies chroniques comme le cancer ou le diabète. Enfin, les fibres de la blette pourraient participer à la prévention du cancer du côlon grâce à leur action sur le transit intestinal.

SES ATOUTS NUTRITIONNELS

Riche en eau et très peu calorique, la blette présente un intérêt nutritionnel similaire à d'autres légumes plus communs comme la courgette, les épinards ou le chou. Elle apporte des fibres alimentaires ayant un rôle bénéfique sur le transit intestinal. Le jus de blette est d'ailleurs décrit comme laxatif par Hippocrate, qui évoque également les sucs purgatifs et diurétiques de la plante. Elle serait donc idéale pour les personnes constipées. Chez les Romains, la blette avait également la réputation d'être rafraîchissante et émolliente. Côté vitamines et minéraux, elle est riche en potassium et constitue une bonne source de phosphore, de magnésium, de vitamine C et de vitamine A.

Valeurs nutritionnelles pour 100 grammes	Blettes cuites
Énergie	20,6 kcal
Eau	92,6 g
Protéines	1,9 g
Fibres	2,1 g

L'ACHETER ET LA CUISINER

De multiples recettes. Les blettes, c'est un peu comme les carottes et les salsifis : leur image a été ternie par la cantine scolaire. On les imagine froides, amères, encore crues baignées dans une crème sans saveur et à la texture douteuse. Pourtant elles peuvent être délicieuses en gratin, en risotto, en flan, en velouté ou en sauce italienne, accompagnées par exemple de basilic, d'ail, d'huile d'olive et de tomates. Les Niçois pourraient aussi vous parler pendant des heures de la fameuse tourte de blettes, une recette aux variantes aussi bien sucrées que salées dont la garniture réunit blettes, parmesan, pignons, raisins secs, sucre, poires et… pastis. Pas si monotone comme légume !
Savoir la choisir. Vérifiez que les feuilles aient une belle couleur et qu'elles ne soient pas abîmées.
La préparer. Les feuilles et les cardes doivent être lavées au préalable dans un grand volume d'eau et se cuisinent séparément. Pour limiter la perte en vitamines et minéraux, préférez des modes de cuisson à température modérée. Mais on peut aussi les préparer dans des sauces mijotées servies avec une volaille ou un poisson, et relevées éventuellement d'épices orientales.

FEUILLETÉ AUX BLETTES

PRÉPARATION 30 MIN ● CUISSON 30 MIN ● FACILE ● €

393 KCAL

L 28 G 46,2 P 25,8

30 g de pignons de pin
400 g de blettes
1 oignon jaune
2,5 cuil. à soupe
d'huile d'olive
8 feuilles de brick
2 cuil. à soupe
de ricotta
2 œufs
80 g de parmesan
sel, poivre

1. Préchauffez le four à 180 °C.

2. Placez les pignons sur une plaque recouverte de papier sulfurisé et enfournez pour 10 minutes environ. Ils doivent être dorés. Réservez.

3. Pendant ce temps, retirez la moitié de la partie blanche des blettes et coupez-les en tronçons fins.

4. Coupez finement l'oignon jaune et faites revenir le tout dans une sauteuse avec 1 cuillerée à soupe d'huile d'olive pendant 10 à 15 minutes à feu moyen jusqu'à ce que les blettes soient bien fondantes. Salez, poivrez.

5. Versez la préparation dans un bol et laissez refroidir.

6. Dans un plat allant au four, placez une première feuille de brick. Badigeonnez-la légèrement d'huile d'olive à l'aide d'un pinceau. Répétez l'opération avec 3 autres feuilles de brick.

7. Préparez la farce : ajoutez aux blettes la ricotta, les œufs, le parmesan et les pignons. Mélangez. Salez et poivrez à nouveau si nécessaire.

8. Répartissez la farce sur les feuilles de brick étalées sur le plat, puis recouvrez-la des 4 feuilles de brick restantes, badigeonnez d'huile d'olive en veillant à ne pas en mettre trop.

9. Tassez le tout, puis enfournez pendant 20 minutes environ.

10. Découpez en petites parts. Ces feuilletés se dégustent aussi bien chauds que froids !

LE RAGOÛT DE GABY

411 KCAL · L 27,9 · G 49,4 · P 22,7

PRÉPARATION 15 MIN ● CUISSON 20 MIN ENVIRON ● FACILE ● €€

280 g de bœuf haché
1 oignon jaune
2 gousses ail
150 g de riz
1/2 botte de coriandre
1/2 botte de menthe
1/2 botte de persil
300 g de blettes
2 cuil. à soupe
d'huile d'olive
2 cubes de bouillon de
volaille
1 l d'eau bouillante
sel, poivre

1. Dans un bol, mélangez le bœuf haché, l'oignon émincé finement, l'ail écrasé et le riz cru. Salez et poivrez généreusement.

2. Effeuillez et ciselez finement les herbes.

3. Retirez la moitié de la partie blanche des blettes et coupez-les finement. Ajoutez les herbes et les blettes au mélange à base de riz.

4. Faites revenir le tout dans un grand faitout avec l'huile d'olive, à feu moyen, pendant 3 à 5 minutes.

5. Baissez le feu, versez l'eau bouillante et ajoutez les cubes de bouillon (ou ajouter l'équivalent de 1 litre de bouillon de volaille maison).

6. Mélangez bien pour diluer les cubes de bouillon, puis laissez revenir pendant 15 à 20 minutes à feu doux jusqu'à ce que le riz soit cuit. Il doit rester du bouillon, à la façon d'une soupe minestrone.

7. Dégustez bien chaud !

LA CÂPRE

Ce petit condiment puissant en goût, souvent utilisé dans la cuisine méditerranéenne, renferme l'un des phytocomposés les plus intéressants : la quercétine, reconnue pour ses propriétés antioxydantes et anticancérigène.

La câpre est un bouton floral issu du câprier commun. Cet arbuste qui peut atteindre jusqu'à 50 cm de hauteur est présent à l'état sauvage dans les régions méditerranéennes. La récolte des câpres est délicate et doit se faire à la main. Connues depuis des millénaires, elles étaient déjà consommées par les anciens Grecs et Romains. Il apparaît d'ailleurs que le nom de câpre provient du grec *kapparis*. Une fois confite dans le vinaigre ou conservée en saumure, elle est utilisée comme condiment.

SES PROPRIÉTÉS ANTICANCER

Action antioxydante

● La câpre, la livèche et l'oignon rouge constituent le top 3 des aliments les plus riches en quercétine. Ils contiennent respectivement 180, 170 et 20 mg de quercétine pour 100 g d'aliment, une caractéristique très intéressante dans le cadre d'un régime alimentaire pour la prévention du cancer. La quercétine fait partie de la famille des flavonoïdes qui regroupe de nombreux phytocomposés étudiés pour leurs propriétés anticancérigènes.

Chez l'homme, plusieurs études épidémiologiques ont permis d'associer un régime alimentaire riche en quercétine avec la diminution du risque de développer le cancer des ovaires et du pancréas. Les études ont été menées respectivement sur 66 940 femmes et 27 111 hommes.

● Pour la quercétine, la majorité des études ont été réalisées de manière expérimentale sur des cellules cancéreuses ou sur modèle animal. Les résultats en laboratoire étayent les observations des études menées chez l'homme, et mettent en avant la capacité de la quercétine à freiner la croissance des tissus cancéreux. Les mécanismes en jeu ne sont pas tous élucidés, leur compréhension nécessite que des recherches soient poursuivies. La quercétine n'en demeure pas moins l'un des phytocomposés les plus intéressants pour ses propriétés antioxydantes et anticancérigènes au vu des données existantes.

● La câpre est par ailleurs riche en rutine, un flavonoïde proche de la quercétine qui fait également partie des plus puissants antioxydants de cette famille de phytocomposés. La rutine présente un large spectre d'applications pharmacologiques parmi lesquelles le traitement de maladies chroniques comme le cancer d'après des études récentes à son sujet.

SES ATOUTS NUTRITIONNELS

La câpre est source de vitamine E et apporte des quantités non négligeables de vitamine C. Très riche en sel, elle doit néanmoins être ajoutée dans les plats avec parcimonie.

Valeurs nutritionnelles pour 30 grammes	Câpres
Énergie	8,8 kcal
Eau	26,6 g
Protéines	0,7 g
Lipides	0,1 g
Glucides (dont sucres)	0,6 g
Fibres	0,7 g
Sel	1,68 g

L'ACHETER ET LA CUISINER

La câpre, utilisée en aromate et condiment, sert à relever le goût des préparations culinaires. Elle fait partie des ingrédients de la recette du steak tartare et des sauces froides comme la tapenade et la sauce rémoulade.

Profiter de ses bienfaits. Ce condiment est délicieux cuit et on peut profiter de ses bienfaits même lorsqu'il est cuisiné. Mais si on cherche à maximiser ses apports en quercétine, il est préférable de ne pas lui faire subir d'étape de la cuisson, surtout à température élevée : on peut l'ajouter en fin de préparation juste avant dégustation ou bien l'incorporer à des recettes froides telles que des salades composées.

Où en trouver. La câpre est un produit que l'on trouve la plupart du temps en conserve. Son prix élevé à l'achat est peut-être gage de qualité étant donné que d'autres boutons floraux sont parfois vendus sous le nom de « câpres » pour un prix bien inférieur, comme les boutons floraux de capucines. On peut détecter la supercherie à la taille des boutons floraux anormalement élevée par rapport à celle des véritables câpres.

VITELLO TONNATO

620 KCAL
L 29,3 G 8,4 P 62,3

PRÉPARATION 20 MIN ● REPOS 3 H ● CUISSON 20 MIN ● MOYEN ● €€

500 g de noix de veau
2 feuilles de laurier
1 branche de thym
1 gousse d'ail
1 oignon blanc
1/4 de botte de persil
1 petite carotte
1/2 poireau
sel, poivre

POUR LA SAUCE
6 filets d'anchois
300 g de thon égoutté
20 g de câpres
1/2 botte de persil
100 g de mayonnaise
allégée
1 cuil. à soupe
d'huile d'olive
3 à 4 cuil. à soupe de
bouillon dans lequel
a cuit le veau

POUR LA GARNITURE
3 petites bottes de
pissenlit blanc (ou
« barbe de capucin »)
2 cuil. à soupe
d'huile d'olive
1 cuil. à soupe
de vinaigre de vin
20 g de câpres

1. Dans une casserole, placez le morceau de veau avec le laurier, le thym ainsi que l'ail, l'oignon, le persil, la carotte et le poireau épluchés et coupés grossièrement. Ajoutez de l'eau pour bien recouvrir le tout. Salez et poivrez généreusement.

2. Faites cuire à feu moyen, et comptez 20 minutes de cuisson une fois que le liquide frémit. Veillez à ne jamais atteindre l'ébullition. Écumez au fur et à mesure les impuretés qui se forment à la surface du bouillon. Au bout de 20 minutes, laissez la viande refroidir doucement dans le bouillon hors du feu (vous pouvez idéalement faire cette étape la veille pour le lendemain).

3. Préparez la sauce : mixez ensemble tous les ingrédients jusqu'à obtenir une sauce qui ne doit pas être trop liquide, n'hésitez pas à ajouter du bouillon froid au fur et à mesure jusqu'à obtenir la consistance crémeuse souhaitée ; ajustez-la si besoin.

4. Sortez la viande du bouillon et tranchez-la le plus finement possible. Répartissez joliment les tranches sur un plat de service comme pour un carpaccio et versez la sauce dessus.

5. Dans un petit bol, assaisonnez le pissenlit blanc avec l'huile d'olive et le vinaigre. Salez et poivrez.

6. Disposez harmonieusement la salade sur le vitello tonnato et parsemez des câpres.

7. Vous pouvez déguster aussitôt, ou préparer les différents éléments à l'avance, puis assaisonner et dresser la salade juste avant de servir.

POMMES CROUSTILLANTES, CITRON, CÂPRES ET ROMARIN

588 KCAL   L 22,2   G 70,1   P 7,7

PRÉPARATION 30 MIN ● **CUISSON** 1 H 40 ● **FACILE** ● **€**

1,5 kg de pommes
de terre
1 citron jaune entier
4 cuil. à soupe
d'huile d'olive
2 branches
de romarin frais
4 gousses d'ail
3 grosses cuil. à soupe
de câpres
le zeste
de 1 citron jaune
1 pincée de piment
d'Espelette
sel, poivre

1. Préchauffez le four à 210 °C.

2. Lavez et, sans les éplucher, coupez légèrement la base des pommes de terre sur la longueur, afin de les rendre stables.

3. Avec un couteau, faites des entailles comme si vous coupiez les pommes de terre en fines rondelles sans aller jusqu'au bout. Placez-les dans un plat allant au four.

4. Salez et poivrez les pommes de terre, puis parsemez-les d'un filet d'huile d'olive en veillant à bien les enrober et à ce que l'huile tombe dans les entailles.

5. Enfournez pendant 1 h 30, en sortant le plat toutes les 15 minutes pour badigeonner les pommes de terre avec l'huile d'olive tombée au fond du plat.

6. À mi-cuisson, ajoutez les branches de romarin coupées grossièrement, ainsi que le citron coupé en lamelles et les gousses d'ail entières. Essayez de les insérer dans les entailles pour que leurs arômes se diffusent dans la chair de la pomme de terre.

7. Au bout de 1 h 30, sortez le plat du four et ajoutez les câpres. Parsemez du zeste de citron jaune et de piment d'Espelette et dégustez !

LA FRAISE

Ce petit fruit rouge, riche en vitamine C, peu calorique, qui annonce les beaux jours,
a de puissantes propriétés antioxydantes qui peuvent contribuer à prévenir
le développement de cancers.

La fraise est le petit fruit rouge du fraisier, plante rampante de la famille des rosacées qui se repique idéalement en septembre. Sa culture a réellement commencé au xxe siècle. Avant qu'il ne soit domestiqué, le fraisier vivait à l'état sauvage en Amérique, en Asie et en Europe.

D'un point de vue botanique, la fraise est considérée comme un faux fruit : ses véritables fruits sont les petits grains noirs, disséminés à sa surface, que l'on appelle les « akènes ». La fraise doit sa forme ronde et charnue au gonflement de son réceptacle floral.

Son délicieux parfum et sa saveur ont inspiré son nom ; le mot « fraise » vient en effet du latin *fraga* qui signifie « fragrance ». Les Romains l'utilisaient pour confectionner des masques de beauté. Plus de six cents variétés de fraises existent, qui diffèrent en taille, en goût et en texture.

SES PROPRIÉTÉS ANTICANCER

Protection du tube digestif ● Limite les mutations de l'ADN et favorise la capacité antioxydante du sang

● La fraise renferme de nombreux polyphénols, des composés ayant de puissantes propriétés antioxydantes, qui, consommés en quantité suffisante, peuvent contribuer à prévenir le développement de cancers.

● Parmi les molécules intéressantes apportées par la fraise, la plus notoirement efficace contre le cancer est l'acide ellagique. Son action anticancer a été étudiée en laboratoire et sur des modèles animaux. L'une de ces études, menée sur des animaux exposés à une substance cancérigène, montre qu'accorder une place non négligeable aux fraises dans l'alimentation permet de diminuer de manière importante le nombre de tumeurs de l'œsophage. Au niveau cellulaire, l'acide ellagique favoriserait la défense cellulaire contre les substances cancérigènes qui induisent des mutations dans l'ADN.

● La fraise contient également des anthocyanidines, des composés phénoliques, jouant un rôle dans le ralentissement de la croissance tumorale, qui

permettent de réduire les risques de cancers du côlon et de la sphère orale. Des études chez l'homme ont aussi montré que certains composés issus d'extraits de fraise permettent de ralentir la multiplication de cellules cancéreuses du col de l'utérus. La consommation quotidienne de fraises est en outre associée à une augmentation de la capacité antioxydante du sang.

SES ATOUTS NUTRITIONNELS

La fraise est généreusement gorgée d'eau, ce qui lui vaut d'être très peu calorique ; l'énergie qu'elle apporte provient surtout de sa teneur en sucre. Elle est riche en vitamine C et source de vitamine B9, essentielle pour le bon développement du système nerveux du fœtus chez la femme enceinte. Elle contient également des teneurs non négligeables en vitamine K, aux propriétés anticoagulantes, et en manganèse, aux vertus antioxydantes.

Valeurs nutritionnelles pour 100 grammes	Fraise fraîche
Énergie	28,5 kcal
Eau	91,6 g
Sucre	4,1 g
Fibres	1,9 g

L'ACHETER ET LA CUISINER

Savoir les préparer et les marier. Afin d'éviter que les fraises se gorgent d'eau, il convient de les laver sans retirer leur pédoncule et de ne pas les laisser tremper. Les fraises résistent mal à l'épreuve du froid, mais une fois congelées elles peuvent servir à la fabrication de confitures, glaces et coulis. Si la fraise se consomme principalement crue, elle se marie à la perfection avec certains aliments salés. Pour apporter un peu de nouveauté, on peut choisir d'en inclure quelques-unes dans une salade composée.

La cuisson. Pour les recettes nécessitant une étape de cuisson des fraises, il faut savoir que l'exposition à la chaleur provoque une réduction de 15 à 20 % des teneurs en composés antioxydants comme les flavonoïdes, les composés phénoliques et les anthocyanines. En revanche, les teneurs en certains flavonoïdes et en acide ellagique ne diminuent pas et tendent même à augmenter avec le temps de stockage des confitures, qui peut durer plusieurs mois.

CHIPS DE FRAISES

52,3 KCAL

L 0,8   G 97,1   P 2,1

PRÉPARATION 30 MIN ● CUISSON 1 H ● FACILE ● €

1 douzaine de fraises
1 blanc d'œuf
40 g de sucre glace

1. Préchauffez le four à 90 °C.

2. Équeutez les fraises. Coupez-les en lamelles très fines, d'environ 2 mm d'épaisseur, au couteau ou à la mandoline.

3. Placez les fraises à intervalles réguliers sur une plaque de four recouverte de papier sulfurisé.

4. Mélangez le blanc d'œuf et le sucre glace pour obtenir un résultat homogène. À l'aide d'un pinceau, badigeonnez délicatement chacune des tranches de fraise de ce mélange.

5. Enfournez la plaque pendant environ une heure.

6. Lorsque vous sortirez la plaque du four, ne vous fiez pas à la texture des fraises, car elles seront encore souples. Ce n'est qu'en les laissant refroidir qu'elles prendront une texture croustillante.

7. Vous pouvez déguster ces chips comme un petit snack sucré ou les ajouter à un dessert.

PAVLOVA AU YAOURT À LA GRECQUE

268 KCAL

L 17,1 G 76,3 P 6,6

PRÉPARATION 45 MIN ● CUISSON 1 H 30 ● ÉLABORÉ ● €€

POUR LA MERINGUE
4 blancs d'œufs
120 g de sucre semoule
1 pincée de sel
100 g de sucre glace

POUR LA CRÈME
200 ml de crème liquide
200 g de yaourt
à la grecque
35 g de sucre glace
2 gousses de vanille

POUR LE DÉCOR
1 barquette de fraises
1 barquette de
framboises
1 grenade

1. Préchauffez le four à 140 °C. Préparez une plaque recouverte d'une feuille de papier sulfurisé.

2. Commencez par la meringue : battez les blancs en neige à vitesse moyenne. Une fois les blancs mousseux, ajoutez 20 g de sucre semoule et une pincée de sel. Continuez à monter les blancs pendant 5 minutes. Mélangez le sucre glace et le sucre semoule restant, incorporez-les aux blancs fermes en pluie. Battez encore 2 à 3 minutes à plus grande vitesse pour obtenir une meringue lisse et brillante.

3. Sur la feuille de papier sulfurisé, faites un cercle de meringue d'environ 18 à 20 cm de diamètre avec une spatule ou à l'aide d'une poche à douille en laissant volontairement les bords plus épais. Remontez les bords joliment à l'aide d'une spatule en formant de petites bandes et en laissant un creux au centre qui contiendra la garniture.

4. La meringue est un appareil qui n'attend pas, elle doit être cuite rapidement ! Enfournez aussitôt pour 1 h 30 environ. Une fois la meringue cuite, et bien sèche, laissez-la reposer à l'air libre. Il est possible de préparer la meringue la veille en la conservant dans un endroit bien sec pour qu'elle ne ramollisse pas.

5. Pendant ce temps, préparez la crème : dans un bol bien froid, faites monter la crème liquide en chantilly avec les grains de vanille et le sucre glace. Une fois la crème bien montée, incorporez-la au yaourt à la grecque, en plusieurs fois, à la spatule, en veillant à ne pas la faire retomber. Réservez au frais.

6. Préparez les fruits : équeutez les fraises, égrainez la grenade.

7. Au moment de servir, disposez la crème au centre de la pavlova à la cuillère et décorez harmonieusement avec les fruits en finissant par les grains de grenade. Dégustez aussitôt !

L'HUILE D'OLIVE ET L'OLIVE

Les atouts de l'olive et de l'huile d'olive ne sont plus à démontrer. Aliment symbole du fameux régime méditerranéen, réputé pour ses bienfaits sur la santé, l'olive contient des phytocomposés particulièrement intéressants dans une démarche anticancer.

L'ancêtre de l'olivier vient d'Asie Mineure dans une zone à la frontière entre la Syrie et la Turquie. Lors de sa domestication, l'olivier s'ancra au Proche-Orient ainsi que près de la mer Égée et du détroit de Gibraltar avant de se répandre plus largement sur tout le pourtour méditerranéen et devenir ainsi le symbole de cette partie du monde.

Les premières traces de récolte et d'utilisation de l'olive remontent à six ou huit mille ans : en Grèce antique, l'huile l'olive servait de combustible pour les lampes ainsi que d'ingrédient pour la fabrication du savon.

La différence de couleur observée entre les olives vertes et les olives noires est due au degré de maturité du fruit ; les olives peuvent être récoltées encore vertes à la fin de l'été ou bien mûres entre les mois de novembre et de février, arborant alors une couleur noire.

LEURS PROPRIÉTÉS ANTICANCER

Action antioxydante sur l'organisme, notamment l'ADN ● Protection contre le cancer du sein et du côlon

● L'olive est l'un des aliments typiques du fameux régime méditerranéen, réputé pour ses bienfaits sur la santé. Les études à ce sujet ont clairement établi que les populations qui suivent ce régime ont un risque diminué de développer certains cancers. Cela s'explique en partie par la quantité importante d'antioxydants apportée par les aliments qui le composent ; c'est le cas de l'olive, naturellement riche en composés phénoliques et source de vitamine E.

● Une étude fondée sur une enquête de fréquence alimentaire chez 2 368 femmes a montré que l'utilisation quotidienne d'huile d'olive comme matière grasse de cuisine diminue de manière significative le risque de cancer du sein. Les recherches réalisées sur l'hydroxytyrosol, l'un des principaux phytocomposés de l'huile d'olive, ont montré sa capacité à protéger les cellules des dommages causés par l'oxydation de l'ADN et à freiner la croissance des cellules cancéreuses.

● Un autre bienfait de l'huile d'olive repose sur sa stabilité à la cuisson. Contrairement à elle, les huiles végétales riches en acides gras polyinsaturés deviennent instables sous l'action de la chaleur, entraînant la formation de substances cancérigènes. L'huile d'olive étant riche en acides gras mono-insaturés, elle résiste plus à la chaleur, ce qui permet de limiter l'ingestion d'agents cancérigènes. Cette caractéristique permettrait en particulier de diminuer le risque de cancer du côlon.

LEURS ATOUTS NUTRITIONNELS

Les acides gras mono-insaturés, et en particulier l'acide oléique, sont les principaux composants lipidiques de l'huile d'olive, ce qui la rend très intéressante pour remplacer les matières grasses riches en acides gras saturés telles que le beurre. L'utilisation quotidienne d'huile d'olive en cuisine favorise le maintien d'un taux de cholestérol normal.

Valeurs nutritionnelles pour 100 grammes	Olives vertes en saumure	Olives noires en saumure	Huile d'olive
Énergie	145 kcal	162 kcal	900 kcal
Eau	75,2 g	68,5 g	0 g
Lipides	13,9 g	14 g	99 g
Fibres	5,1 g	12,5 g	0 g
Sel	de 2,4 à 7,3 g	de 1,2 à 2,5 g	0 g

LES ACHETER ET LES CUISINER

Les critères de choix. Les qualités organoleptiques et nutritionnelles de l'huile d'olive dépendent de la manière dont elle a été extraite, aussi faut-il bien la sélectionner et vérifier la présence de l'allégation « huile d'olive vierge extra », synonyme d'extraction à froid. L'opacité de la bouteille est également un critère important car les acides gras de l'huile sont sensibles à la lumière.
Cuisson. En cuisine, l'huile d'olive peut être utilisée pour la cuisson à la poêle à condition que la température ne dépasse pas 190 °C pour une huile extra-vierge et 210 °C pour une huile d'olive non extra-vierge. Un bon indicateur est l'apparition de fumée dans la casserole si l'huile est trop chauffée.
Bien les consommer. Les olives sont pour la plupart du temps conservées en saumure, ce qui explique leur teneur élevée en sel. Cette caractéristique n'est usuellement pas problématique au vu de l'utilisation culinaire des olives : elles agrémentent plus qu'elles ne composent, se picorent mais ne se dévorent pas. La consommation de pâtes italiennes, de pizza ou de tapenade est l'occasion d'en consommer avec plaisir et parcimonie.

FOCACCIA

430 KCAL

L 11,1 G 77,6 P 11,4

PRÉPARATION 30 MIN ● REPOS 3 X 30 MIN ● CUISSON 20 À 30 MIN ● MOYEN ● €

POUR LA PÂTE
1,5 sachet de levure
boulangère sèche
300 ml d'eau tiède
500 g de farine
8 g de fleur de sel
10 ml d'huile d'olive

POUR LA GARNITURE
10 ml d'eau
20 ml d'huile d'olive
1 cuil. à soupe
de fleur de sel
100 g de tomates
cerises
40 g d'olives vertes
et noires
2 branches
de romarin frais
80 g de tapenade

1. Préparez la pâte : dans un grand bol, diluez la levure dans l'eau tiède. Mélangez bien, puis ajoutez la farine en pluie. Mélangez à nouveau, ajoutez le sel et l'huile d'olive en filet. Vous devez obtenir une pâte homogène mais collante. Pétrissez-la soit au robot, en utilisant l'embout « crochet », 10 minutes à vitesse moyenne, soit à la main pendant environ 20 minutes jusqu'à ce qu'elle ne colle plus.

2. Placez la boule de pâte dans un saladier, préalablement huilé, couverte d'un torchon humide, et laissez-la lever pendant 30 minutes dans un endroit chaud (par exemple dans le four à 40 °C, ou près d'un radiateur). Elle doit doubler de volume.

3. Lorsque la pâte est levée, aplatissez-la pour faire sortir l'air, puis placez-la dans un grand plat rectangulaire allant au four, préalablement huilé. Laissez lever à nouveau 30 minutes dans un endroit chaud.

4. Pendant ce temps, émulsionnez ensemble l'eau et l'huile d'olive comme une vinaigrette.

5. Reprenez la pâte levée, faites des petits trous en appuyant avec les doigts un peu partout, puis versez l'huile d'olive émulsionnée sur l'ensemble de la pâte. Laissez lever à nouveau pendant 30 minutes à température ambiante.

6. Pendant ce temps, préparez la garniture : coupez les tomates cerises et les olives en deux, effeuillez le romarin.

7. Préchauffez le four à 200 °C.

8. Parsemez la focaccia de tomates cerises, d'olives, de romarin et finissez par la fleur de sel. La pâte à focaccia est peu salée, elle nécessite donc un ajout de sel. Enfournez pour 20 à 30 minutes environ. La focaccia doit avoir légèrement gonflé et être dorée.

9. Laissez-la refroidir quelques minutes, puis coupez-la en deux dans l'épaisseur comme pour un sandwich, et étalez la tapenade. Refermez et coupez en petites portions pour servir à l'apéritif.

SAUCE PUTANESCA DE JULIE

236 KCAL   L 50,6   G 17,9   P 31,5

PRÉPARATION 10 MIN ● CUISSON 20 MIN ● FACILE ● €

4 cuil. à soupe
d'huile d'olive
3 gousses d'ail
1 oignon blanc
5 filets d'anchois
4 cuil. à soupe
de câpres
1 douzaine d'olives
noires, de préférence
dénoyautées
400 g de passata (ou
de coulis de tomate)
1 botte de basilic lavé
sel, poivre

1. Épluchez l'ail, puis coupez les gousses en deux.

2. Épluchez l'oignon et coupez-le en tout petits morceaux.

3. Faites revenir l'ail et l'oignon dans l'huile d'olive à feu moyen-fort jusqu'à ce que l'oignon soit translucide. Veillez à remuer régulièrement pour que l'ail ne brûle pas, ce qui donnerait un mauvais goût à la sauce.

4. Ajoutez les anchois, grossièrement coupés, et écrasez-les en remuant. Ajoutez les câpres puis les olives noires. Si les olives sont petites, laissez-les entières, si elles sont trop grosses, coupez-les en deux. Faites revenir quelques minutes.

5. Baissez le feu et ajoutez la passata. Mélangez bien et laissez réduire pendant 10 à 15 minutes en remuant légèrement. Assaisonnez à votre goût. Les câpres, olives et anchois étant déjà salés, soyez vigilant à ne pas ajouter trop de sel.

6. Cette sauce accompagne traditionnellement les pâtes mais se marie très bien avec le poisson blanc ou des viandes blanches. Dans tous les cas, ajoutez le basilic grossièrement haché au moment de servir !

L'OIGNON NOUVEAU

Aliment incontournable, symbole de vie, l'oignon nouveau est riche en vitamine C, en vitamine B et en fibres. De surcroît, il contient de la quercétine dont les propriétés protectrices vis-à-vis de plusieurs formes de cancer sont aujourd'hui bien démontrées.

L'oignon est un légume bulbe de la famille des alliacées, comme l'ail et l'échalote. Sa domestication aurait eu lieu il y a plus de cinq mille ans en Asie centrale, mais toute datation exacte est difficile, car ses tissus laissent peu de traces. Au temps des pharaons, l'oignon était utilisé comme offrande pour les dieux ; les Égyptiens voyaient en lui un symbole de vie éternelle du fait de sa structure en couches concentriques.

L'oignon est depuis plusieurs siècles un aliment incontournable dans la réalisation de nombreux plats traditionnels. S'il fait pleurer les cuisiniers, c'est parce que le fait de hacher ses tissus libère un gaz volatile qui réagit avec l'eau des yeux pour former de l'acide sulfurique. Un moyen d'éviter cette gêne consiste à couper l'oignon près d'une source d'eau.

Les oignons nouveaux sont des oignons frais qui se récoltent au printemps. Ils sont plus doux et se conservent moins que les oignons secs, plus gros et recouverts d'une fine pelure.

SES PROPRIÉTÉS ANTICANCER

Protection de l'ensemble du système digestif ● Protection des mutations de l'ADN

● Les légumes de la famille des alliacées joueraient un rôle protecteur contre les cancers du système digestif et en particulier de l'estomac et de l'intestin. Ils préviendraient également les cancers des ovaires et de l'utérus. Des données épidémiologiques suggèrent ainsi qu'une consommation suffisante et régulière d'oignon, à raison d'une à sept portions hebdomadaires, diminue les risques de cancers de l'œsophage, de la cavité buccale et du pharynx.

● Plusieurs mécanismes cellulaires expliqueraient de telles observations. L'extrait d'oignon montre en laboratoire et chez l'animal une activité antimutagène. Il protège l'ADN des dommages causés par les agents cancérigènes et s'attaque aux cellules cancéreuses pour en diminuer la multiplication. Parmi les composés

phytochimiques de l'oignon, les plus susceptibles d'être à l'origine de ses effets protecteurs sont les composés sulfurés ; ceux-ci sont produits lors du broyage des tissus végétaux à partir de l'alliine et par une succession de nombreuses réactions enzymatiques.

● Dans la famille des alliacées, l'oignon rouge est riche en quercétine, un composé très intéressant grâce à ses propriétés antioxydantes et anticancérigènes démontrées chez les animaux. Deux études épidémiologiques de grande ampleur ont également associé un régime alimentaire riche en quercétine à des risques diminués de cancers du pancréas et des ovaires.

SES ATOUTS NUTRITIONNELS

L'oignon nouveau est source de vitamines C, de vitamine B6, de potassium et de fibres. Ajouté quotidiennement aux préparations culinaires, il complète les apports nutritionnels journaliers. Son principal atout pour la santé provient de sa richesse en antioxydants. Tout comme les autres membres de la famille des alliacées, l'oignon nouveau contient des anthocyanines et des flavonoïdes. Ce sont les oignons rouges qui apportent le plus de composés phytochimiques.

Valeurs nutritionnelles pour 100 grammes	Oignon cru
Énergie	43,2 kcal
Eau	88,7 g
Glucides (dont sucres)	7,4 g (5,4 g)
Fibres	1,4 g

L'ACHETER ET LE CUISINER

Cru de préférence. L'oignon nouveau renferme des teneurs supérieures en vitamine C, en particulier s'il est consommé cru. On peut donc profiter de ses bienfaits en l'utilisant cru et en alternant les modes de cuisson, car la chaleur élimine la vitamine C ainsi qu'une partie de ses composés antioxydants.

Pour le cuire. Certaines personnes digèrent difficilement l'oignon cru et préfèrent le cuire avant consommation. Dans ce cas, il est préférable de le hacher finement afin de diminuer son temps de cuisson. Il peut alors servir de base culinaire à des plats de viande ou de poisson, accompagné d'ail et de poivrons.

Des utilisations variées. L'oignon se décline dans n'importe quel plat pour apporter arômes et saveurs, plus ou moins doux en fonction de sa variété et de son mode de préparation. Cru, il s'apprécie simplement en salade composée, en soupe froide mais aussi en accompagnement de plats chauds comme la viande rouge ou les potages.

PAINS PLATS
AUX OIGNONS NOUVEAUX

397 KCAL

L 20,1 G 69,9 P 9,9

PRÉPARATION 1 H ● **REPOS** 45 MIN ● **CUISSON** 10 MIN PAR PAIN ● **MOYEN** ● €

300 g de farine
190 ml d'eau bouillante
6 cuil. à soupe d'huile
de sésame
120 g d'oignons
nouveaux
sel

1. Une fois la farine pesée dans un bol, ajoutez petit à petit l'eau bouillante en filet tout en mélangeant. Vous devez obtenir une pâte homogène mais collante. Pétrissez-la soit au robot en utilisant l'embout « crochet », 5 minutes à vitesse moyenne, soit à la main 10 minutes jusqu'à ce qu'elle ne colle plus.

2. Placez la boule de pâte dans un saladier, préalablement huilé, couverte d'un torchon humide, et laissez-la reposer pendant 45 minutes.

3. Pendant ce temps, coupez les extrémités des oignons nouveaux en retirant un peu plus de la partie verte, puis ciselez-les en très fines rondelles.

4. Divisez la pâte en 8 boules. Prenez chaque boule et étalez-la à l'aide d'un rouleau à pâtisserie pour obtenir une crêpe de 20 cm de diamètre environ. Badigeonnez-la d'huile de sésame, puis ajoutez l'équivalent de 1 à 2 cuillerées à soupe d'oignons nouveaux. Salez légèrement.

5. Roulez ensuite la crêpe en un rouleau, puis enroulez ce rouleau sur lui-même pour former une spirale. N'hésitez pas à huiler le bout de votre spirale pour qu'il reste collé à la pâte.

6. Aplatissez à nouveau avec la paume de la main, puis étalez-le tout finement avec le rouleau à pâtisserie. Le pain doit être d'un diamètre d'environ 12 cm.

7. Faites chauffer 1 cuillerée à soupe d'huile de sésame dans une poêle à feu moyen-fort, placez un pain et faites cuire pendant 5-7 minutes de chaque côté. Répétez l'opération avec chaque boule de pâte.

8. Découpez les pains en quartiers et dégustez chauds, en apéritif ou en accompagnement d'un plat asiatique !

LATKES DE PATATES DOUCES

PRÉPARATION 30 MIN ● CUISSON 20 MIN ● FACILE ● €

290 KCAL

L 20,8 G 63,9 P 15,3

350 g de patates douces
150 g d'oignons nouveaux
2 gousses d'ail
80 g de farine
2 œufs
2 cuil. à soupe d'huile d'olive
sel, poivre

POUR LA SAUCE
125 g de yaourt à la grecque
1/2 botte de ciboulette
1/2 botte de coriandre
le jus de 1/2 citron

1. Préchauffez le four à 180 °C.

2. Commencez par éplucher et râper les patates douces dans un saladier. Ajoutez les oignons nouveaux ciselés finement et l'ail écrasé. Salez et poivrez généreusement. Laissez reposer quelques minutes pour bien faire dégorger la préparation.

3. Pendant ce temps, préparez la sauce : mélangez le yaourt à la grecque avec la moitié de la ciboulette ciselée finement. Ajoutez la coriandre ciselée finement ainsi que le jus de citron. Mélangez bien, assaisonnez et réservez au frais.

4. Dans un bol, mélangez les œufs, la farine et l'autre moitié de la ciboulette ciselée finement. Égouttez au maximum le mélange à base de patates douces avant de l'ajouter à cette préparation. Mélangez bien pour répartir les ingrédients.

5. Faites chauffer l'huile d'olive dans une grande poêle.

6. Préparez des boules de patate douce. Pour que ce soit plus facile, vous pouvez utiliser une cuillère à glace. Disposez ensuite les boules dans la poêle et écrasez-les avec une spatule. Laissez cuire 3 à 4 minutes de chaque côté. Les latkes doivent être dorés.

7. Faites reposer sur du papier absorbant, le temps de cuire tous les latkes.

8. Avant de servir, réchauffez-les : disposez les latkes sur une plaque allant au four recouverte de papier sulfurisé et enfournez pendant 5 minutes à 180 °C.

9. Servez chaud avec la sauce au yaourt et une salade fraîche pour un brunch !

LES PRODUITS LAITIERS

Sous forme de crème, de fromage ou de yaourt, les produits laitiers
ont des propriétés anticancer non négligeables, mais à condition
qu'ils ne soient pas consommés avec excès… Suivez le guide !

On compte aujourd'hui quatorze sous-catégories de produits laitiers. Chacun de ces aliments fait appel à un procédé de fabrication spécifique. Par exemple, le beurre est obtenu à partir de la crème. Il est extrait par barattage. Le fromage, le yaourt et le kéfir sont des produits fermentés dont la texture et le goût dépendent des bactéries et des moisissures utilisées lors de leur fabrication respective. Il existe aussi le lactosérum, le babeurre ou encore la smetana, une sorte de crème fraîche aigre très appréciée dans les pays d'Europe de l'Est.

Les premières traces de fabrication du fromage remontent à plus de sept mille ans et viennent d'un site archéologique situé en Pologne. Plusieurs tamis, utilisés pour la fabrication artisanale du fromage, y ont été retrouvés ; leur surface interne était abondamment imprégnée de résidus de matières grasses laitières. La découverte du fromage à cette époque aurait favorisé l'expansion d'une population européenne intolérante au lactose.

LEURS PROPRIÉTÉS ANTICANCER

Protection du côlon ● Effet protecteur global chez les femmes ● Action favorable sous condition chez les hommes

● Qu'ils soient sous forme de crème, de fromage ou de yaourt, les produits laitiers ont des propriétés anticancer non négligeables, à condition qu'ils ne soient pas consommés avec excès.

● Des apports trop élevés en calcium laitier sont en effet associés à une augmentation du risque de développer un cancer de la prostate : un homme qui en ingère 2 g par jour élève de 30 % ses risques par rapport à un homme en consommant 1 g par jour. Ainsi, pour les hommes, il vaut mieux consommer ces produits en limitant leur portion quotidienne et en mangeant simultanément des aliments prébiotiques, tels que l'ail et l'artichaut, qui auront un rôle d'accélérateur du transit intestinal.

● Pour ce qui est des arguments en faveur d'un effet protecteur des produits laitiers, il est intéressant de souligner la qualité des acides gras qu'ils

contiennent, en particulier des acides gras saturés à chaîne courte comme l'acide butyrique. Ces derniers jouent un rôle protecteur contre le cancer du côlon et pourraient en partie expliquer l'association positive suggérée par certaines études entre la consommation de produits laitiers et la diminution du risque de cancer colorectal. Les acides gras saturés à chaîne courte sont d'ailleurs naturellement synthétisés dans l'intestin par les bactéries autochtones, surtout chez les personnes ayant un régime alimentaire riche en fibres.

LEURS ATOUTS NUTRITIONNELS

D'un point de vue nutritionnel tous les produits laitiers ne sont pas identiques ni interchangeables ; il est préférable d'en varier quotidiennement les formes et les sources. Le fromage, par exemple, contribue de manière importante aux apports quotidiens en sel, aussi est-il recommandé de ne pas en manger plus de 30 à 40 g par jour.

Valeurs nutritionnelles pour 100 grammes	Yaourt au lait demi-écrémé	Fromage type comté	Crème épaisse ≥ 30 % MG	Beurre doux
Énergie	75 kcal	417 kcal	301 kcal	745 kcal
Eau	82g	32 g	64 g	16 g
Protéines	2,7 g	28 g	2,3 g	0,7 g
Lipides	1,4g	34 g	31 g	82,2 g
Glucides	12,1 g	0 g	2,8 g	< 1 g
Sel	0,06 g	1,4 g	0,06 g	0,04 g
Calcium (valeurs nutritionnelles de référence = 800 mg)	96,7 mg 12% des VNR	909 mg 114 % des VNR	75 mg 9,4 % des VNR	16,5 mg 2 % des VNR

LES ACHETER ET LES CUISINER

Pour bien les conserver. Il faut se référer aux indications présentes sur l'emballage ou fournies lors de l'achat. Si tous se conservent habituellement au réfrigérateur, il est possible de laisser les fromages à pâte dure hors de celui-ci dans une pièce bien fraîche. Le processus d'affinage se poursuivra alors, augmentant les qualités organoleptiques du fromage, surtout si celui-ci n'a pas subi de procédé thermique tel que la pasteurisation. Attention toutefois, pour les femmes enceintes, il est vivement recommandé de ne pas consommer d'aliment à base de lait cru afin de limiter les risques d'intoxication alimentaire dus à la présence de *Listeria* dans le produit.
Éviter les excès de matières grasses. Il est recommandé de privilégier le yaourt, le fromage frais au lait de chèvre et le fromage blanc dans sa version allégée jusqu'à 0 % quand on est très attentif à sa ligne, tout en n'hésitant pas à se faire plaisir de temps en temps avec des produits laitiers un peu plus gourmands.

CERVELLE DE CANUT

96,5 KCAL

L 50,8 G 31,1 P 18

200 g de faisselle
50 g de yaourt
à la grecque
1 échalote
1 gousse d'ail
1 petite poignée
de cerfeuil
1 petite poignée
de persil plat
1/4 de botte de
ciboulette
1 cuil. à soupe
d'huile d'olive
1 cuil. à café
de vinaigre de vin
sel, poivre

1. Dans un bol, mélangez ensemble la faisselle et le yaourt à la grecque.

2. Coupez le plus finement possible l'échalote, écrasez la gousse d'ail et ajoutez-les à la préparation.

3. Ciselez très finement les herbes et ajoutez-les également. Mélangez bien.

4. Salez, poivrez généreusement puis ajoutez l'huile d'olive et le vinaigre. Mélangez à nouveau.

5. Vous pouvez servir la cervelle de canut à l'apéritif, sur des toasts ou en dip, ainsi qu'en accompagnement d'un poisson, par exemple

POUR 4 PERSONNES

FRUITS EXOTIQUES, MOUSSE MASCARPONE À LA VANILLE

453 KCAL

L 41,4   G 51,7   P 7

PRÉPARATION 30-40 MIN ● FACILE ● €€

1 mangue
1 ananas
1 fruit de la passion
le jus et le zeste
de 1 citron vert

POUR LA MOUSSE
200 g de mascarpone
200 ml de crème liquide
15 g de sucre glace
1 gousse de vanille

1. Épluchez la mangue et coupez-la en brunoise, c'est-à-dire en tout petits cubes, et récupérez le plus de jus possible.

2. Coupez la tête et la base de l'ananas. À l'aide d'un couteau à dents, retirez la peau. Coupez également la chair en petits cubes et récupérez le jus.

3. Placez les cubes de mangue et d'ananas ainsi que leur jus dans un saladier. Ajoutez le fruit de la passion et le jus du citron vert, mélangez et réservez au frais.

4. Préparez la mousse : dans un bol, travaillez un peu le mascarpone à la fourchette ou au fouet pour l'assouplir.

5. Dans un autre bol, fouettez ensemble la crème liquide, le sucre glace et les grains de la gousse de vanille à la façon d'une crème Chantilly.

6. Avant que la crème ne soit totalement montée, intégrez le mascarpone et fouettez encore un peu jusqu'à obtenir un mélange homogène. Réservez au frais.

7. Au moment de servir, placez dans chacun des quatre ramequins un peu de brunoise de fruits, ajoutez la mousse de mascarpone et parsemez de zeste de citron vert !

8. Vous pouvez aussi préparer ce dessert à l'avance en le gardant au frais et en parsemant le zeste de citron vert au dernier moment.

LE RADIS

Aliment très ancien, utilisé pour sa saveur piquante en cuisine, le radis a une richesses
en vitamine C et des propriétés antioxydantes aujourd'hui mises en évidence.
Un petit légume à ne pas négliger d'autant que ses différentes variétés
permettent de jolies variations culinaires.

Le radis est un légume de la famille des brassicacées, comme la roquette ou le chou. La racine
du radis n'est pas l'unique partie valorisable en cuisine : les fanes de la plante peuvent s'employer
comme ingrédient dans de nombreuses sauces, soupes et autres gourmandises salées.

Il semblerait que le radis soit originaire d'Asie occidentale : les Égyptiens et les Babyloniens en
consommaient déjà. Le nom latin du radis, *raphanos*, signifie d'ailleurs « qui lève facilement » en
référence à la facilité avec laquelle cette plante pousse dans les potagers.

Le radis s'apprécie pour son goût piquant caractéristique et sa chair blanche juteuse. On distingue
plusieurs variétés qui diffèrent par leur couleur, leur taille et leur forme ; en France les variétés les
plus communes appartiennent à la catégorie des radis rouges. Mais ce légume est aussi populaire
dans la cuisine asiatique, où l'on retrouve le radis noir et le radis blanc géant, appelé aussi radis
chinois ou daikon.

SES PROPRIÉTÉS ANTICANCER

**Protection des poumons, du sein chez la
femme et du système gastro-intestinal**

● De nombreuses études suggèrent que la consommation régulière de légumes de la famille des brassicacées est associée à une réduction du risque de
développer un cancer du poumon, des ovaires, de
la vessie, du sein et du système gastro-intestinal.

● Parmi les nombreux antioxydants présents dans
les tissus du radis, les proanthocianidines, et en particulier les pélargonidines, agissent sur les cellules
cancéreuses en inhibant leur prolifération. De même
le kaempférol, un des flavonols du radis, présente
des propriétés inhibitrices sur le développement de
certains cancers.

● La peroxydase, la vitamine C et tous les antioxydants du radis sont capables de lutter contre le
stress oxydatif des cellules de l'organisme. Une
étude menée *in vitro* a ainsi mis en évidence que les extraits de radis noir réduisent l'oxydation des lipides
des cellules de l'intestin, ce qui contribuerait à prévenir le cancer du côlon.

● Enfin, une étude a mis en évidence l'efficacité des graines de radis contre des cellules cancéreuses du poumon. Très prisées en Asie, ces graines contiennent en effet de l'isothiocyanate. Lors de la mastication d'un radis, ce composé entre en contact avec une enzyme, la myrosinase, ce qui entraîne la production du sulforaphane, une molécule aux propriétés anticancéreuses particulièrement intéressantes.

SES ATOUTS NUTRITIONNELS

Le radis rouge est particulièrement peu calorique. Et pourtant il n'en est pas moins riche en minéraux, vitamines et autres composés très intéressants pour l'organisme. Il est par exemple source de vitamines C et B9 et apporte des quantités intéressantes de potassium et de fer. Ses racines contiennent également des pigments, et en particulier des proanthocianidines, qui lui confèrent des propriétés antioxydantes.

Valeurs nutritionnelles pour 100 grammes	Radis rouge cru	Radis noir cru
Énergie	13,1 kcal	17,8 kcal
Eau	95,4 g	93,6 g
Fibres	1,1 g	1,49 g

L'ACHETER ET LE CUISINER

Astuce fraîcheur. L'aspect des fanes est un bon indicateur de la fraîcheur des radis ; préférez donc une botte ayant des fanes bien vertes. Attention aux grands radis : une taille trop importante de la racine annonce parfois un radis creux et sans goût. Les petits radis garantissent au contraire une certaine fraîcheur et une meilleure digestibilité.

Conservation. Les radis se conservent au réfrigérateur, si possible séparés de leurs fanes. Quelle que soit la partie comestible du légume que l'on a décidé de consommer, il faut toujours bien la laver avant consommation pour éliminer les résidus de terre. D'autant plus que le radis s'apprécie la plupart du temps cru.

La bonne cuisson. Pour ceux qui souhaitent cuire les radis, il est préférable de choisir une cuisson à la vapeur ou à l'eau, dans la soupe par exemple. En effet le fait de griller les radis à la poêle peut conduire à la production de substances cancérigènes si la température monte à l'excès. Enfin, souvenez-vous que la vitamine C supporte peu l'épreuve de la chaleur et qu'une étape de cuisson diminue les teneurs en cette vitamine C de manière plus ou moins substantielle en fonction de la température atteinte et du temps de cuisson.

CEVICHE DE DAURADE

257 KCAL   L 50,8   G 5,2   P 44,1

PRÉPARATION 20 MIN ● MOYEN ● € €

---

350 g de filet
de daurade, sans arête
et sans peau
1/4 d'oignon rouge
1/2 botte de coriandre
fraîche
150 g de radis noir
80 g de radis roses
le jus et le zeste
de 2 citrons verts
6 cuil. à soupe
d'huile d'olive
fleur de sel, poivre

1. Préparez la daurade : coupez les filets en petits morceaux assez fins. Placez-les dans un plat de service.

2. Ajoutez l'oignon rouge coupé en très fines lamelles. Réservez ce ceviche au frais le temps de préparer le reste des ingrédients.

3. Effeuillez la coriandre et ciselez-la grossièrement. Réservez.

4. Coupez les radis roses en très fines lamelles et le radis noir en bâtonnets très fins. Réservez.

5. Assaisonnez le ceviche juste quelques minutes avant de servir sinon la chair du poisson risquerait de trop cuire avec l'acidité du jus de citron. Versez le jus et le zeste des citrons verts sur le poisson, ainsi qu'une pincée de fleur de sel. Poivrez généreusement et ajoutez l'huile d'olive. Mélangez bien.

6. Ajoutez la coriandre et disposez les radis harmonieusement.

PICKLES DE RADIS ROSE

PRÉPARATION 20 MIN ● REPOS 2 JOURS ● FACILE ● €

57,5 KCAL
L 4,5   G 77,6   P 17,9

250 ml de vinaigre
de cidre
250 ml d'eau
20 ml de sirop d'agave
1 cuil. à café de sel
450 g de radis roses
(2 petites bottes)
3 gousses d'ail
1 cuil. à café de poivre
noir en grains
1/2 cuil. à café de
piment (ou 1 petit
piment rouge)

MATÉRIEL SPÉCIFIQUE
bocal

1. Dans une casserole, faites chauffer ensemble le vinaigre, l'eau, le sirop d'agave et le sel jusqu'à frémissement.

2. Pendant ce temps, coupez les radis en très fines lamelles, de préférence à la mandoline.

3. Placez les lamelles de radis dans un bocal avec les gousses d'ail épluchées, le poivre et le piment en poudre.

4. Versez le liquide chaud et laissez refroidir le tout à température ambiante.

5. Lorsque le mélange est froid, fermez le bocal et placez-le au réfrigérateur. Vous pouvez conserver ces pickles pendant deux à trois semaines au frais.

6. Dégustez ces pickles comme des cornichons, ou pour apporter une touche de fraîcheur à vos plats épicés ou asiatiques (voir recette de bo bun, p. 90).

LE RIZ COMPLET

Le riz est la céréale la plus consommée au monde, mais sa version complète offre des qualités nutritives incomparables et des capacités à protéger l'organisme bien démontrées. Préférez le riz complet, il permet une grande variété d'utilisations culinaires tant salées que sucrées !

Le riz est une céréale issue de la famille des graminées. Les premières traces de domestication de l'espèce *Oryza sativa* remontent à dix mille ans environ et étaient situées au niveau du delta de la rivière des Perles en Chine méridionale. La culture du riz fut ensuite diffusée au fil des siècles sur tous les continents. Il s'agit aujourd'hui de la céréale la plus consommée à l'échelle mondiale, avant le blé. Une deuxième espèce de riz a évolué en parallèle et de manière indépendante en Afrique : il s'agit d'*Oryza glaberrina*, le riz rouge originaire du delta intérieur du Niger. Mais sa culture reste peu développée.

Le riz complet, appelé aussi riz brun ou riz cargo, est un riz qui n'a pas subi d'étape de décortication et conserve par conséquent son enveloppe externe (le son) et son germe. Le riz complet est plus long à cuire que le riz blanc, mais sa valeur nutritive est supérieure.

SES PROPRIÉTÉS ANTICANCER

Protection cellulaire et de l'ADN • Protection du système gastro-intestinal, notamment du côlon

● Le riz complet est riche en antioxydants, ces molécules capables de lutter contre l'oxydation des cellules de l'organisme, génératrice de stress et de maladies chroniques à long terme. Il contient notamment des acides phénoliques, des flavonoïdes, des anthocyanines, des proanthocyanidines, des tocophérols, des tocotriénols, du gamma-oryzanol et de l'acide phytique. Plusieurs études épidémiologiques suggèrent ainsi que la faible incidence de cancers observée dans certaines régions d'Asie est corrélée à un régime alimentaire à base de riz complet.

● D'autres études épidémiologiques ont par ailleurs montré une association positive entre la consommation de céréales complètes et la diminution du risque de cancer colorectal. L'enveloppe de son du riz complet concentre des fibres qui améliorent le transit intestinal et ont une action préventive contre le cancer du côlon.

● Enfin, plusieurs molécules contenues dans le riz complet ont montré une action protectrice contre les mutations génétiques et le développement des tumeurs. Le manganèse joue un rôle clé dans le maintien de l'information génétique portée par l'ADN : il limite les dommages à l'origine des cellules cancéreuses. La lectine du son est quant à elle capable d'inhiber la croissance de ces cellules cancéreuses.

SES ATOUTS NUTRITIONNELS

Le riz complet apporte plus de glucides que le riz blanc, et notamment plus de glucides complexes qui fournissent de l'énergie de manière progressive et favorisent ainsi la satiété. Étant dépourvu de gluten, il entre parfaitement dans le régime alimentaire des personnes intolérantes au gluten. Il est en outre particulièrement riche en manganèse : une portion de 150 g de riz complet cuit couvre 68 % des valeurs nutritionnelles de référence.

Valeurs nutritionnelles pour 100 grammes	Riz complet cuit	Riz blanc cuit
Énergie	156 kcal	135 kcal
Eau	61 g	66,5 g
Protéines	3,5 g	2,5 g
Fibres	2,2 g	< 1,1 g

L'ACHETER ET LE CUISINER

Date de péremption. Le riz complet se conserve moins longtemps que le riz blanc, et commence à s'altérer six mois après ouverture de l'emballage.

Le nettoyer. Avant cuisson, il est possible de laver le riz complet à l'eau froide. Pour ce faire il faut le laisser tremper, dans un grand récipient d'eau, puis remuer. Cette étape est très courante en Asie pour éliminer le son, la poussière et les souillures déposées lors du stockage du riz. Elle entraîne cependant le lessivage de nutriments hydrosolubles et diminue ainsi la valeur nutritive du riz complet. On cuit le riz complet dans un grand volume d'eau ; si on veut obtenir des grains tendres qui ne collent pas, on peut aussi le cuire à la vapeur.

Une variété d'utilisations. Comme toutes les variétés de riz, le riz complet accompagne à la perfection une quantité infinie de préparations culinaires, qu'elles soient sucrées ou salées. Accompagné de légumineuses, comme les lentilles ou les haricots rouges, il offre une excellente qualité nutritionnelle à vos plats. Le riz complet peut servir à confectionner du lait de riz, une boisson agréable au petit déjeuner ou au goûter. Sa couleur et sa consistance se rapprochent de celles du lait. Mais attention, le lait de riz complet ne remplace pas le lait de vache : ils n'ont tout simplement pas la même composition et n'apportent donc pas les mêmes nutriments.

———————

GRATIN DE COURGETTES
DE MA MÈRE

670 KCAL

L 33,5   G 48,4   P 18,1

1 kg de courgettes
3 cuil. à soupe
d'huile d'olive
200 g de riz complet
140 g de mascarpone
40 g de parmesan
120 g de pecorino
sel, poivre

PRÉPARATION 20 MIN ● **CUISSON** 20 MIN ● **FACILE** ● €

1. Préchauffez le four à 180 °C.

2. Faites chauffer l'huile d'olive dans une sauteuse allant au four de préférence.

3. Râpez les courgettes assez finement et placez-les dans la sauteuse. Salez et poivrez.

4. Faites cuire les courgettes pendant 5 à 10 minutes, à feu moyen, en remuant régulièrement.

5. Pendant ce temps, faites cuire le riz complet comme indiqué sur le paquet en retirant 1 à 2 minutes de cuisson.

6. Lorsque les courgettes sont précuites, c'est-à-dire cuites mais encore fermes, retirez la sauteuse du feu, ajoutez le mascarpone, la moitié du parmesan et du pecorino râpés. Ajoutez ensuite le riz égoutté et mélangez bien. Goûtez et ajustez l'assaisonnement si nécessaire.

7. Parsemez du reste de parmesan et de pecorino, et placez la sauteuse au four pendant une vingtaine de minutes jusqu'à ce qu'il soit doré comme un gratin.

RIZ AUX ŒUFS DE BARBARA

479 KCAL

L 11,7   G 73   P 15,3

PRÉPARATION 10 MIN ● CUISSON 15 MIN ● FACILE ● €

POUR LE RIZ
300 g de riz complet
3 cuil. à soupe d'huile
de sésame
4 œufs

POUR L'ASSAISONNEMENT
1 botte de coriandre
1/4 de botte
de basilic thaï
100 g de civette
2 cuil. à soupe d'huile
de sésame
le jus de 1 citron vert
2 cuil. à soupe
de sauce soja
sel, poivre

1. Faites bouillir 0,5 litre d'eau.

2. Faites chauffer l'huile de sésame dans une sauteuse. Ajoutez le riz, mélangez. Le riz doit être bien enrobé d'huile. Une fois qu'il commence à devenir translucide, ajoutez l'eau chaude. Ajoutez une bonne pincée de sel, couvrez et laissez cuire pendant une dizaine de minutes à feu moyen.

3. Pendant ce temps, préparez les œufs : battez-les en omelette. Salez et poivrez.

4. Préparez l'assaisonnement : coupez la coriandre, le basilic thaï et la civette finement, et assaisonnez le tout avec l'huile de sésame, le jus de citron vert et la sauce soja. Réservez.

5. Vérifiez la cuisson du riz : il doit être juste cuit. Versez les œufs uniformément sur le riz et couvrez à nouveau pour 2 à 3 minutes. Mélangez légèrement pour bien les répartir dans tout le riz et au fond de la sauteuse. Laissez cuire encore quelques minutes, jusqu'à ce que les œufs soient cuits.

6. Retirez la sauteuse du feu, parsemez le riz du mélange à base d'herbes. Servez immédiatement.

LA ROQUETTE

Ce joli légume à la saveur incomparable a de multiples atouts.
En cuisine, la roquette offre une belle palette de préparations toutes plus savoureuses
les unes que les autres et, pour la santé, ses composés phytochimiques
en font un aliment anticancer.

La roquette appartient à la famille des brassicacées (anciennement appelées crucifères) qui compte d'autres légumes comme le cresson et les radis. Elle est cultivée à partir du mois de mars et récoltée environ deux mois plus tard. Si la récolte prend du retard, des petites fleurs blanches ou jaunes apparaîtront sur la plante ; pas de panique, celles-ci sont comestibles et apporteront une décoration originale à vos plats. Très savoureuse, la roquette offre aux papilles une agréable sensation de picotements et relève le goût des salades printanières.

Originaire d'Asie occidentale, elle est aujourd'hui très répandue dans les autres régions du monde, même si l'on attribue en général son utilisation à l'Europe et à la Méditerranée. Les Romains en étaient friands : ils utilisaient ses feuilles en salade, mais aussi ses graines qui servaient à la confection d'une moutarde encore appréciée aujourd'hui en Méditerranée et au Moyen-Orient.

SES PROPRIÉTÉS ANTICANCER

Protection des poumons, du pancréas, du côlon ● Protection des ovaires chez la femme

● Les légumes de la famille des brassicacées sont considérés comme des réservoirs à composés phytochimiques aux vertus intéressantes contre le cancer. Ils sont particulièrement riches en glucosinolates, des molécules soufrées à partir desquelles sont fabriqués les isothiocyanates, des antioxydants et anticarcinogènes ayant fait l'objet de nombreuses études. L'une d'elles met en avant l'effet prometteur de l'érucine contenue dans la roquette contre la prolifération des cellules cancéreuses humaines du poumon.

● La roquette contient également des flavonoïdes, en particulier de la quercétine et des caroténoïdes. Ces composés phytochimiques sont de puissants antioxydants, essentiels dans le cadre d'un régime alimentaire préventif et que l'on trouve dans de nombreux aliments. Des études menées *in vitro* ont mis en évidence l'action de la quercétine sur les cellules

cancéreuses, notamment pour empêcher leur développement. Certaines études épidémiologiques démontrent l'effet protecteur d'une alimentation riche en quercétine sur les cancers de l'ovaire, du côlon et du pancréas.
● Si la consommation de vitamine K2, appelée ménaquinone, est associée à une diminution de l'incidence des cancers et de la mortalité liée aux cancers, la vitamine K1, celle contenue en grande quantité dans la roquette, ne bénéficie pas à l'heure actuelle de telles propriétés.

SES ATOUTS NUTRITIONNELS

La roquette crue apporte seulement 7,5 kcal pour une portion consommée de 30 g, ce qui signifie que sa densité calorique est très faible. Une telle portion engendre une agréable sensation de satiété qui permet d'éviter une prise alimentaire excessive au cours du repas. Elle est par ailleurs riche en vitamine K1, appelée phylloquinone, qui présente des propriétés anticoagulantes ; une portion de roquette contribue à couvrir 43 % des valeurs nutritionnelles de référence en vitamine K.

Valeurs nutritionnelles pour 100 grammes	Roquette crue
Énergie	25 kcal
Eau	92 %
Fibres	1,6 g

L'ACHETER ET LA CUISINER

À l'achat. Il vaut mieux choisir des pousses fraîches et bien vertes, et écarter celles qui sont desséchées à l'aspect grisâtre ou jauni. Les feuilles se préparent juste avant consommation pour ne pas altérer le goût de la roquette. Cette étape consiste à couper le bout des tiges et à laver les feuilles sous un filet d'eau froide.
Sa conservation. La vitamine K1 – présente en abondance dans la roquette – est liposoluble, ce qui signifie qu'elle ne se lie pas avec l'eau et n'est pas éliminée par l'étape de lavage des feuilles, contrairement à d'autres vitamines. Elle résiste également aux températures élevées, et donc à la cuisson, mais elle est en revanche sensible à l'oxydation. Ainsi il faut veiller à bien conserver ses pousses de roquette dans un récipient fermé à l'abri de la lumière.
Crue ou cuite. La roquette se consomme crue ou cuite. En salade, on peut choisir les plus jeunes feuilles pour apporter une touche de noisette à la préparation. Cuite, elle vient décorer vos pizzas maison. Enfin, dans vos plats de pâtes, la roquette peut servir de base pour un pesto original.

GNOCCHIS DE ROQUETTE

427 KCAL

L 4,1   G 83,7   P 12,1

PRÉPARATION 35 MIN ● CUISSON 25 MIN ● MOYEN ● €

600 g de pommes
de terre type bintje
150 g de roquette
2 jaunes d'œufs
350 g de farine
sel, poivre

1. Lavez les pommes de terre et faites-les cuire pendant 20 minutes environ sans les éplucher dans une grande casserole d'eau bouillante salée.

2. Pendant ce temps, mixez la roquette avec les jaunes d'œufs. Salez, poivrez.

3. Lorsque les pommes de terre sont cuites, épluchez-les à chaud, puis écrasez-les en purée fine à la fourchette ou au presse-purée. Surtout évitez le robot, qui donnerait une purée élastique.

4. Ajoutez à la purée de pommes de terre la préparation à base de roquette, puis mélangez.

5. Versez ensuite la farine, petit à petit, en essayant de ne pas trop travailler la pâte. Ajustez la quantité de farine : vous devez obtenir une pâte qui ne colle plus aux doigts, mais qui reste molle.

6. Coupez la pâte en quatre portions, formez des petits boudins du diamètre d'une pièce d'un euro. Coupez les boudins en morceaux de 2 à 3 cm de long. Vous obtenez des gnocchis.

7. Faites cuire les gnocchis dans une grande casserole d'eau bouillante salée pendant 4 minutes : dès qu'ils remontent à la surface, attendez 1 minute et c'est cuit !

8. Ces gnocchis sont délicieux servis avec un pesto, ou plus simplement avec une bonne sauce tomate ! N'hésitez pas à les poêler quelques minutes avant d'ajouter la sauce pour une texture encore plus savoureuse !

RICOTTA MAISON
À LA ROQUETTE

PRÉPARATION 30 MIN ● REPOS 2 H ● MOYEN ● €

384 KCAL

L 45,7 G 31,4 P 22,9

150 g de roquette
fraîche
le jus et le zeste de
1 citron jaune
4 cuil. à soupe
d'huile d'olive
fleur de sel, poivre

POUR LA RICOTTA
1,8 l de lait
200 ml de crème liquide
5 g sel
100 g de jus
de citron jaune
100 g de roquette

MATÉRIEL SPÉCIFIQUE
passoire fine
2 couches de linge
en étamine
thermomètre
de cuisson
robot

1. Préparez le matériel pour la ricotta : dans un grand saladier, placez une passoire fine, et par-dessus deux couches de linge étamine. Réservez.

2. Dans une grande casserole, faites chauffer tout doucement le lait, la crème liquide et le sel. Le mélange doit monter jusqu'à 85 °C.

3. Lorsque cette température est atteinte, ajoutez hors du feu le jus de citron et mélangez doucement à l'aide d'une spatule. Le liquide va commencer à cailler. Laissez la casserole de côté, sans y toucher pendant 10 minutes.

4. Pendant ce temps, préparez la roquette : mixez 100 g de roquette au robot ou hachez-la le plus finement possible.

5. Ajoutez la roquette hachée dans la casserole, mélangez doucement, puis versez la préparation dans la passoire, sur le tissu étamine.

6. Laissez la ricotta s'égoutter pendant 1 h à 1 h 30.

7. Lorsque la ricotta est bien égouttée, placez-la au réfrigérateur pendant 30 minutes pour la refroidir complètement.

8. Au moment de servir, placez la ricotta au centre d'un plat, parsemez-la du reste de roquette fraîche. Ajoutez le zeste et le jus de citron jaune, la fleur de sel et du poivre. Finissez en versant un filet d'huile d'olive. Servez en entrée ou en apéritif avec des tranches de pain de campagne !

LE SOJA

Grand classique de la cuisine asiatique, le soja renferme des isoflavones dont l'intérêt a été étudié dans la prévention de certains cancers. S'il offre aussi des qualités nutritionnelles évidentes, il est cependant conseillé aux femmes de le consommer avec modération, selon leur âge.

Aliment emblématique de l'Asie, le soja est une plante appartenant à la famille des légumineuses. À l'instar des haricots, les graines de soja sont enfermées dans une gousse, appelée *edamame*, que l'on récolte de préférence avant maturité. La culture du soja fut d'abord établie en Chine autour de l'an 1100 avant J.-C. avant de s'étendre au Japon, en Corée et en Asie du Sud-Est. Dans toute cette région du monde, le soja fait depuis partie intégrante du régime alimentaire. L'arrivée du soja en Occident est très tardive. S'il fut apporté par l'Empire britannique aux États-Unis au XIXe siècle, il a fallu attendre les années 1980 pour voir s'installer en France une culture de soja.

SES PROPRIÉTÉS ANTICANCER

Prévention des cancers hormono-dépendants en consommant du soja avant la ménopause ● Consommation excessive à éviter chez les enfants en bas âge

● La richesse du soja en isoflavones rend cette plante particulièrement adaptée pour un régime préventif contre les cancers hormono-dépendants tels que le cancer du sein et le cancer de la prostate. Le développement de ces cancers est en effet étroitement lié à la concentration sanguine en hormones sexuelles. Or les isoflavones du soja (en particulier la génistéine et la daidzéine) ont une structure proche des œstrogènes et ont la capacité d'atténuer la réponse de l'organisme à ces hormones.

● Les bienfaits du soja ont été suggérés dans un premier temps par la répartition des cancers du sein et de la prostate à travers les populations mondiales. Les femmes asiatiques sont par exemple très peu touchées par le cancer du sein alors même qu'il constitue en Occident le premier responsable de décès par cancer chez les femmes. Comme évoqué précédemment le soja est un aliment de base de la cuisine asiatique ; on considère que les femmes asiatiques ingèrent une moyenne de 25 mg d'isoflavones par jour quand les femmes occidentales en

ingèrent très peu. Les études menées en laboratoire prouvent qu'il existe bien une action efficace de la génistéine contre la croissance des cellules mammaires et en particulier des cellules cancéreuses. Mais elles suggèrent également que l'âge d'exposition aux isoflavones joue un rôle primordial dans la protection contre le cancer du sein. Une exposition avant et pendant la puberté est associée à une forte diminution des risques de développer ce cancer tandis qu'une exposition tardive, à partir de 35 ans par exemple, n'entraîne pas de résultats aussi encourageants. Certaines études montrent que, à la ménopause et pour les femmes ayant eu un cancer du sein, il est déconseillé de démarrer un régime riche en soja. Pour ces femmes il est surtout conseillé de ne pas consommer d'aliments enrichis en isoflavones, ceux-ci étant le plus souvent très concentrés en phyto-œstrogènes par rapport au soja naturel et à ses dérivés (farine, fèves rôties, miso). Enfin il est vivement déconseillé de donner de manière régulière et fréquente des préparations aux protéines de soja et des tonyu (lait de soja) aux nourrissons et aux enfants en bas âge.

SES ATOUTS NUTRITIONNELS

Les protéines de soja ont la particularité d'être plus digestibles que celles contenues dans les autres légumineuses et d'apporter autant d'acides aminés essentiels que certaines protéines du lait et de l'œuf, ce qui rend le soja intéressant pour les personnes souhaitant diminuer leurs apports en protéines animales.

Valeurs nutritionnelles pour 100 grammes	Graines de soja avant maturité cuites
Énergie	141 kcal
Eau	69 g
Protéines	12,4 g
Glucides	11,1 g
Lipides	6,4 g
Fibres	4,2 g
Sel	< 0,05 g

L'ACHETER ET LE CUISINER

Savoir choisir. Le marché du soja compte une vingtaine de produits dérivés, certains issus d'une simple étape de transformation comme les noix de soja, le soja texturé et la lécithine, d'autres provenant d'une étape de fermentation comme le miso, le tonyu et le tofu. Pour les personnes souhaitant remplacer les protéines animales dans leurs recettes, des protéines de soja texturées sont disponibles dans le commerce ; celles-ci sont néanmoins pauvres en isoflavones.
À ne pas confondre. Les graines de soja sont souvent confondues avec le haricot mungo, y compris sur le conditionnement des produits du commerce. Aussi faut-il prêter attention à l'aspect du produit ainsi qu'à la liste des ingrédients précisée sur l'emballage. En revanche, il ne faut pas hésiter à découvrir une autre variété de soja telle que les fèves édamames.

BO BUN AU BŒUF

435 KCAL

L 16,6   G 53,4   P 30

PRÉPARATION 10 MIN ● CUISSON 20 MIN ● FACILE ● €€

1/2 botte de coriandre
1/2 botte de menthe
100 g de batavia
2 oignons blancs
4 cuil. à soupe
d'huile d'olive
280 g de bifteck
de bœuf
2 cuil. à soupe
de sauce à nem
250 g de vermicelles
de riz
300 g de pousses
de soja
100 g de pickles
de radis
(voir recette p. 74)
sauce à nem
pour la finition

POUR LES LÉGUMES
MARINÉS
1/2 concombre
avec la peau
2 carottes épluchées
4 cuil. à soupe
de vinaigre de riz
1 cuil. à soupe
de sucre en poudre

1. Préparez les légumes marinés : coupez le concombre et les carottes épluchées en bâtonnets, placez-les dans un bol. Ajoutez le vinaigre de riz, le sucre et 1 pincée de sel, mélangez. Laissez mariner le temps de préparer le reste de la recette.

2. Effeuillez les herbes et ciselez-les finement, ainsi que la salade. Réservez chaque ingrédient à part.

3. Dans une poêle, faites revenir les oignons blancs coupés en fines lamelles avec l'huile d'olive pendant 2 à 3 minutes. Coupez le bifteck en petites lamelles et ajoutez-le dans la poêle. Faites cuire 5 à 10 minutes à feu moyen, en ajoutant à mi-cuisson 2 cuillerées à soupe de sauce à nem. Maintenez au chaud.

4. Pendant ce temps, faites bouillir de l'eau. Placez les vermicelles de riz dans un bol et recouvrez-les d'eau bouillante. Laissez-les cuire ainsi pendant 5 minutes.

5. Dressez les bo buns dans quatre grands bols : placez au fond les vermicelles de riz égouttés. Ajoutez par-dessus un peu de salade émincée, des pousses de soja, des légumes marinés et des pickles de radis en séparant chaque ingrédient pour bien les distinguer.

6. Ajoutez enfin le bœuf sauté et parsemez le tout d'herbes fraîches.

7. Servez les bo buns ainsi accompagnés de sauce à nem que chacun versera dans son bol (il faudra compter environ 3 à 4 cuillerées à soupe de sauce à nem par personne).

8. Dégustez immédiatement pour garder l'esprit d'un plat chaud-froid !

HOUMOUS D'ÉDAMAMES

258 KCAL

L 63   G 20,1   P 16,9

PRÉPARATION 15 MIN ● FACILE ● €

200 g de fèves
édamames écossées
2 gousses d'ail
2 cuil. à café de crème
de sésame (tahini)
le jus de 1 citron
2 pincées de piment
d'Espelette
2 pincées de paprika
6 cuil. à soupe
d'huile d'olive

1. Placez les édamames écossés dans un blender.

2. Ajoutez les gousses d'ail, le tahini, le jus de citron et les épices.

3. Mixez 1 à 2 minutes. Vous allez obtenir une pâte très épaisse. Ajoutez l'huile en filet petit à petit tout en mixant.

4. Goûtez, puis assaisonnez de sel et de poivre.

5. Vous pouvez conserver ce houmous 1 à 2 jours au frais ou le servir immédiatement. Il se consomme comme un houmous classique, avec des crudités ou du pain pita.

LA TOMATE

Les atouts de ce fruit ne sont plus à démontrer. Peu calorique, source de vitamines et de minéraux, la tomate est également riche en lycopène, un composé particulièrement intéressant pour protéger l'organisme. Crue, et encore mieux cuite, en sauce, la tomate est pleine de ressources pour notre santé.

Cousine de la pomme de terre, de l'aubergine et des piments, la tomate est le fruit d'une plante de la famille des solanacées. Les premières traces de sa culture remontent aux sociétés aztèques qui lui donnaient le nom de *tomalt* ou *zimotate*.

Découverte lors des grandes explorations en Amérique centrale, elle fit son apparition en Espagne au xviᵉ siècle, mais ne fut pas tout de suite introduite dans le régime alimentaire des Occidentaux : du fait de sa ressemblance avec les baies toxiques, elle a longtemps suscité la méfiance des Européens, et son rôle fut dans un premier temps purement ornemental. On l'appela longtemps « pomme d'amour » en référence à sa couleur rouge intense, évocatrice de la passion.

Dans la pratique culinaire, la tomate est considérée comme un légume, bien que cela soit faux pour les botanistes. Il existe de nombreuses variétés de tomates qui se distinguent par leur forme, leur couleur et leur saveur.

SES PROPRIÉTÉS ANTICANCER

Protection de la sphère orale, de l'appareil digestif et intestinal ● Protection de la prostate chez l'homme ● Protection contre le stress oxydatif

● La tomate est l'une des principales sources alimentaires du lycopène. Ce composé phénolique appartient à la famille des caroténoïdes, pigments responsables de la couleur rouge, orange ou jaune des fruits et légumes. Selon plusieurs études d'observation, la consommation fréquente et régulière de tomates et de produits dérivés, comme la sauce tomate, réduirait de 10 à 20 % le risque de cancer de la prostate. Les mécanismes en jeu ne sont pas tous élucidés ; outre l'activité antioxydante du lycopène contre le stress oxydatif des cellules, la capacité d'interaction de ce pigment avec certaines cellules responsables de la croissance du tissu prostatique serait l'une des raisons de son efficacité contre le développement de cancer.

● Certaines études montrent aussi un effet protecteur du lycopène à travers la consommation de tomate

sur les cancers du pancréas, du côlon et du rectum, de la sphère orale, de l'œsophage et de l'estomac, du col de l'utérus et du sein. Mais ces études d'observation sont cependant moins convaincantes que pour le cancer de la prostate.

● Il est intéressant de souligner que l'effet protecteur du lycopène pris sous forme de complément alimentaire n'a pas été observé lors d'études menées sur le sujet.

SES ATOUTS NUTRITIONNELS

La tomate possède une densité calorique faible : l'eau qu'elle contient lui donne du poids et du volume mais pas de calories. Étant composée à près de 95 % d'eau, on peut la considérer comme un allié intéressant dans le cadre d'un régime minceur. L'autre atout de la tomate repose sur ses teneurs en vitamines, en minéraux et en composés phénoliques, molécules dotées d'une forte activité antioxydante comme le lycopène. Elle est également source de potassium, de vitamine C et de vitamine A.

Valeurs nutritionnelles pour 100 grammes	Tomate crue	Tomate cuite, purée
Énergie	16,4 kcal	32 kcal
Eau	94,5 g	89,5 g
Fibres	1,4 g	1,9 g

L'ACHETER ET LA CUISINER

Astuces pour bien les choisir. La fin du printemps et l'été sont les meilleures périodes pour trouver des tomates fraîches, locales, cultivées en plein champ. À l'achat, les tomates doivent être un peu fermes mais céder à une légère pression des doigts. Pour les conserver, il ne faut surtout pas les mettre au réfrigérateur avec les autres légumes mais les laisser à l'air libre avec les fruits.

Avec la peau. La peau de la tomate concentre une grande partie de ses antioxydants, vous pouvez donc consommer la peau. Le lycopène est mieux absorbé s'il provient de produits dérivés de la tomate nécessitant une étape de cuisson comme le concentré, le coulis ou le jus de tomate. Cela proviendrait d'une modification de la structure du lycopène causée par la chaleur. Mais ce n'est pas tout : le lycopène est également mieux absorbé en présence de matière grasse.

Renforcer ses atouts. Pour accentuer les bénéfices santé de la tomate, n'hésitez pas à ajouter une gousse d'ail cru écrasée en fin de cuisson de vos préparations à base de tomate : c'est un cocktail délicieux qui de surcroît apporte des composés excellents pour la santé.

PANZANELLA

PRÉPARATION 20 MIN ● CUISSON 10 MIN ● FACILE ● €

383 KCAL
L 51,5 G 39,5 P 9

750 g de tomates
de différentes variétés
(cœur de bœuf, verte,
jaune, zébra,
noire de Crimée)
1/2 baguette
de pain rassis
1 filet d'huile d'olive
1 gousse d'ail
100 g de petites
olives noires
30 g de câpres

POUR LA VINAIGRETTE
6 à 8 cuil. à soupe
d'huile d'olive
3 cuil. à soupe de
vinaigre de vin rouge
sel, poivre

1. Préchauffez le four à 200 °C.

2. Coupez la baguette en gros morceaux irréguliers d'environ 3 à 4 cm, mettez-les dans un plat allant au four.

3. Versez un filet d'huile d'olive soit environ 2 à 3 cuillerées à soupe, ajoutez la gousse d'ail écrasée. Mélangez le tout pour bien enrober les croûtons. Salez, poivrez.

4. Enfournez jusqu'à ce que les croûtons soient bien dorés, en remuant de temps en temps. Comptez environ une dizaine de minutes.

5. Pendant ce temps, coupez les tomates grossièrement en petits quartiers et placez-les dans un grand saladier. Ajoutez les olives noires et les câpres. Salez et poivrez. Versez le vinaigre, puis l'huile d'olive et mélangez bien.

6. N'oubliez pas de goûter et d'ajuster l'assaisonnement si nécessaire. Cela dépendra beaucoup des tomates que vous utilisez, qui seront plus ou moins sucrées.

7. Lorsque les croûtons sont prêts, ajoutez-les à la salade et mélangez, de préférence à la main pour écraser les croûtons et qu'ils se gorgent de sauce et du jus des tomates. Servez aussitôt !

CONFITURE DE TOMATE

146 KCAL

L 44,1 G 44,3 P 11,6

PRÉPARATION 10 MIN ● CUISSON 30 MIN ● FACILE ● €

1 kg de tomates
40 g de beurre doux
1 cuil. à café
de cannelle
50 g de sirop d'agave
2 cuil. à soupe
de graines de sésame

1. Préchauffez le four à 180 °C.

2. Ôtez le pédoncule des tomates, épluchez-les à l'aide d'un économe. Si la peau ne s'en va pas facilement, vous pouvez faire une petite croix sur la base de la tomate avec un couteau et la plonger dans une casserole d'eau bouillante pendant 20 secondes, puis la tremper dans de l'eau glacée : la peau sera alors plus facile à enlever.

3. Épépinez les tomates, coupez la chair finement.

4. Faites fondre le beurre dans une poêle, ajoutez les tomates. Faites-les revenir quelques minutes à feu moyen, ajoutez la cannelle.

5. Poursuivez la cuisson jusqu'à ce que toute l'eau contenue dans les tomates soit évaporée. Ajoutez alors le sirop d'agave, mélangez et baissez le feu.

6. Faites revenir pendant 20 à 30 minutes, jusqu'à ce que les tomates aient bien caramélisé et prennent une couleur plus brune.

7. Pendant ce temps, faites torréfier les graines de sésame au four à 180 °C jusqu'à ce qu'elles soient bien dorées, environ 5 à 10 minutes.

8. Versez la confiture dans un pot, ajoutez les graines de sésame et dégustez à température ambiante.

LA VOLAILLE

La viande de volaille met tout le monde d'accord. Facile à préparer, facile à associer, facile à apprécier, la volaille a en plus une richesse en vitamines et en sélénium qui la rend tout à fait intéressante pour la prévention du cancer.

Tirant ses racines du mot latin *volatilia* qui signifie oiseau, le mot volaille est un terme générique qui regroupe l'ensemble des oiseaux de basse-cour comme le poulet, la dinde ou encore le canard, et inclut aussi traditionnellement la viande de lapin. Les races de poules actuelles viennent pour la plupart d'un ancêtre domestiqué il y a environ quatre mille ans en Asie du Sud-Est : le coq sauvage, appelé aussi coq doré ou *Gallus gallus*. L'un des symboles de la France est d'ailleurs le coq pour la simple raison que le nom *Gallus* fait référence à la fois au coq et aux Gaulois.

La viande de volaille est très populaire. Selon la FAO (Organisation des Nations unies pour l'alimentation et l'agriculture), la quantité moyenne de volaille consommée dans le monde en 2011 s'élevait à 14,4 kilos par personne contre 11 kilos en 2000. Les habitants du continent américain sont bien au-dessus de cette valeur puisqu'ils consommeraient jusqu'à 38,6 kilos de volaille par an et par personne.

SES PROPRIÉTÉS ANTICANCER

Action protectrice pour les hommes notamment

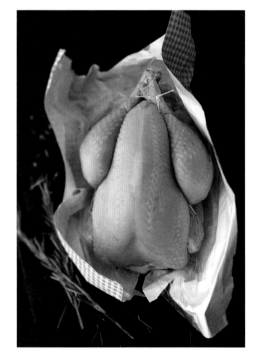

● Une portion de 100 g de volaille apporte en moyenne 15 % des valeurs nutritionnelles de référence en sélénium. Le sélénium fait partie des substances les plus intéressantes dans le cadre d'un régime anticancer en raison de ses vertus antioxydantes et de sa capacité à inhiber la croissance des cellules tumorales. Quelques études épidémiologiques réalisées sur un grand nombre d'hommes et de femmes montrent par exemple l'effet protecteur d'un régime riche en sélénium contre le cancer de la prostate.

● Contrairement à la viande de bœuf, la viande de volaille n'est pas décrite comme promoteur de cancer dans la littérature scientifique. Au contraire, une analyse de dix-neuf études épidémiologiques réalisée par des chercheurs japonais suggère que manger de la volaille diminue les risques de cancer colorectal en comparaison avec les résultats obtenus sur les populations qui ingèrent le plus de viande rouge. Ainsi, si les plus carnivores n'arrivent pas à diminuer leur portion hebdomadaire de viande, ils peuvent se tourner vers la consommation de volaille en alternative aux viandes riches en fer.

● L'Association canadienne du cancer colorectal souligne que remplacer sa portion quotidienne de viande rouge par une portion de volaille diminue les risques de cancer colorectal de 40 %. Cela est probablement dû aux quantités importantes consommées d'une viande plus grasse et à un mode de cuisson plus cancérigène observés en Amérique du Nord.

SES ATOUTS NUTRITIONNELS

La volaille est en général considérée comme une viande maigre, mais ce n'est pas toujours le cas. Sa teneur en lipides dépend de la présence de peau, de la pièce sélectionnée et de la nature de l'animal. La volaille est en outre une bonne source de vitamines B3 et B6. Cette dernière intervient dans la production de sérotonine, une hormone qui régule le stress ainsi que notre rythme circadien (alternance de périodes de veille et de sommeil).

Valeurs nutritionnelles pour 100 grammes	Blanc de poulet cuit sans peau	Lapin cuit	Canard, magret cuit à la poêle
Énergie	121 kcal	165 kcal	205 kcal
Eau	73 g	68 g	63 g
Protéines	26 g	20,5 g	26,7 g
Lipides	1,8 g	9,2 g	11 g
Sel	1,0 g	0,3 g	1,1 g

L'ACHETER ET LA CUISINER

Règles d'hygiène. La conservation et la préparation de la volaille nécessitent de suivre quelques règles d'hygiène. Lors de la préparation, il faut isoler la volaille, la couper avec un couteau qui ne servira qu'à cet aliment et le faire sur une planche à découper destinée uniquement au découpage de la viande. Ces règles semblent extrêmes mais elles sont fondées : il ressort en effet d'une étude européenne qu'une grande partie des cas d'intoxication alimentaire liés à la consommation de volaille est due à la contamination d'autres aliments, consommés crus, par contact avec de la viande de volaille pas encore cuite.

Bonnes associations. Le poulet est la « viande caméléon » par excellence. Mariné au miel et à la sauce soja ou bien saisi avec des petits oignons rouges de Roscoff, il se marie également avec bon nombre d'épices aux vertus protectrices pour la santé, et en particulier le curcuma.

BOULETTES DE DINDE PARFUMÉES

PRÉPARATION 20 MIN ● CUISSON 10 MIN ● FACILE ● €

191 KCAL

L 40,9   G 11,3   P 47,8

300 g de dinde hachée
40 g de pignons de pin
1/2 botte de coriandre
1/2 oignon rouge
le zeste
de 1 citron jaune
2 œufs
2 cuil. à soupe
d'huile d'olive
sel, poivre
100 g de yaourt à la
grecque (facultatif)

1. Préchauffez le four à 200 °C.

2. Placez les pignons au four sur une plaque recouverte de papier sulfurisé et faites-les torréfier jusqu'à ce qu'ils soient légèrement dorés, soit environ 10 minutes. Laissez-les refroidir, puis concassez-les grossièrement.

3. Dans un bol, mélangez la dinde hachée, la coriandre ciselée, l'oignon finement haché, le zeste de citron. Salez, poivrez. Ajoutez les pignons, puis les œufs et mélangez bien, de préférence avec vos mains.

4. Formez les boulettes de la taille d'une balle de golf (soit environ 50 g). Vous pouvez vous aider d'une cuillère à glace. Si vous formez les boulettes à la main, farinez-les légèrement pour éviter qu'elles ne collent.

5. Faites chauffer l'huile d'olive dans une poêle allant au four à feu moyen-fort, puis placez-y les boulettes pendant 1 à 2 minutes de chaque côté afin qu'elles soient bien dorées.

6. Placez ensuite la poêle dans le four encore chaud pendant 4 à 5 minutes. Les boulettes seront juste cuites, tout en restant moelleuses !

7. Vous pouvez les servir tels quelles, ou avec 100 g de yaourt à la grecque assaisonné de sel, de poivre et de quelques gouttes de jus de citron.

POULET INSPIRATION ASIAT'

639 KCAL

L 14,6   G 45,8   P 39,6

900 g de morceaux de
poulet non désossés
d'environ 3-4 cm
30 g de graines
de sésame
2 cuil. à soupe de farine
4 cuil. à soupe
d'huile de sésame
4 gousses d'ail
1 morceau de 50 g
de gingembre
2 oignons blancs
8 cuil. à soupe
de sauce soja sucrée
le jus de 2 citrons verts
sel, poivre

POUR LA FINITION
1/2 grenade
10 g de coriandre
fraîche

1. Préchauffez le four à 180 °C.

2. Placez les graines de sésame sur une plaque allant au four recouverte de papier sulfurisé et enfournez dans un four chaud pendant une dizaine de minutes. Les graines doivent être dorées. Réservez.

3. Salez et poivrez les morceaux de poulet, placez-les dans un bol avec la farine. Mélangez à la main pour bien enrober chaque morceau de poulet de farine.

4. Dans une grande poêle, faites revenir les morceaux de poulet dans l'huile de sésame 2 à 3 minutes de chaque côté. Retirez-les de la poêle lorsqu'ils sont dorés.

5. Versez dans la poêle l'ail et le gingembre écrasés. Ajoutez les oignons coupés en lamelles, faites revenir le tout à feu moyen pendant quelques minutes. Remuez régulièrement pour éviter que l'ail brûle.

6. Versez la sauce soja sucrée puis ajoutez les morceaux de poulet précuits. Baissez le feu, couvrez et laissez cuire pendant 5 à 10 minutes.

7. Pendant ce temps, égrainez la grenade : coupez les deux bases du fruit, puis faites des entailles sur les bords au niveau des alvéoles. Ouvrez ensuite doucement la grenade et égrainez-la au-dessus d'un bol d'eau froide, cela facilitera la séparation des graines des parties blanches. Égouttez et réservez.

8. Ciselez grossièrement la coriandre. Réservez.

9. Terminez la cuisson du poulet : augmentez un peu le feu et déglacez avec le jus de citron vert. Laissez cuire encore 1 à 2 minutes, afin de réduire un peu la sauce.

10. Saupoudrez le poulet des graines de sésame, ajoutez la coriandre et parsemez de graines de grenade fraîches. Servez aussitôt !

ÉTÉ

L'AÇAÏ

Une petite baie à la provenance bien lointaine mais pleine de bienfaits
et de propriétés anticancer. Pour ces raisons, et pour sa saveur incomparable,
il est tout à fait bénéfique de la découvrir.

L'açaï pousse exclusivement en Amérique du Sud, dans une large zone géographique qui s'étend du nord-est du Brésil jusqu'à la Colombie et l'Équateur. Cette petite baie est portée par un palmier au nom scientifique d'*Euterpe oleracea* couramment appelé palmier de pinot. Les populations amérindiennes l'utilisaient traditionnellement à des fins alimentaires et médicinales pour notamment augmenter la libido, stimuler le système immunitaire et combattre les infections. Avec sa couleur pourpre d'une extrême intensité, l'açaï servait également d'ingrédient pour fabriquer de l'encre et des teintures naturelles. Depuis quelques décennies, sa culture prend de l'ampleur pour répondre à la forte demande occidentale. Prisée dans un premier temps pour des propriétés amincissantes infondées, l'açaï fut remise au goût du jour grâce à ses vertus antioxydantes qui, elles, sont bien documentées.

SES PROPRIÉTÉS ANTICANCER

Protection contre les radicaux libres ● Protection de l'ensemble du système digestif

● L'açaï présente une composition riche en phytocomposés qui ont des propriétés intéressantes pour prévenir le cancer.
● Des chercheurs américains ont comparé les propriétés antioxydantes de plusieurs boissons du commerce (neuf jus de fruits, thé et vin rouge) et ont déterminé que celle à l'açaï arrivait en sixième position *ex aequo* avec le jus de cranberry et de cerise noire. Les données de l'USDA (United States Department of Agriculture, ministère de l'Agriculture des États-Unis) confirment la capacité plus importante de ce fruit à absorber des radicaux libres responsables du stress oxydatif dans l'organisme que les framboises, les fraises et les baies de goji.
● L'açaï est composé de nombreux polyphénols, dont des flavonoïdes, des anthocyanidines, des proanthocyanidines et du resvératrol, qui montrent tous en laboratoire une activité protectrice contre les dommages causés par les radicaux libres au niveau de l'ADN.

• Une étude récente a également mis en évidence l'existence d'une activité anticancéreuse des polyphénols de l'açaï à l'aide d'autres mécanismes cellulaires. Ils inhibent *in vitro* la croissance de cellules du cancer du côlon en induisant notamment leur autodestruction (apoptose). D'autres études menées en laboratoire suggèrent que l'açaï pourrait protéger des cancers du côlon, de l'œsophage et de la vessie.

SES ATOUTS NUTRITIONNELS

Le fruit du palmier de pinot est constitué d'un noyau couvert d'une fine couche de pulpe. Seule cette dernière partie de l'açaï peut être consommée fraîche après la cueillette, le noyau étant trop dur pour être croqué. Il sert néanmoins à la fabrication d'une huile végétale qui renferme des acides gras mono-insaturés de type oméga-9 et des acides gras poly-insaturés sous forme d'oméga-6. Elle contient aussi de nombreux polyphénols aux propriétés antioxydantes qui en font une huile appréciée en cosmétique. La pulpe d'açaï destinée à l'alimentation est quant à elle naturellement riche en vitamines, minéraux et oligoéléments tels que la vitamine C, le calcium, le fer et la vitamine A. En Occident, l'açaï est disponible sous forme de poudre fabriquée à partir de la pulpe du fruit. Étant dépourvue d'eau, elle est encore plus concentrée en nutriments.

Valeurs nutritionnelles pour 100 grammes	Poudre d'açaï
Énergie	535 kcal
Eau	8 g
Glucides (dont sucres)	52 g
Fibres	32 g

L'ACHETER ET LA CUISINER

Sous toutes les formes. Il faudrait consommer les baies d'açaï tout de suite après la cueillette afin de bénéficier le plus possible de leurs bienfaits. Mais malgré leur provenance lointaine, il est possible de profiter des qualités nutritionnelles de cette baie sous différentes formes, poudre, jus ou purée. Certes la baie fraîche est irremplaçable mais les bienfaits de ce fruit sont tels qu'il ne faut pas hésiter à le découvrir sous ses formes transformées que l'on peut maintenant se procurer dans les épiceries bio.

Pour sa saveur. La poudre d'açaï présente une très jolie couleur bordeaux foncé. Sa saveur originale résulte d'un mariage de notes fruitées et de touches de cacao. On peut la saupoudrer, par exemple, sur les fruits frais, dans des smoothies, du granola maison ou du lait d'amande.

BOL D'AÇAÏ DU PETIT DÉJEUNER

286 KCAL

L 23   G 65,2   P 11,8

PRÉPARATION 10 MIN ● REPOS 1 NUIT ● FACILE ● €€

4 bananes mûres
4 cuil. à café bombées
de poudre d'açaï
120 g de lait d'amande
160 g de fraises
8 cuil. à café de graines
de chia (en épicerie bio)

POUR LA GARNITURE
1 banane
120 g de granola
125 g de myrtilles
150 g de fraises

1. Dans le bol d'un mixeur, mettez la banane coupée grossièrement, la poudre d'açaï, le lait d'amande ainsi que les fraises lavées et équeutées. Mixez jusqu'à obtenir une consistance homogène.

2. Ajoutez les graines de chia, mélangez et laissez macérer le tout au frais, de préférence la veille pour le lendemain.

3. Juste avant de servir, répartissez la préparation à l'açaï dans 4 bols, ajoutez quelques rondelles de bananes sur chacun d'entre eux.

4. Ajoutez un peu de granola, les myrtilles et finissez par les fraises, équeutées et coupées en quatre.

5. Dégustez bien frais !

Surtout n'hésitez pas à être créatifs avec la garniture, la base d'açaï se mariant très bien avec de nombreux ingrédients.
Vous pouvez ajouter des fruits frais comme la mangue et le kiwi, ou des fruits secs tels que les amandes et les noix, par exemple.

PANCAKES À L'AÇAÏ ET AUX MYRTILLES

593 KCAL

L 10,9 G 76,6 P 12,5

PRÉPARATION 15 MIN ● CUISSON 25 MIN ● MOYEN ● €€

POUR LA SAUCE
250 g de myrtilles
50 g de sucre de canne
20 ml d'eau
20 g de poudre d'açaï
le zeste de 1 citron vert

POUR LA PÂTE
300 g de farine
1 sachet de levure chimique
2 cuil. à café rases de bicarbonate de soude
1 pincée de sel
1 pincée de cannelle
12 g de poudre d'açaï
60 g de sucre de canne
2 œufs
20 g de beurre fondu
240 ml de lait

POUR L'ACCOMPAGNEMENT
170 g de yaourt à la grecque

1. Préparez la sauce aux myrtilles et à l'açaï : placez tous les ingrédients dans une casserole et faites chauffer à feu doux. Au bout de 5 minutes, écrasez grossièrement les myrtilles avec une fourchette et continuez la cuisson pendant encore 5 minutes. Si vous souhaitez une sauce lisse, vous pouvez passer cette préparation au mixeur. Réservez.

2. Préparez la pâte à pancakes : dans un grand saladier, mélangez tous les ingrédients secs, soit la farine, la levure chimique, le bicarbonate, le sel, la cannelle, la poudre d'açaï et le sucre.

3. Ajoutez les œufs et le beurre fondu, mélangez. Incorporez ensuite le lait petit à petit en mélangeant avec un fouet.

4. La pâte à pancakes doit avoir la consistance d'une pâte à crêpes mais beaucoup plus épaisse.

5. Faites chauffer une poêle à feu moyen, graissez-la légèrement, versez une petite louche d'appareil au centre. Faites cuire 2 à 3 minutes jusqu'à ce que vous voyiez des bulles apparaître à la surface du pancake. Retournez-le et faites cuire à nouveau 2 à 3 minutes sans l'écraser pour un rendu bien aérien ! Recommencez l'opération pour chaque pancake.

6. Servez les pancakes dans un plat recouverts de sauce aux myrtilles et açaï, et accompagnés d'un peu de yaourt à la grecque.

LA BETTERAVE

Ce légume-racine a un très fort pouvoir antioxydant particulièrement intéressant dans le cadre de la prévention du cancer. Mais ce n'est pas tout, il est également très riche en fibres et contient des vitamines et des minéraux, précieux notamment pour la santé des yeux.

La betterave est une plante à racine charnue appartenant à la famille des amaranthacées, comme le quinoa. Son ancêtre sauvage, la betterave maritime, poussait naturellement le long des côtes méditerranéennes. Les Romains furent les premiers à en exploiter la racine à des fins culinaires et médicinales. Le jus de betterave blanche était, par exemple, préconisé pour soigner les douleurs au foie ainsi que les maux de tête.

On compte trois sous-espèces de betterave : la première n'est autre que la blette, une sorte de betterave cultivée pour ses feuilles ; la deuxième est la betterave classique, dont la couleur peut varier entre le rouge, le jaune et le blanc en fonction des variétés ; la troisième sous-espèce est la betterave sucrière semée et récoltée pour fabriquer le sucre. La couleur pourpre de ce légume-racine est due à la bétalaïne, un pigment dont l'étymologie provient du nom botanique de la betterave, *Beta vulgaris*.

SES PROPRIÉTÉS ANTICANCER

Action contre le stress oxydatif de l'organisme ● Protection du sein chez la femme et du poumon ● Bénéfique pour le foie

● L'intérêt de la betterave dans le cadre d'un régime anticancer repose sur son pouvoir antioxydant. Une étude américaine qui a comparé les propriétés antioxydantes de vingt-sept légumes dévoile que la betterave fait partie des mieux classés avec le brocoli. Ses teneurs en bétalaïnes, des pigments rouges peu communs chez les autres fruits et légumes, pourraient expliquer en partie la capacité de la betterave à absorber les radicaux libres et à limiter ainsi le stress oxydatif que subissent les tissus de l'organisme.

● Des essais menés en laboratoire ont montré notamment l'implication de la bétanine, l'un des composés de la famille des bétalaïnes, dans les propriétés anticancer de la betterave. L'une d'elles évoque l'effet inhibiteur de cette molécule sur la croissance de cellules cancéreuses du foie.

Dans une étude au cours de laquelle des cellules du poumon ont été mises en culture avec deux agents cancérigènes, la bétanine limite la multiplication de tumeurs en induisant l'autodestruction des cellules précancéreuses et en empêchant l'angiogenèse – processus de croissance des vaisseaux sanguins qui permet à la tumeur de s'alimenter et de gagner en volume.

● Les feuilles de betterave contiennent en outre des teneurs intéressantes en lutéine et zéaxanthine, deux composés qui seraient impliqués dans la prévention des cancers du sein et du poumon.

SES ATOUTS NUTRITIONNELS

Les calories de la betterave sont majoritairement dues à ses teneurs en sucres. Elle contient par ailleurs des quantités non négligeables de vitamine B9, de manganèse et de potassium. Ses feuilles, comestibles elles aussi, apportent de la vitamine K ainsi que de la lutéine et de la zéaxanthine, deux caroténoïdes aux propriétés intéressantes pour la santé des yeux. Enfin ce légume contribue au bon fonctionnement du transit intestinal grâce aux fibres alimentaires qu'il contient.

Valeurs nutritionnelles pour 100 grammes	Betterave rouge cuite
Énergie	43,4 kcal
Eau	87,2 g
Fibres	2,3 g

L'ACHETER ET LA CUISINER

Astuces de préparation. Les variétés de betteraves à racine allongée sont plus parfumées et plus sucrées que celles à racine ronde. Afin d'éliminer leur goût de terre, on peut les couper en dés et les faire tremper dans de l'eau vinaigrée plusieurs minutes. Si l'on cuit soi-même ses betteraves crues, il est également possible d'ajouter du jus de citron dans l'eau de cuisson.

Les bienfaits de la cuisson. Comme pour la tomate, le potentiel antioxydant et anticancéreux de la betterave augmenterait grâce à l'étape de cuisson. En effet, les teneurs en composés phénoliques et flavonoïdes disponibles pour l'organisme tendent à augmenter sous l'effet de la chaleur. Des pertes en vitamines et minéraux ont néanmoins lieu, c'est pourquoi il est préférable de cuire la betterave à la vapeur et de ne pas l'éplucher ni la percer.

De bonnes associations. Ingrédient traditionnel du bortsch, une sorte de pot-au-feu servi dans certains pays d'Europe de l'Est, la betterave se cuisine avec une multitude d'autres aliments tels que la carotte, les pommes, le fromage de chèvre ou encore les oignons confits.

TARTE BETTERAVE, PAVOT ET CHÈVRE FRAIS

505 KCAL L 26,9 G 53,7 P 19,4

PRÉPARATION 40 MIN ● CUISSON 1 H ● MOYEN ● €

POUR LA PÂTE
180 g de farine
10 g de graines
de pavot
1/2 cuil. à café de sel
1/2 cuil. à soupe
de thym
100 g de beurre
1 jaune d'œuf
2 cuil. à soupe
d'eau froide

POUR LA GARNITURE
150 g d'échalotes
1 cuil. à soupe
d'huile d'olive
1 noix de beurre
500 g de betteraves
cuites
2 œufs
70 ml de lait
200 ml de crème
liquide allégée
120 g de chèvre frais
1/4 de botte
de ciboulette
1/2 botte de persil
sel, poivre

1. Préparez la pâte : dans un bol, mélangez la farine, le pavot et le thym. Salez, poivrez puis ajoutez le beurre coupé en petits cubes. Frottez le beurre avec le bout des doigts au mélange d'ingrédients secs pour l'intégrer progressivement, comme pour un crumble. Fouettez le jaune d'œuf et l'eau froide, puis ajoutez le liquide à la pâte. Mélangez bien à l'aide d'une fourchette, puis formez une boule et réservez au frais pour 20 minutes.

2. Préchauffez le four à 200 °C.

3. Faites revenir les échalotes ciselées finement dans une poêle avec l'huile d'olive. Salez, poivrez et faites cuire à feu doux 15 minutes.

4. Beurrez légèrement un moule à tarte. Sur un plan de travail fariné, étalez la pâte à tarte sur une épaisseur de moins de 1 cm. Placez-la dans le moule en tassant bien et piquez le fond avec une fourchette. Recouvrez la pâte d'une feuille de papier sulfurisé, y compris les bords, ajoutez des billes de cuisson (ou bien du riz ou des légumes secs) pour éviter qu'elle ne gonfle. Faites cuire pendant 15 minutes, puis retirez les billes de cuisson et le papier sulfurisé, et faites cuire à nouveau 15 minutes. Le fond de tarte doit être légèrement doré.

5. Pendant ce temps, préparez la garniture : coupez les betteraves en tranches puis coupez-les en deux pour obtenir des demi-cercles. Dans un bol, mélangez ensemble les œufs, le lait, la crème, la moitié du chèvre frais émietté, le persil et la moitié de la ciboulette, tous deux ciselés.

6. Une fois le fond de tarte cuit, baissez la température du four à 170 °C.

7. Versez la préparation dans le moule, puis ajoutez joliment les demi-cercles de betterave. Ajoutez dessus le reste de chèvre émietté, et enfournez pendant 30 minutes.

8. Parsemez du reste de la ciboulette ciselée au moment de servir. Cette tarte se mange aussi bien chaude que froide le lendemain.

GÂTEAU CHOCOLAT—BETTERAVE

616 KCAL

L 35,5 G 54,3 P 10,1

PRÉPARATION 30 MIN ● CUISSON 20 MIN ● REPOS 30 MIN ● MOYEN ● €

POUR LE GÂTEAU
100 g de chocolat
noir pâtissier
100 g de beurre mou,
coupé en petits cubes
75 g de farine
1/2 sachet de levure
chimique
2 cuil. à soupe
bombées de cacao
en poudre
3 œufs
100 g de sucre semoule
160 g de betterave cuite

POUR LE GLAÇAGE
100 g de chocolat noir
100 ml de crème liquide

1. Préchauffez le four à 180 °C.

2. Recouvrez le moule de papier sulfurisé.

3. Faites fondre le chocolat au bain-marie. Lorsqu'il est bien fondu, ajoutez les cubes de beurre et faites-les fondre dans le chocolat doucement, en mélangeant. Réservez.

4. Dans un autre bol, mélangez ensemble tous ces ingrédients secs : farine, levure chimique et cacao en poudre. Réservez.

5. Séparez les blancs des jaunes d'œufs. Battez les blancs en neige à vitesse moyenne. Une fois que les blancs sont montés, ajoutez le sucre semoule en pluie et fouettez encore 1 à 2 minutes à vitesse élevée.

6. Fouettez également les jaunes.

7. Mixez la betterave jusqu'à obtenir une purée homogène.

8. Ajoutez la purée de betterave au chocolat, puis les jaunes d'œufs. Mélangez bien. Intégrez les blancs en neige au mélange chocolat-betterave à l'aide d'une spatule, sans les casser, en plusieurs fois. Ajoutez enfin les ingrédients secs, en pluie, toujours à la spatule, pour ne pas faire retomber les blancs.

9. Placez cet appareil dans le moule et enfournez pendant 20 minutes. Pour vérifier la cuisson, plantez un couteau qui doit ressortir sec. Quand le gâteau est cuit, laissez refroidir.

10. Pendant ce temps, préparez le glaçage : faites chauffer la crème liquide sans la faire bouillir et versez-la en trois fois sur le chocolat grossièrement haché. Remuez à la spatule jusqu'à ce que tout soit bien fondu. Réservez à température ambiante en remuant régulièrement.

11. Placez le gâteau sur un plat de service et étalez le glaçage dessus. Si vous y arrivez, laissez reposer 30 minutes au frais avant de déguster !

LE BROCOLI

Un des aliments tout à fait incontournables de la prévention du cancer grâce à sa richesse en un phytocomposé très actif, et en antioxydants protecteurs de l'organisme…

Le brocoli appartient à la famille des brassicacées dans laquelle on trouve aussi d'autres choux comme le chou-fleur et le chou romanesco ainsi que des légumes comme le cresson et les radis. Bien que sa culture soit simple, on le trouve assez peu dans les jardins et potagers. Il s'épanouit pourtant facilement sous un climat doux et humide. Communément vert, le brocoli peut également être de couleur rouge ou blanche selon les variétés. Les Romains l'auraient domestiqué à partir d'un chou sauvage qui poussait sur le littoral méditerranéen. Son nom vient du terme latin *bracchium* qui signifie « branche ».

La partie comestible du brocoli est appelée la pomme. Il s'agit d'une inflorescence constituée de centaines de petites fleurs n'ayant pas eu le temps d'éclore. Il est très apprécié dans la gastronomie italienne, et sa popularité a augmenté ces dernières années du fait de ses bienfaits nutritionnels remarquables.

SES PROPRIÉTÉS ANTICANCER

Protection de l'appareil digestif et respiratoire ● Protection du sein chez la femme

● Le brocoli fait partie des aliments les plus intéressants à introduire dans son alimentation quotidienne si l'on souhaite prévenir le cancer. Si de nombreuses études confirment qu'une alimentation riche en légumes de la famille des brassicacées diminue fortement les risques de cancer, en particulier du sein, de la vessie, de la prostate et du poumon, peu d'entre elles se sont penchées exclusivement sur le brocoli. Cependant elles suggèrent clairement un effet préventif du brocoli.

● Tout comme les autres légumes de sa famille, ses propriétés tiennent à la présence dans ses tissus du glucoraphanine, un phytocomposé peu réactif en soi mais qui devient très efficace une fois qu'il a été légèrement transformé au contact d'une enzyme, la myrosinase. La libération de son potentiel anticancéreux a lieu au moment de la mastication ou d'une cuisson légère et rapide.

• La forme « activée » du glucoraphanine s'appelle le sulforaphane : selon plusieurs études menées en laboratoire, il permet de réduire la croissance des cellules cancéreuses et induit leur autodestruction par apoptose. Son activité favoriserait la diminution de la taille des tumeurs et préviendrait le développement des cancers de l'œsophage et de l'estomac.

• Le brocoli détient en outre des quantités intéressantes en caroténoïdes et plus particulièrement en lutéine et zéaxanthine, deux pigments aux propriétés antioxydantes qui ont été associés dans plusieurs études à une réduction du risque de cancer du sein et du poumon.

SES ATOUTS NUTRITIONNELS

Avec ses branches charnues et riches en eau, le brocoli est pauvre en calories. Il n'en reste pas moins concentré en micronutriments essentiels pour le bon fonctionnement de l'organisme. Il est par exemple riche en vitamine C et en bêtacarotène, deux composés aux vertus antioxydantes. À noter également sa richesse en vitamine B9 qui le rend particulièrement intéressant pour les femmes enceintes.

Valeurs nutritionnelles pour 100 grammes	Brocoli cuit
Énergie	28,7 kcal
Eau	92 g
Glucides (dont sucres)	2,1 g
Fibres	2,2 g

L'ACHETER ET LE CUISINER

Bien le choisir. Le brocoli doit être récolté avant que les fleurs n'éclosent : lors de l'achat, on vérifie l'absence de fleurs jaunes qui sont la manifestation d'un manque de fraîcheur et d'une altération des qualités organoleptiques.

Conserver son potentiel protecteur. Certains phytocomposés aux vertus anticancéreuses résistent peu à l'étape de stockage que subissent les brocolis du commerce. Il est donc préférable de les acheter bien frais au marché ou de les cultiver soi-même. Une cuisson à température élevée n'est pas idéale pour conserver les composés anticancéreux. Il a cependant été prouvé que la consommation de brocoli peu cuit accompagné de moutarde ou de wasabi au radis noir ou au raifort permet de bénéficier de son effet préventif sur le cancer. N'hésitez pas à ajouter cette petite touche relevée si elle vous tente.

La bonne cuisson. Une cuisson à la vapeur plutôt qu'à grandes eaux est recommandée, car les glucosinolates sont très solubles dans l'eau : dix minutes de cuisson suffisent à faire baisser la quantité de glucosinolates libérés au moment de la mastication du brocoli, réduisant l'effet préventif de ce légume.

PESTO DE BROCOLI

317 KCAL

L 69,1   G 10   P 20,9

PRÉPARATION 20 MIN ● CUISSON 5-10 MIN ● FACILE ● €

350 g de sommités
de brocoli
(soit l'équivalent d'une
grosse tête de brocoli)
1 gousse d'ail
80 g de pignons de pin
40 g de parmesan
10 g de basilic frais
4 cuil. à soupe
d'huile d'olive
sel, poivre

1. Faites cuire les brocolis à la vapeur pendant une dizaine de minutes. Pour vérifier la cuisson, plantez un couteau dans la tige, s'il s'enfonce sans difficulté, c'est cuit !

2. Dans un blender, placez les têtes de brocoli, l'ail, les pignons et le parmesan et mixez légèrement.

3. Ajoutez le basilic frais, l'huile d'olive, assaisonnez et mixez cette fois jusqu'à obtenir une pâte lisse et bien verte.

Le pesto de brocoli s'utilise comme un pesto classique, dans des pâtes, en dip ou à tartiner. Il se congèle très bien ou peut être conservé 24 à 48 heures au frais dans un récipient fermé.

BROCOLIS PIMENTÉS AUX AMANDES

251 KCAL

L 63,2 G 15,2 P 21,7

PRÉPARATION 10 MIN ● CUISSON 15 MIN ● FACILE ● €

60 g d'amandes
2 têtes de brocoli
(ou 600 g de sommités)
4 cuil. à soupe
d'huile de sésame
1 morceau de 20 g de
gingembre frais
1/2 piment rouge
le zeste de
1/2 citron jaune
sel, poivre

1. Préchauffez le four à 180 °C.

2. Placez les amandes sur une plaque allant au four recouverte de papier sulfurisé et enfournez à four chaud pendant une dizaine de minutes. Les amandes doivent être dorées.

3. Pendant ce temps, coupez les sommités des brocolis et faites chauffer l'eau pour les cuire ensuite à la vapeur.

4. Une fois les amandes torréfiées, laissez-les refroidir puis concassez-les grossièrement. Il doit rester de vrais morceaux qui donneront du croquant aux brocolis. Réservez.

5. Faites cuire les brocolis à la vapeur pendant environ 3 à 5 minutes. Ils doivent être encore très croquants.

6. Faites chauffer une poêle avec la moitié de l'huile de sésame.

7. Retirez la peau du gingembre puis râpez-le très finement au-dessus de la poêle. Mélangez.

8. Coupez le petit morceau de piment en deux dans la longueur, retirez les pépins, puis taillez-le en très fines lamelles. Ajoutez-le dans la poêle.

Cet accompagnement est parfait avec de la volaille (comme le poulet inspiration asiat' p. 104) ou avec le riz aux œufs de Barabara (voir recette p. 80) pour un repas veggie.

9. Égouttez les têtes de brocoli et placez-les immédiatement dans la poêle. Ajoutez les amandes et le zeste de citron jaune.

10. Faites sauter le tout pendant quelques minutes à feu moyen.

11. Arrosez avec le reste de l'huile de sésame et mélangez bien avant de servir.

LE CITRON

Remarquable pour sa teneur en vitamine C et en vitamines du groupe B, cet agrume se distingue aussi par son action antioxydante démontrée dans la lutte contre le cancer.

Le citron fait partie de la famille des agrumes dont le nom latin signifie « fruits aigres ». Le citronnier, un arbuste de la famille des rutacées, servait à l'origine de plante ornementale dans les jardins islamiques. Son ancêtre sauvage viendrait de la région d'Assam, dans le Nord-Est indien. S'il fut introduit dans le pourtour méditerranéen entre l'an 1000 et l'an 1500, il fallut attendre encore plusieurs siècles pour que la consommation de son fruit entre dans les mœurs culinaires européennes. L'ancêtre du citron, le cédrat, était pourtant déjà utilisé par les Grecs et les Romains pour ses vertus médicinales.

Aujourd'hui encore très peu de variétés de citrons sont répertoriées. En France, les plus répandues sont le Verna espagnol, l'Eureka, et l'Interdonato. Le citron vert est quant à lui un agrume voisin, originaire de Malaisie, qui pousse sur le limettier. Ce n'est donc pas une variété de citron !

SES PROPRIÉTÉS ANTICANCER

Protection du tractus gastro-intestinal et de l'appareil digestif ● Réduit le stress oxydatif de l'organisme

● L'intérêt du citron en prévention du cancer n'est pas seulement lié à ses formidables teneurs en vitamine C mais aussi aux nombreux composés phénoliques actifs qu'il apporte. Dans sa pulpe, on trouve par exemple des molécules de la famille des limonoïdes, dont la limonine et la nomiline, responsables du goût amer des agrumes. Plusieurs études ont montré leur capacité à activer une enzyme de détoxification – la glutathion S-transférase ou GST – pour favoriser l'élimination des agents cancéreux. Les limonoïdes empêcheraient également la multiplication des cellules cancéreuses par divers mécanismes conduisant à leur autodestruction par apoptose. Cette propriété a été démontrée sur des cellules du côlon, mais il semble que la consommation de citron prévienne plus généralement le développement de cancer du tractus gastro-intestinal.

● Le citron contient par ailleurs du bêtacarotène, un caroténoïde qui présente aussi la capacité d'inhiber la croissance des tumeurs *in vitro*, notamment sur des cellules de l'estomac. Le bêtacarotène, la vitamine C et d'autres composés phénoliques du citron ont également une forte activité antioxydante. Ils peuvent diminuer le stress oxydatif qui touche les tissus de l'organisme, augmentant son état inflammatoire, et contribuant à long terme au développement de cancer.

SES ATOUTS NUTRITIONNELS

Comme tous les agrumes, le citron est remarquable pour sa teneur en vitamine C. Un jus de citron de 50 ml permet de couvrir environ un tiers des valeurs nutritionnelles de référence. Historiquement, ce fruit était d'ailleurs utilisé pour prévenir et guérir le scorbut. Le citron apporte aussi des quantités non négligeables de potassium, de vitamine B6 et de vitamine B9. Consommer la pulpe avec le jus permet de bénéficier au mieux des vitamines et des composés que le citron fournit.

Valeurs nutritionnelles pour 100 grammes	Citron frais, pulpe	Citron, jus pressé maison
Énergie	34,3 kcal	27,6 kcal
Eau	89,2 g	91,7 g
Fibres	2 g	0,1 g

L'ACHETER ET LE CUISINER

Réveil santé. Pour réveiller son corps en douceur au petit matin, on peut boire à jeun le jus d'un demi-citron pressé dans un verre d'eau, de préférence froide. Outre son effet rafraîchissant et désaltérant, le jus de citron pressé a le chic de stimuler la digestion grâce à son goût acidulé qui fait bondir les papilles. Afin d'en obtenir suffisamment, il est conseillé de sortir l'agrume du réfrigérateur une heure avant la préparation et de le rouler environ une minute sur une surface plane pour briser les tissus végétaux.

Bio de préférence. Les amateurs de zeste – à incorporer dans les yaourts, les madeleines, les sorbets et même les sauces salées – devraient choisir un citron non traité issu de l'agriculture biologique, ou brosser soigneusement la surface du fruit à l'eau savonneuse en le rinçant abondamment.

Sublimateur de goût. Enfin, en alternative à la fameuse vinaigrette huile-vinaigre-sel-poivre, vous pouvez opter pour une sauce savoureuse à base d'huile d'olive, de jus de citron, d'ail frais et de poivre. Elle sublimera notamment des salades composées ainsi que la chair délicate des crustacés (crabe, homard, langoustines).

ORZOTTO CITRON-KALE

786 KCAL

L 17,6   G 63,6   P 18,8

1,5 l de bouillon
de légumes
4 gousses d'ail
4 échalotes
4 cuil. à soupe
d'huile d'olive
400 g de pâtes orzo
le zeste de 2 citrons
jaunes
120 g de chou kale
15 g de beurre
le jus de 1 citron
120 g de parmesan
râpé
1 botte de basilic
sel, poivre

1. Faites réchauffer le bouillon de légumes et gardez-le chaud dans une casserole à disposition.

2. Émincez l'ail et les échalotes très finement. Prélevez le zeste des citrons.

3. Dans une autre casserole, faites chauffez l'huile d'olive, ajoutez l'ail et l'échalote. Salez, poivrez, ajoutez les pâtes. Remuez bien, ajoutez le zeste de citron. Laissez cuire 2 à 3 minutes sans liquide.

4. À partir de là, procédez comme pour un risotto : versez du bouillon, une louche à la fois, en remuant entre chaque ajout jusqu'à ce que tout le liquide soit absorbé. Cela devrait prendre environ 15 à 20 minutes de cuisson, mais je vous conseille de goûter régulièrement pour vérifier la cuisson, qui doit être *al dente*. N'hésitez pas à ajuster la quantité de bouillon si nécessaire.

5. Pendant la cuisson, coupez le chou kale en fines lamelles.

6. Lorsqu'il ne vous reste qu'une louche de bouillon, ajoutez le chou kale et finissez la cuisson de l'orzotto. Une fois celle-ci terminée, ajoutez le beurre, le jus de citron et le parmesan en remuant bien.

7. Finissez en ajoutant le basilic finement ciselé, et dégustez aussitôt car, comme le risotto, ce plat n'attend pas !

GÂTEAU AU CITRON
SANS GLUTEN

1016 KCAL

L 48,1   G 38,9   P 12,9

90 g de beurre
200 g de sucre
de canne
3 œufs
le jus de 1 citron
le zeste de 4 citrons
225 g de mascarpone
180 g de poudre
d'amande
30 g d'amandes effilées

PRÉPARATION 30 MIN ● CUISSON 45 MIN ● FACILE ● €

---

1. Préchauffez le four à 180 °C.

2. Dans un saladier, fouettez le beurre coupé en morceaux à température ambiante et le sucre pendant 5 minutes.

3. Séparez les blancs des jaunes d'œufs. Ajoutez au beurre et au sucre les jaunes d'œufs, le jus et le zeste de citron, le mascarpone et la poudre d'amande, en fouettant bien entre chaque ajout.

4. Dans un autre saladier, montez les blancs en neige jusqu'à obtenir un « bec d'oiseau » quand vous retirez le fouet de votre préparation.

5. Incorporez les blancs en deux fois à votre mélange, à la spatule, en veillant à ne pas trop les casser.

6. Versez la préparation dans un moule à manqué recouvert de papier sulfurisé.

7. Parsemez d'amandes effilées et faites cuire pendant 45 minutes environ. Pour tester la cuisson, plantez un couteau qui doit ressortir propre.

8. Laissez refroidir avant de déguster !

LA COURGETTE

Une grande richesse en fibres, une activité antioxydante élevée, un pouvoir rassasiant indéniable et intéressant dans un régime sain et peu calorique, une utilisation facile en cuisine : que des bonnes raisons pour mettre la courgette à son menu.

La courgette appartient à la famille des cucurbitacées comme le potiron, la citrouille, le potimarron et les courges décoratives. Tous ces légumes sont originaires d'Amérique centrale et d'Amérique du Sud où ils font partie des traditions culinaires depuis très longtemps. La courgette était à l'origine appréciée pour ses graines. Encore aujourd'hui, celles-ci se cuisinent dans une grande variété de recettes, grillées en apéritif, nature dans du granola maison ou même intégrées dans la pâte à pain. Plante potagère, la courgette offre dès le mois de juillet de somptueuses fleurs jaunes qui donneront rapidement les courges, à récolter si possible avant maturité. Ingrédient phare de la cuisine méditerranéenne, la plus commune des variétés de courgettes fut développée en Italie. Mais il en existe bien d'autres qui diffèrent par leurs formes, leurs couleurs et leurs noms poétiques : vous prendrez bien un peu de grisette de Provence ou de blanche de Virginie ?

SES PROPRIÉTÉS ANTICANCER

Protection de l'organisme contre le stress oxydatif ● Protection de l'estomac, du côlon et du sein chez la femme

● Les composés phénoliques contenus dans la courgette présentent une activité antioxydante élevée. Ils protègent les cellules de l'organisme contre le stress oxydatif qui est impliqué dans le développement de maladies chroniques et du cancer à cause des dommages qu'il provoque notamment sur l'ADN. Parmi ces composés antioxydants se trouvent la rutine, un flavonoïde, ainsi que la lutéine et la zéaxanthine qui sont des caroténoïdes. La vitamine C présente également en laboratoire une action antioxydante. Plusieurs études mettent en avant l'intérêt de la synergie entre ces différents antioxydants pour améliorer la lutte contre l'oxydation des tissus cellulaires.
● La courgette peut par ailleurs être source de fibres si elle en contient au moins 1,5 g pour 100 g de courgette (sa teneur en fibres dépend de son degré de maturité). Les fibres alimentaires joueraient un rôle préventif contre le cancer du

côlon, mais aussi contre le cancer du sein chez les femmes ménopausées, et contre le cancer de l'estomac. Une étude menée sur des cellules cancéreuses du côlon a par ailleurs montré l'efficacité d'extraits de courgette pour déclencher leur autodestruction par apoptose. Les résultats de cet essai confirment également le potentiel antioxydant des extraits de courgette sur les tissus cancéreux.

SES ATOUTS NUTRITIONNELS

Aliment particulièrement riche en eau, la courgette est recommandée comme la plupart des fruits et légumes dans un régime sain et peu calorique. Elle contribue en outre à apporter une sensation de satiété au cours du repas, ce qui évite les excès alimentaires. La courgette est un concentré de vitamines et de minéraux, et apporte des quantités non négligeables de vitamine B9, de bêtacarotène, et de vitamine C.

Valeurs nutritionnelles pour 100 grammes	Courgette crue	Courgette cuite
Énergie	20 kcal	19,2 kcal
Eau	94,1 g	94,1 g
Fibres	21,1g	1,4 g

L'ACHETER ET LA CUISINER

Plus la courgette est jeune, moins elle contient de fibres. La courgette arrivée à maturité est grande, large, fibreuse et moins savoureuse, mais elle possède de grosses graines réutilisables en cuisine.
Pour conserver les courgettes. On peut congeler le surplus à condition de respecter quelques étapes de préparation très simples : couper les courgettes en dés puis les blanchir avant de les enfermer dans un sac de congélation.
Préserver ses bienfaits. Si l'on souhaite conserver tout le croquant de la courgette, on peut la consommer crue en salade et alterner les modes de cuisson, à la poêle ou vapeur. Sa teneur en vitamine C risque néanmoins de diminuer car elle est sensible à la chaleur.
En cuisine. Vous pourrez vous laisser surprendre par une multitude de recettes délicieuses qui subliment le goût et l'aspect de la courgette : l'omelette aux courgettes râpées ou encore les spaghettis de courgettes en accompagnement d'un beau filet de poisson blanc.

FRITTATA AUX COURGETTES, RICOTTA ET MENTHE

224 KCAL

L 44,6   G 13,7   P 41,7

PRÉPARATION 20 MIN ● CUISSON 15-20 MIN ● MOYEN ● €

350 g de courgettes
râpées grossièrement
avec la peau
2 cuil. à soupe
d'huile d'olive
1 gousse d'ail
6 œufs
200 g de ricotta
le jus et le zeste
de 1/2 citron
1 grosse pincée
de piment d'Espelette
5 g de menthe
(soit une poignée)
sel, poivre

1. Préchauffez le four en mode gril à 200 °C.

2. Dans une grande poêle allant au four, faites revenir les courgettes râpées dans 1 cuillerée à soupe d'huile d'olive. Ajoutez l'ail écrasé finement et laissez cuire en remuant régulièrement pendant 5 minutes à feu moyen afin de les cuire légèrement. Les courgettes doivent rester bien vertes. Réservez.

3. Dans un grand bol, battez les œufs, salez, poivrez.

4. Dans un autre bol, mélangez la ricotta, le jus et le zeste du citron et le piment d'Espelette. Ajoutez la menthe finement ciselée. Salez et poivrez également.

5. Ajoutez les courgettes cuites aux œufs battus. Si elles ont rendu de l'eau dans la poêle, égouttez-les avant de les mélanger aux œufs. Ajoutez ensuite la ricotta, en essayant de ne pas trop la diluer dans la préparation. Le but n'est ni d'avoir un gros bloc ni qu'elle se dilue totalement, mais de garder des petits « coussins » de ricotta.

6. Nettoyez la poêle, ajoutez-y à nouveau 1 cuillerée à soupe d'huile d'olive à feu moyen-fort en couvrant bien toute la surface de la poêle. Pour savoir si la poêle est assez chaude, versez une goutte d'œuf. Si elle crépite, c'est bon ! Versez alors la préparation à frittata.

7. À l'aide d'une spatule, ramenez les bords vers l'intérieur de la poêle afin que les œufs encore crus au-dessus puissent couler sur les bords et cuire à leur tour. Laissez cuire pendant 5 minutes. Remuez un peu la poêle pour éviter que la frittata accroche ou brûle.

8. Placez la poêle au four jusqu'à ce que la frittata soit bien dorée. Le temps va dépendre de la taille de la poêle utilisée, entre 5 et 15 minutes.

9. Placez la frittata dans un plat de service et laissez-la refroidir. Elle se mange tiède ou froide.

SALADE DE COURGETTES ET TOMATES RÔTIES AU MIEL

305 KCAL   L 45,6   G 38   P 16,3

PRÉPARATION 15 MIN ● **CUISSON** 50 MIN ● **FACILE** ● €

30 g de pignons de pin
2 grappes
de tomates cerises
2 cuil. à soupe de miel
120 g de roquette
4 courgettes jaunes
et vertes
100 g de chèvre frais
1 botte de basilic

POUR LA VINAIGRETTE
le jus et le zeste
de 1 citron jaune
2 cuil. à soupe
de vinaigre de vin
5 cuil. à soupe
d'huile d'olive
sel, poivre

1. Préchauffez le four à 180 °C.

2. Posez les pignons sur une plaque recouverte de papier sulfurisé et enfournez pour une dizaine de minutes. Ils doivent être dorés. Réservez.

3. Placez les tomates cerises dans un plat allant au four. Salez, poivrez et ajoutez un filet de miel. Enfournez pendant 40 minutes.

4. Pendant ce temps, placez la roquette dans un grand plat de service.

5. Coupez les bases des courgettes lavées mais non épluchées, coupez-les en deux, videz l'intérieur. Puis taillez-les de bas en haut avec un économe pour obtenir des tagliatelles. Disposez-les sur la roquette.

6. Émiettez le fromage de chèvre frais grossièrement. Réservez.

7. Effeuillez et ciselez finement le basilic, réservez.

8. Dans un bol, préparez la vinaigrette : mélangez le jus de citron, le vinaigre et l'huile d'olive. Salez et poivrez.

9. Versez la sauce uniformément sur la salade. Parsemez de tomates cerises rôties, du chèvre, des pignons de pin torréfiés et du basilic. Finissez par le zeste de citron jaune.

10. Servez et dégustez aussitôt pour avoir une salade tiède grâce aux tomates rôties.

LA FRAMBOISE

Une jolie petite baie vitaminée, gorgée de minéraux, très peu calorique et aux multiples bénéfices santé à savourer sans modération. En outre, l'un de ses composants, l'acide ellagique, se révèle très intéressant dans la prévention du cancer.

Fruit rouge issu d'une ronce appelée *Rubus idaeus*, la framboise se cultive en pleine terre et se récolte à partir du mois de juin. Selon les variétés, cette petite baie arbore des couleurs différentes ; traditionnellement d'un rouge plus ou moins intense, certaines framboises de couleur jaune peuvent pousser dans les jardins et régaler petits et grands par leur goût légèrement plus sucré que les variétés communes. Les petits grains juteux qui donnent la forme sphérique et creuse du fruit sont appelés « drupéoles ».

Les Romains auraient participé à l'extension de la culture du framboisier à travers le continent européen alors qu'il poussait déjà à l'état sauvage dans les zones montagneuses. De couleur blanche à l'origine, la robe rouge de la framboise serait apparue − selon la légende − à la suite d'une intervention divine : la nymphe Ida se serait piqué le doigt en cueillant des baies pour Zeus ; le sang de la plaie se serait alors répandu sur les framboises et les aurait colorées.

SES PROPRIÉTÉS ANTICANCER

Lutte contre les radicaux libres ● Protection du côlon

● La framboise contient de nombreux tanins, des phytocomposés dont les propriétés anticancer ont été confirmées par plusieurs études. Une majorité d'entre eux appartiennent au groupe des anthocyanines et montrent en laboratoire la capacité à neutraliser les radicaux libres responsables du stress oxydatif des tissus cellulaires.

● En complément de l'activité antioxydante des anthocyanines, d'autres tanins comme l'acide ellagique agissent directement sur les cellules cancéreuses pour stimuler leur autodestruction. Plusieurs essais menés sur des tissus humains ont d'ailleurs montré la faculté de certains extraits de fruits de la famille des *Rubus* (framboises, mûres sauvages) à limiter la croissance de cellules cancéreuses et de tumeurs sur plusieurs types de cancer comme celui du poumon, du foie, du sein et de la prostate.

● La consommation régulière et fréquente de framboises en été, en complément d'autres fruits rouges, pourrait ainsi s'avérer bénéfique dans le cadre d'un régime de prévention contre le cancer.

● On peut aussi souligner l'intérêt de consommer des framboises pour leur richesse en fibres. L'ingestion journalière d'une quantité suffisante de fibres est en effet associée à une diminution des risques de cancer du côlon.

SES ATOUTS NUTRITIONNELS

Très peu calorique car riche en eau, la framboise est un concentré de vitamines et de minéraux, en particulier de vitamine C qui présente des propriétés antioxydantes. Elle est également source de vitamine B9 qui joue un rôle essentiel dans le bon développement du système nerveux de l'embryon. La couleur intense de la framboise traduit la présence de nombreux pigments qui lui confèrent d'indéniables vertus sur la santé.

Valeurs nutritionnelles pour 100 grammes	Framboise crue
Énergie	45 kcal
Eau	85 g
Fibres	6,7 g

L'ACHETER ET LA CUISINER

La cueillette des framboises. Elle commence en juin et se termine à la fin de l'été. Le geste du cueilleur doit être très délicat car la framboise, comme les autres fruits rouges, est très fragile. Néanmoins, les baies ne devraient pas résister si elles sont bien mûres. Une fois récoltées, on peut les savourer sur place ou bien les conserver au réfrigérateur à condition de les consommer dans un délai de deux ou trois jours. Les plus gourmands qui souhaitent profiter des framboises tout de suite après la récolte ont bien raison : fraîchement cueillies, elles sont plus concentrées en vitamine C !

Conservation. Pour prolonger le plaisir de manger des framboises jusqu'aux périodes hivernales, on peut les conserver au congélateur en respectant toutefois quelques consignes importantes : laver soigneusement les framboises, étaler les petites baies sur une plaque recouverte d'aluminium en se limitant à une couche, les mettre à congeler pendant une heure pour éviter qu'elles ne se collent entre elles, les disposer alors dans un sac de congélation et les remettre au froid.

SOUFFLÉS
FRAMBOISE–CHOCOLAT

340 KCAL

L 26,2   G 69,2   P 4,6

PRÉPARATION 35 MIN ● CUISSON 15 MIN ● MOYEN ● €

POUR LES SOUFFLÉS
180 g de framboises
2 cuil. à soupe de jus
de citron
30 g de miel
30 g de sucre
2 blancs d'œufs

**POUR LA SAUCE
AU CHOCOLAT**
150 g de chocolat noir
2 cuil. à soupe de lait

POUR LES MOULES
20 g de beurre
20 g de sucre

MATÉRIEL SPÉCIFIQUE
moules à soufflés
individuels

1. Dans une casserole, faites cuire les framboises à feu doux pendant 5 minutes, puis ajoutez le jus de citron et le miel, et prolongez la cuisson de 5 minutes.

2. Mixez les framboises cuites et tamisez la purée obtenue pour ôter les pépins. Laissez refroidir à température ambiante.

3. Préchauffez le four à 180 °C.

4. Beurrez les parois des moules à l'aide d'un pinceau, à la verticale, de bas en haut ; cela aidera le soufflé à bien se développer. Recouvrez l'intérieur des moules avec un peu de sucre.

5. Battez les blancs d'œufs en neige. Quand ils sont bien mousseux, ajoutez le sucre en pluie. Montez-les jusqu'à ce qu'ils forment un « bec d'oiseau » lorsque vous enlevez votre fouet.

6. Intégrez les blancs en neige à la préparation à base de framboise, à l'aide d'une spatule, en plusieurs fois, en veillant à ne pas les faire retomber.

7. Versez cette préparation dans les moules en les remplissant bien jusqu'au bord. Égalisez pour ne pas avoir d'appareil qui dépasse. Passez votre doigt le long du bord du moule et enfournez 12 à 15 minutes.

8. Pendant la cuisson, faites fondre le chocolat au bain-marie avec le lait.

9. Servez les soufflés avec la sauce au chocolat : faites un trou au centre et versez-y la sauce. À déguster immédiatement !

SORBET FRAMBOISE EXPRESS À LA FLEUR DE SUREAU ET RHUBARBE POCHÉE

188 KCAL

L 1   G 93,3   P 5,7

PRÉPARATION 30 MIN ● **RÉFRIGÉRATION** 2 H ● **CUISSON** 5 MIN ● **FACILE** ● €

POUR LE SORBET
1 kg de framboises
congelées
200 ml de sirop
de fleur de sureau
1 blanc d'œuf
le jus et le zeste
de 1 citron

POUR LA GARNITURE
4 grandes tiges
de rhubarbe
300 ml d'eau
100 g de sucre
de canne
1 gousse de vanille

1. Préparez le sorbet : placez les framboises congelées dans le bol d'un robot, mixez jusqu'à ce qu'elles soient complètement réduites en purée.

2. Ajoutez le sirop de fleur de sureau et le blanc d'œuf, le jus et zeste de citron et mixez à nouveau jusqu'à obtenir une consistance homogène.

3. Placez dans un bac au congélateur pendant 2 heures.

4. Pendant ce temps, préparez la rhubarbe : coupez les bases des tiges et épluchez-les pour enlever les fibres. Coupez les tiges en bâtonnets d'environ 5 cm de long.

5. Faites chauffer l'eau et le sucre dans une casserole, ajoutez la gousse de vanille égrainée et coupée en deux dans la longueur. Quand le liquide arrive à ébullition, ajoutez les bâtonnets de rhubarbe.

6. Laissez cuire à frémissement jusqu'à ce que les morceaux soient tendres mais se tiennent encore, soit environ 5 minutes.

7. Égouttez les morceaux de rhubarbe et laissez-les refroidir.

8. Au moment de servir, placez quelques morceaux de rhubarbe dans un bol et ajoutez une boule de sorbet à la framboise. Servez aussitôt !

LE HARICOT VERT

Une légumineuse très intéressante à condition d'en consommer régulièrement
pour profiter de ses atouts dans la prévention du cancer et de sa richesse en fibres.

Considéré comme un légume frais du fait de ses caractéristiques nutritionnelles, le haricot vert
n'en reste pas moins une légumineuse d'un point de vue botanique. Issu de la famille des fabacées,
le haricot vert représente un petit échantillon de l'ensemble des variétés recensées de l'espèce
Phaseolus vulgaris; en Europe, on en compte plus de 1 250 quand, à travers le monde, ce sont
près de 14 000 variétés locales de haricots qui ont été répertoriées !

En réalité, il n'existe pas un, mais des haricots verts. On en distingue deux catégories : les haricots
filets et les haricots mangetout. Les haricots filets, verts et fins, produisent des fils et doivent donc
être récoltés avant maturité : ce sont eux que nous appelons communément « haricots verts ».
Les haricots mangetout se récoltent après maturité et présentent une apparence plus charnue. Le
haricot beurre fait partie de cette dernière catégorie.

Originaire d'Amérique du Sud, le haricot vert fut rapporté sur le vieux continent par Christophe
Colomb à l'occasion de son deuxième voyage dans le Nouveau Monde.

SES PROPRIÉTÉS ANTICANCER

Protection du côlon par la quercétine ●
Protection de la prostate

● La consommation de haricots verts est
très intéressante à condition d'en mettre
régulièrement dans son assiette. Ce légume
contient notamment de la quercétine, un
flavonoïde impliqué dans la prévention du
cancer. En laboratoire, la quercétine ralentit
le fonctionnement des enzymes à l'origine du
développement de certains cancers. Les essais
chez l'animal montrent ainsi qu'elle empêche la
formation de nombreuses tumeurs cancéreuses,
principalement au niveau du côlon.

● Plusieurs études épidémiologiques ont
également mis en évidence les effets bénéfiques
d'une alimentation riche en flavonoïdes, dont la
quercétine, contre le cancer du pancréas. L'une
d'elles, menée par une équipe de chercheurs qui

a suivi 183 518 individus pendant huit ans, conclut à une réduction de plus de 45 % du risque de
cancer du pancréas pour les plus gros consommateurs de quercétine.

- Les haricots verts renferment également des teneurs intéressantes en vitamine B9, impliquée dans le phénomène de prolifération cellulaire. En laboratoire, il a été mis en évidence que des cellules de prostate cultivées dans un milieu carencé en vitamine B9 sont plus susceptibles de subir des mutations au niveau de leur ADN. Ces résultats montrent qu'une carence en vitamine B9 pourrait être liée à l'apparition et à la progression de certains cancers.

SES ATOUTS NUTRITIONNELS

L'amidon constitue la moitié des apports en glucides du haricot vert, d'où la nécessité que ce dernier soit cuit avant de le manger. Source de fibres, il fait partie des aliments qui aident à atteindre les recommandations journalières en fibres alimentaires et contribue ainsi au maintien d'une bonne santé digestive. Enfin, le haricot vert est source de vitamine B9 et apporte des quantités intéressantes de potassium, manganèse et vitamine C.

Valeurs nutritionnelles pour 100 grammes	Haricot vert cuit
Énergie	33,3 kcal
Eau	90 g
Glucides (dont sucres)	5,1 g
Fibres	3,1 g

L'ACHETER ET LE CUISINER

Frais avant tout. Plus les haricots verts seront frais, plus ils apporteront de micronutriments et de composés essentiels pour prévenir le cancer. À l'achat, il faut les choisir bien frais, fermes et cassants. Si l'on possède un potager, le mieux reste d'y semer quelques graines ! La saison des haricots s'étend normalement de juillet à septembre, bien qu'il soit courant maintenant d'en trouver toute l'année... Hors saison, il est possible de se tourner vers le surgelé. En effet, ce mode de conservation est plus adapté que la conserve notamment pour préserver la qualité nutritionnelle des légumes.

La cuisson. Lors de la préparation culinaire des haricots, n'oubliez pas qu'il est préférable de les cuire à la vapeur plutôt qu'à l'eau. Certaines vitamines solubles dans l'eau risquent en effet de disparaître ! Enfin, pour leur donner un peu plus de caractère, vous pouvez les cuisiner avec une sauce épicée de type sauce au poivre ou sauce curry ou encore les intégrer à une délicieuse salade composée d'été (voir p. 146).

SALADE DE PÂTES À LA NIÇOISE

917 KCAL L 8,5   G 72,6   P 18,8

PRÉPARATION 20 MIN ● CUISSON 8-10 MIN ● FACILE ● €

POUR LA SALADE
300 g de haricots verts
600 g de pâtes crues
8 filets d'anchois
100 g de petites
olives noires
200 g de thon
150 g de tomates
cerises
fleur de sel

POUR LA SAUCE
4 gousses d'ail
2 bottes de basilic
8 cuil. à soupe
d'huile d'olive
2 cuil. à soupe de
vinaigre de vin rouge
sel, poivre

1. Faites cuire les haricots verts à la vapeur pendant quelques minutes. Ils doivent rester bien croquants. Passez-les sous l'eau froide. Puis coupez-les en deux ou trois petits bâtonnets.

2. Faites cuire les pâtes dans de l'eau bouillante légèrement salée comme indiqué sur le paquet, en retirant 1 minute au temps de cuisson.

3. Préparez la sauce : mixez ensemble l'ail, le basilic, l'huile d'olive et le vinaigre de vin rouge. Salez et poivrez généreusement.

4. Immédiatement après cuisson, versez les pâtes dans un plat de service et nappez-les de sauce au basilic. Mélangez bien. Il est important que les pâtes soient chaudes pour bien absorber la sauce.

5. Disposez sur les pâtes les haricots verts, les olives noires, le thon égoutté en morceaux irréguliers, les filets d'anchois ainsi que les tomates cerises coupées en deux. Répartissez joliment les ingrédients en équilibrant les formes et les couleurs.

6. Parsemez d'un peu de fleur de sel et de poivre du moulin et dégustez encore tiède !

CURRY VEGGIE

340 KCAL

L 40,9   G 43,1   P 16

PRÉPARATION 15 MIN ● CUISSON 20 MIN ● FACILE ● €

200 g de haricots verts
1 aubergine
1 courgette
1 poivron
200 g de chou-fleur
200 g de brocoli
2 pommes de terre
2 cuil. à soupe
d'huile d'olive

POUR LE CURRY
4 cuil. à soupe
de curry vert
400 ml de lait de coco
400 ml d'eau
1 cube de bouillon
de légumes
1 citron vert
1 botte de coriandre
sel, poivre

1. Préparez les légumes : lavez les haricots verts, l'aubergine, la courgette, le poivron, le chou-fleur et les brocolis. Coupez l'aubergine et la courgette en rondelles. Réservez. Équeutez les haricots verts, coupez les deux extrémités du poivron, videz-le de ses graines et parties blanches, puis coupez-le en fines lamelles. Épluchez les pommes de terre et taillez-les en gros cubes, coupez les brocolis et le chou-fleur pour ne garder que les sommités.

2. Péparez votre cuit-vapeur ou une passoire au-dessus d'une casserole d'eau bouillante. Ajoutez les pommes de terre, puis le chou-fleur, le brocoli et les haricots verts. La cuisson des légumes sera variable, il faudra donc les sortir au fur et à mesure.

3. Versez l'huile d'olive dans une grande sauteuse et faites-la chauffer à feu moyen. Faites cuire les aubergines, les courgettes et le poivron, en remuant régulièrement.

4. Au bout de quelques minutes, sortez les haricots verts. Ils doivent être croquants. Sortez le chou-fleur et le brocoli 2 à 3 minutes plus tard. Faites de même avec les pommes de terre en vérifiant la cuisson au couteau : il doit s'enfoncer dans la chair sans résistance.

5. Ajoutez tous ces légumes précuits aux autres légumes dans la sauteuse, versez la pâte de curry verte, le lait de coco, l'eau et le bouillon cube, mélangez, couvrez et laissez cuire 5 à 10 minutes à feu doux.

6. Coupez le citron vert en jolis quartiers. Lavez et équeutez la coriandre.

7. Au moment de servir, parsemez de coriandre fraîche et placez un quartier de citron vert sur chaque assiette ou autour du plat pour en verser le jus sur le curry.

LE CHOU KALE

Un légume humble et ancestral, pourtant à redécouvrir pour son incroyable valeur nutritionnelle et ses propriétés anticancer très prometteuses.

Loin de l'exotisme que peut évoquer son nom, le chou kale possède de nombreuses appellations vernaculaires telles que chou frisé, chou frangé et chou d'aigrette. Derrière ces désignations se cachent plusieurs variétés qui ont en commun d'être frisées et non pommées. En botanique, le chou kale s'appelle d'ailleurs *Brassica oleracea* var. *acephala* – c'est-à-dire sans tête! Ces différentes variétés de kale sont présentes en Europe depuis plusieurs siècles où elles servaient à nourrir les hommes et les animaux à la sortie de l'hiver lorsque les stocks alimentaires étaient au plus bas. Dans le nord de l'Europe, ces légumes constituent encore aujourd'hui un véritable mets populaire ; retirés du territoire français, leur récente popularité aux États-Unis incite à les réintroduire. Si les feuilles du chou kale arborent la plupart du temps un vert éclatant, leur couleur varie parfois du rose au violet, offrant alors la possibilité de les utiliser comme feuillage ornemental.

SES PROPRIÉTÉS ANTICANCER

Limite l'apparition des tumeurs et l'inflammation des tissus

● À l'instar des choux de Bruxelles et du brocoli, le chou kale est l'un des légumes les plus prometteurs en matière de prévention du cancer. Certaines études épidémiologiques publiées ces dernières décennies associent la consommation de brassicacées à un effet protecteur contre le cancer, notamment celui du côlon. Ces résultats ont été appuyés par la découverte et l'étude de phytocomposés qui présentent la capacité d'influencer la croissance des cellules dès leur stade précancéreux ; le kale en est particulièrement pourvu.

● Parmi ces composés, le plus étudié est sans doute le glucoraphanine qui, une fois libéré lors de la mastication, est transformé en sulforaphane. Ce dernier est un puissant agent anticancéreux et antioxydant. Une étude réalisée en laboratoire sur des cellules du larynx a par exemple montré la capacité du sulforaphane à inhiber leur cycle de développement cellulaire et à induire leur autodestruction, appelée apoptose.

Ces deux mécanismes d'action sont essentiels pour limiter les risques d'apparition de tumeurs dans les tissus de l'organisme.

● L'activité antioxydante du kale est par ailleurs due à ses teneurs en composés phénoliques et en vitamine C. Leur action contre le stress oxydatif contribue à diminuer l'état inflammatoire des tissus et à prévenir l'apparition de cancers.

SES ATOUTS NUTRITIONNELS

Le chou kale est un véritable cocktail de vitamines et de minéraux, et c'est d'autant plus vrai s'il est consommé cru. Une portion de 100 g couvre respectivement près de 150 % et 19 % des valeurs nutritionnelles de référence en vitamine C et en calcium, ce qui en fait un légume particulièrement intéressant pour les personnes qui suivent un régime pauvre en produits carnés. Ses feuilles regorgent également de vitamine K, un anticoagulant naturel, et de bêtacarotène, un pigment aux vertus antioxydantes.

Valeurs nutritionnelles pour 100 grammes	Chou kale cru	Chou kale cuit
Énergie	49 kcal	28 kcal
Eau	84 g	91,2 g
Protéines	4,3 g	1,9 g
Fibres	3,6 g	2 g

L'ACHETER ET LE CUISINER

Bio de préférence. On raconte que le chou frisé non pommé aurait été abandonné au fil des siècles, car il se conservait moins longtemps que ses cousins à tête ronde… Une erreur sur le point d'être corrigée grâce à l'intérêt qu'engendre le chou kale aux États-Unis. Dans certains pays européens comme la France, il fait pour l'heure partie des anciennes variétés perdues que l'on peut dénicher en vente directe auprès de producteurs locaux. Qu'il soit mangé cru ou cuit, il est préférable de le choisir issu de l'agriculture biologique ou raisonnée. On le trouve donc essentiellement en magasins bio.

La juste cuisson. Si une cuisson longue à gros bouillon tend à diminuer la qualité nutritionnelle du kale, une légère cuisson à la vapeur ou à la poêle à feu doux peut favoriser la libération de ses composés au potentiel anticancéreux.

Savoir l'associer. Afin de le rendre attrayant il est possible de l'incorporer par petites touches dans des quiches, en purée ou sur une pizza maison. Il peut également constituer une alternative originale pour une salade hivernale accompagnée de poires, de cranberry et de noix.

CHAUSSONS AU CHOU KALE

459 KCAL

L 15,7   G 65,8   P 19,5

250 g de chou kale
2 oignons
2 gousses d'ail
70 g de parmesan
2 boules de mozzarella
2 rouleaux de pâte
à pizza
2 cuil. à soupe
d'huile d'olive

POUR LA DORURE
1 cuil. à soupe
d'huile d'olive

1. Préchauffez le four à 200 °C.

2. Lavez et coupez grossièrement le chou kale. Découpez les oignons en petits morceaux et écrasez l'ail.

3. Faites chauffer l'huile d'olive dans une casserole, puis ajoutez l'oignon. Faites revenir quelques minutes à feu moyen, ajoutez l'ail écrasé finement. Ajoutez enfin le chou kale. Salez, poivrez.

4. Laissez cuire une dizaine de minutes à feu doux en remuant régulièrement. Le chou kale doit devenir bien tendre. Quand c'est le cas, coupez le feu et laissez refroidir un peu.

5. Pendant ce temps, dans un grand bol, mettez le parmesan râpé finement ainsi que la mozzarella coupée en petits morceaux. Ajoutez le chou tiède aux fromages, mélangez bien.

6. Sur une plaque recouverte de papier sulfurisé, étalez la pâte à pizza et découpez des cercles d'environ 10-12 cm de diamètre. Déposez de la garniture au kale au centre de chacun sans aller jusqu'au rebord. Passez un peu d'eau avec les doigts sur les bords afin de faciliter la fermeture des chaussons. Fermez les chaussons en repliant le cercle de pâte et pincez les bords pour bien les souder. À l'aide d'un pinceau, badigeonnez-les d'un peu d'huile d'olive.

7. Enfournez pendant une vingtaine de minutes. Vérifiez la cuisson des chaussons : ils doivent être bien dorés sur le dessous.

SALADE TIÈDE DE KALE

PRÉPARATION 20 MIN ● CUISSON 12 MIN ● FACILE ● €

467 KCAL

L 74,6   G 6,4   P 19

250 g de chou kale
70 g d'amandes
blanches
60 g de parmesan
1/4 de grenade
100 ml d'huile de colza
6 cuil. à soupe de
vinaigre de xérès
sel, poivre

1. Préchauffez le four à 180 °C.

2. Placez les amandes sur une plaque recouverte de papier sulfurisé et enfournez à four chaud pour une dizaine de minutes. Elles doivent être dorées. Laissez-les refroidir, puis concassez-les grossièrement et replacez-les dans le four éteint mais encore chaud, afin de les maintenir tièdes.

3. Pendant ce temps, lavez le chou kale, ne conservez que ses feuilles, coupez-les en fines lamelles et placez-les dans un plat de service.

4. À l'aide d'un économe, faites de jolis copeaux de parmesan. Réservez.

5. Égrainez la grenade et réservez les grains.

6. Faites chauffer l'huile à feu doux dans une casserole jusqu'à ce qu'elle soit chaude mais pas brûlante. Ajoutez le vinaigre, salez et poivrez.

7. Versez la vinaigrette chaude sur le chou et mélangez bien pour l'enrober de sauce. Ajoutez les amandes chaudes et le parmesan.

8. Laissez la salade reposer quelques minutes. Ajoutez la grenade au dernier moment avant de servir pour une salade tiède et fraîche à la fois.

LE KIWI

Le kiwi est le fruit rêvé au plan nutritionnel, il donne un grand coup d'énergie grâce à son atout principal, la vitamine C. Et sa richesse en antioxydants et en fibres s'opposerait aux effets toxiques de certains éléments cancérigènes.

Le kiwi est le fruit d'une plante grimpante originaire de Chine, appartenant au genre *Actinidia*. Sa pulpe verte, sucrée et acidulée entourée d'une peau brune et duveteuse contient de minuscules graines noires comestibles. Nommé par les Chinois « groseille de Chine », ce petit fruit, pesant à peine 20 g, poussait alors à l'état sauvage dans la forêt. Il apparut en Nouvelle-Zélande et en France au xixe siècle, mais ce furent les Néo-Zélandais qui le rendirent populaire dans les années 1970 en produisant des variétés plus grosses (plus de 100 g). Il fut baptisé « kiwi » en raison de sa ressemblance avec l'oiseau du même nom, très connu en Océanie. Le kiwi est aujourd'hui cultivé dans de nombreux pays dont l'Italie, la Grèce, la France, le Chili… C'est le fruit indispensable pour rester en forme !

SES PROPRIÉTÉS ANTICANCER

Action antioxydante ● Protection du système sanguin ● Protection du côlon

● La forte activité antioxydante du kiwi – due notamment à ses nombreux composés phénoliques – préviendrait l'apparition de maladies cardio-vasculaires et de certains cancers.

● Des chercheurs ont observé une diminution de l'oxydation de l'ADN et une augmentation de la capacité antioxydante du sang chez des patients qui consommaient un kiwi par jour pendant trois semaines. Des effets similaires ont été démontrés avec le jus de kiwi. En effet, le kiwi renferme de nombreux antioxydants dont les vitamines C et E, ainsi que des polyphénols (acides phénoliques, épicatéchine, catéchine, procyanidines, flavonols…) qui s'opposent au stress oxydatif. De plus, le jus de kiwi s'opposerait aux effets toxiques de certains éléments cancérigènes.

● Sa forte teneur en fibres contribuerait à lutter contre les risques de cancer du côlon. Quant à sa couleur jaune-verte, elle provient notamment de la lutéine qui peut bloquer le cycle cellulaire et donc la multiplication des cellules malignes.

SES ATOUTS NUTRITIONNELS

Parmi les fruits couramment consommés, le kiwi est sans doute le plus dense au niveau nutritionnel. Son atout principal : une forte teneur en vitamine C (qui est plus importante que celle de l'orange) qui donne de l'énergie et renforce les défenses immunitaires. Il faut le consommer de préférence le matin pour faire le plein de tonus ! En effet, un kiwi fournit plus de 104 % des apports journaliers recommandés. C'est également une source de vitamine E (concentrée dans ses petites graines noires), de vitamines A, B1, B2, B3, B5, B6 et K. Il est riche en potassium, magnésium, fer, cuivre, zinc, phosphore et en fibres. Le kiwi préserve et régénère les tissus cellulaires, lutte contre la constipation, le cholestérol et favorise la cicatrisation des plaies grâce à ses propriétés antibactériennes.

Valeurs nutritionnelles pour 100 grammes	Kiwi frais
Énergie	58 kcal
Eau	84 g
Fibres	2,4 g

L'ACHETER ET LE CUISINER

Le choisir. Choisissez-le plutôt ferme, intact et sans taches. Dans l'idéal, la chair doit céder légèrement sous la pulpe des doigts. Si on l'achète dur, il faudra le garder quelques jours à température ambiante. S'il est bien mûr, mieux vaut le conserver au frais.

Le déguster. Le kiwi se consomme le plus souvent cru mais peut être interprété chaud. Le matin, pensez à intégrer le kiwi dans vos jus et smoothies ! Le kiwi accompagne également très bien des plats salés.

Petite astuce culinaire. Un kiwi réduit en purée, dans une marinade, rendra une viande plus tendre.

———

TACOS DE CREVETTE, SALSA KIWI

819 KCAL

L 27,4   G 49,3   P 23,2

PRÉPARATION 20 MIN ● **CUISSON** 14 MIN ● **FACILE** ● €€

8 tortillas de maïs prêtes à l'emploi
24 crevettes fraîche décortiquées

POUR LA SALSA
1 oignon rouge
2 tomates vertes
6 kiwis
2 poivrons verts doux
2 cuil. à soupe d'huile d'olive
sel, poivre

POUR LA PURÉE D'AVOCAT
4 avocats
le jus de 1 citron vert
le jus de 1 citron jaune
2 pincées de paprika
2 pincées de piment d'Espelette
1/2 botte de coriandre
50 g de ciboule

1. Préchauffez le four à 180 °C.

2. Préparez la salsa : coupez en tout petits dés l'oignon rouge, les tomates vertes, les kiwis et les poivrons verts doux. Assaisonnez de sel, de poivre et d'huile d'olive et mélangez. Réservez au frais.

3. Préparez la purée d'avocat : écrasez l'avocat à la fourchette, en gardant quelques morceaux. Versez le jus des citrons vert et jaune, saupoudrez de paprika et de piment d'Espelette. Ajoutez la coriandre ciselée grossièrement, puis la ciboule coupée en fines rondelles. Salez, poivrez et réservez au frais.

4. Emballez les tortillas de maïs dans du papier aluminium et placez-les au four pour une dizaine de minutes.

5. Pendant ce temps, faites revenir les crevettes à feu vif dans une poêle. Salez, poivrez.

6. Pour le dressage, mettez un peu de purée d'avocat dans les tortillas, ajoutez quelques crevettes, et parsemez généreusement de salsa au kiwi ! Dégustez aussitôt !

JUS VERT AU KIWI, CÉLERI ET POMME VERTE

41,9 KCAL

L 2,6   G 89,2   P 8,2

PRÉPARATION 5 MIN ● FACILE ● €

4 kiwis
2 pommes vertes
4 branches de céleri
(environ 160 g)

1. Épluchez les kiwis.

2. Coupez les pommes vertes en quartiers.

3. Retirez les feuilles des branches de céleri et coupez-les grossièrement.

4. Passez le tout dans une centrifugeuse. Comptez un kiwi, une demi-pomme verte et une branche de céleri par verre de jus mixé !

5. Dégustez bien frais avec des glaçons.

LA MYRTILLE ET LES FRUITS ROUGES

Des petits fruits gorgés de propriétés antioxydantes et anticancéreuses exceptionnelles à ne pas négliger si l'on veut prévenir l'apparition de cancer.

Les fruits rouges appartiennent à trois catégories de fruits différentes : celle des baies pour la myrtille et le cassis, celle des drupes pour la framboise et la cerise et celle des faux fruits pour la fraise uniquement.

Aujourd'hui répandus sur tous les continents, ces délicieux petits fruits n'ont pas tous la même origine : la fraise poussait à l'état sauvage en Amérique, en Europe et en Asie tandis que la myrtille, le bleuet (variété de myrtille) et la canneberge venaient d'Amérique du Nord. Gorgés d'eau et de savoureux arômes, ils ont fait tour à tour le bonheur des chasseurs-cueilleurs et des hommes modernes. Les Grecs sont à l'origine de la légende divine sur la couleur rouge des framboises. Les Amérindiens, conscients de l'exceptionnelle qualité nutritionnelle des myrtilles et des bleuets, vouaient quant à eux un véritable culte à ces baies. Ils avaient probablement déjà compris que se rassasier de fruits rouges n'est pas un péché mais un acte salutaire !

LEURS PROPRIÉTÉS ANTICANCER

Protection du système digestif et du côlon en particulier

● Les fruits rouges sont d'excellentes sources de phytocomposés aux vertus antioxydantes et anticancéreuses dont les plus remarquables sont l'acide ellagique, les anthocyanidines et les proanthocyanidines.

Selon les résultats de certaines études, l'acide ellagique, par l'intermédiaire de plusieurs mécanismes, permet l'inhibition de la prolifération des cellules cancéreuses, l'activation de leur autodestruction, la rupture des liaisons entre les agents cancérigènes et l'ADN et le blocage de la construction de réseaux de vaisseaux sanguins qui alimentent la tumeur pour qu'elle se développe. Il s'agit donc d'une formidable molécule à l'efficacité prouvée dont il serait dommage de se priver.

● Les anthocyanidines et les proanthocyanidines, responsables de la couleur rouge et noir bleuâtre des fruits rouges, montrent des propriétés similaires dans les essais menés.

● Les fruits rouges sont par ailleurs une très bonne source de fibres : ces substances favorisent le bon fonctionnement du transit intestinal et joueraient un rôle dans la prévention du cancer colorectal.

● Enfin, dans une étude récente publiée dans le *British Journal of Nutrition*, il a été démontré que les plus gros mangeurs de fruits rouges avaient un risque significativement inférieur de développer un cancer du côlon par rapport à ceux qui en consommaient moins.

LEURS ATOUTS NUTRITIONNELS

Les fruits rouges sont de véritables réservoirs à vitamine C, une substance antioxydante appelée aussi acide ascorbique qui semble particulièrement intéressante dans la prévention de certaines maladies comme le cancer. Ils sont également source de manganèse et apportent des quantités intéressantes en vitamine B9, une vitamine intervenant entre autres dans la synthèse protéique et dans la reproduction cellulaire.

Valeurs nutritionnelles pour 100 grammes	Fruits rouges (framboise, fraise, groseille, cassis)
Énergie	47 kcal
Eau	86 g
Glucides	5,3 g
Fibres	4,6 g

LES ACHETER ET LES CUISINER

Frais ou congelés. À l'arrivée de la période estivale, on voit apparaître sur les étals de jolis petits paniers remplis de fraises, de framboises ou de cerises. Le reste de l'année, il est possible de se tourner vers le surgelé pour profiter de ces beaux fruits. Mis à part la fraise, les fruits rouges s'y adaptent très bien. Le surgelé présente en outre l'avantage de préserver les qualités nutritionnelles des fruits. Si vous souhaitez bénéficier de la vitamine C présente dans les fruits rouges, il est préférable que vous les consommiez crus. La vitamine C est en effet sensible à la chaleur.

À déguster. Pour les plus gourmands qui n'y résistent pas, variez simplement les formes de dégustation. Les fruits rouges crus s'apprécient par exemple en salade accompagnés de fromage blanc, en jus ou smoothie mêlés à d'autres fruits, mais aussi mélangés à du müesli ou du granola maison au petit déjeuner.

CRUMBLE BARS AUX MYRTILLES

328 KCAL

L 23,8   G 69,5   P 6,7

PRÉPARATION 20 MIN ● **CUISSON** 45 MIN ● **FACILE** ● €

POUR LA PÂTE
350 g de farine
170 g de sucre
de canne
1/2 sachet de levure
chimique
4 pincées de sel
200 g de beurre
1 œuf

POUR LA GARNITURE
600 g de myrtilles
20 g de sirop d'agave
3 cuil. à café
de Maïzena
le jus et le zeste
de 2 citrons verts

MATÉRIEL SPÉCIFIQUE
1 moule carré
de 20 x 20 cm
ou rectangulaire

1. Préchauffez le four à 180 °C.

2. Recouvrez un moule carré ou rectangulaire de papier sulfurisé.

3. Préparez la pâte : dans un saladier, mélangez la farine, le sucre de canne, la levure chimique et le sel. Coupez le beurre en petits morceaux. Du bout des doigts, intégrez le beurre aux ingrédients secs en malaxant le tout. Vous allez obtenir une pâte très friable.

4. Placez la moitié de la pâte au fond du moule et, avec votre poing, tassez les petits morceaux de pâte pour former une base bien compacte.

5. Dans un bol, mélangez les myrtilles, le sirop d'agave, la Maïzena, le jus et le zeste des citrons verts. Versez cette préparation dans le moule, au-dessus de la base de pâte, et étalez pour que la couche de myrtilles soit bien uniforme.

6. Ajoutez le reste de la pâte, cette fois en laissant les morceaux de crumble tels quels. Répartissez bien la pâte, vous devriez encore bien voir vos myrtilles en dessous.

7. Enfournez pendant 45 minutes. Le gâteau doit être légèrement doré.

8. Laissez refroidir, puis coupez en barres rectangulaires ou en carrés.

BRIOCHE AUX FRUITS ROUGES

359 KCAL
L 19,3 G 66 P 14,8

PRÉPARATION 50 MIN ● REPOS 3 H 30 ● CUISSON 45 MIN ● ÉLABORÉ ● €

POUR LA PÂTE À BRIOCHE
10 g de levure
boulangère
50 ml de lait tiède
250 g de farine
5 g de sel
30 g de sucre semoule
2 œufs
110 g de yaourt nature
70 g de beurre ramolli

POUR LA GARNITURE
60 g de yaourt
20 g de sirop d'agave
1 barquette
de framboises
1 barquette de myrtilles
1 sachet de sucre
vanillé

1. Préparez la pâte : diluez la levure dans le lait, préalablement tiédi. Dans un saladier ou le bol d'un robot, placez la farine, le sel et le sucre. Mélangez afin de bien répartir les éléments secs. Ajoutez les œufs, 110 g de yaourt et la levure diluée dans le lait. Mélangez jusqu'à obtenir une pâte homogène. Ajoutez le beurre ramolli en petits morceaux puis pétrissez la pâte jusqu'à ce qu'elle ne colle plus. Cela devrait prendre 10 à 20 minutes à vitesse moyenne avec votre robot.

2. Couvrez le bol et placez-le dans un endroit de préférence chaud et humide pendant une heure. La pâte doit doubler de volume.

3. Lorsque la pâte est levée, posez-la sur un plan de travail fariné et travaillez-la légèrement. Placez-la à nouveau dans un bol et laissez-la lever pendant 2 h 30, toujours couverte, à température ambiante. Une nouvelle fois, la pâte doit doubler de volume.

4. Pendant ce temps, préparez la garniture : dans un bol, mélangez le yaourt avec le sirop d'agave. Réservez. Placez les fruits rouges dans une casserole et faites-les cuire pendant 15 minutes à feu très doux. Réservez.

5. Préchauffez le four à 180 °C.

6. Aplatissez la pâte pour en chasser l'air, puis étalez-la en un rond d'environ 25 cm de diamètre et 3 cm d'épaisseur. Déposez le fond de pâte obtenu sur une plaque recouverte de papier sulfurisé. Creusez bien le centre pour y verser la garniture. En cuisant, la brioche va gonfler. Si le centre n'est pas assez profond, la garniture risque de couler sur les bords. Placez le yaourt sucré au centre en l'étalant un peu. Ajoutez les fruits rouges puis parsemez du sucre vanillé.

7. Faites cuire au four pendant 30 minutes jusqu'à ce que la brioche soit bien dorée.

8. Laissez refroidir avant de déguster !

LE POIVRE

Mettez un peu de piquant dans votre vie avec ce condiment aux vertus stimulantes et antiseptiques qui non seulement apportera des notes relevées à vos plats mais dont l'action anticancer, grâce à la pipérine, mérite d'être connue.

Le poivre aurait des origines indiennes et son nom viendrait du sanscrit *pippali*. Sous l'Empire romain, on l'utilisait pour assaisonner les plats, pour conserver la viande ou comme médicament. Cette épice – obtenue à partir des baies du poivrier – appartient à la famille des pipéracées. Les baies apparaissent environ sept ans après que l'arbuste a été planté. On trouve différents types de poivres (vert, rouge, noir, gris, blanc, rose) qui correspondent à divers stades de mûrissement de la baie. Le poivre noir est récolté avant complète maturité puis séché, ce qui lui donne des notes boisées et épicées. Le poivre blanc, lui, a une saveur plus douce et un piquant délicat. La production mondiale de poivre est énorme, il s'agit de l'épice la plus consommée au monde. Le Vietnam est le premier pays producteur et exportateur, suivi de l'Inde, du Brésil, de l'Indonésie, de la Chine, du Sri Lanka et de la Thaïlande.

SES PROPRIÉTÉS ANTICANCER

Protection du sein chez la femme ● Action bénéfique sur la muqueuse de l'estomac

● Le poivre noir présente d'intéressantes propriétés anticancéreuses et aiderait notamment à combattre le cancer du sein. Plusieurs études montrent que la pipérine (qui confère sa saveur piquante au poivre) inhibe le processus des métastases, ralentissant la progression des cellules cancéreuses. Elle est capable d'augmenter la biodisponibilité de nombreuses substances à travers divers mécanismes biologiques ; ainsi, elle améliore l'absorption des curcuminoïdes, présentes en grande quantité dans le curcuma, chez l'animal et chez l'homme.

● La pipérine est aussi reconnue pour ses propriétés antioxydantes, antitumorales et anti-inflammatoires. Elle stimule les enzymes détoxifiantes et permet de réduire les dommages causés sur les chromosomes dans certains cancers du poumon. Selon plusieurs études, elle exercerait un effet protecteur contre *Helicobacter*

pylori, une bactérie qui infecte la muqueuse de l'estomac et constitue un facteur important de risque de cancer gastrique.

● Le poivre, consommé en même temps que le curcuma, permettrait de potentialiser les propriétés anticancer de ce dernier. Or la curcumine inhiberait la mobilité des cellules du cancer du sein et leur propagation dans l'organisme.

SES ATOUTS NUTRITIONNELS

Composé d'huiles essentielles, de résine et de pipérine, le poivre tire son goût intense de son écorce. C'est un antidépresseur naturel qui stimule la production d'endorphines. Tonifiant, il est riche en sels minéraux, favorise la salivation comme la production de sucs gastriques et fait un bon stimulant digestif. Il possède des vertus contre le rhume et la douleur. Il facilite l'élimination des mucosités et possède une action désinfectante, anti-inflammatoire et antibactérienne. Le poivre peut encore être utile en cas de fièvre, de douleurs dentaires et rhumatismales ou de contusions.

Valeurs nutritionnelles pour 100 grammes	Poivre
Énergie	3 kcal
Fibres	0,3 g

L'ACHETER ET LE CUISINER

Préserver sa saveur. Le poivre est commercialisé sous forme de grains entiers ou déjà moulus. À l'achat, les grains doivent être lourds, compacts, de couleur uniforme. Pour un maximum de saveur, il est préférable de moudre les grains soi-même. Le poivre est sensible à la cuisson, il est donc conseillé de l'ajouter au moment de servir. En cuisine, il relève les plats, s'accorde parfaitement à la viande aussi bien qu'aux œufs ou aux poissons. Il donne de l'allant aux sauces et aux courts-bouillons, se mélange facilement à d'autres épices…

Des idées de recettes. Par exemple, préparer un cabillaud aux graines de sésame et au poivre de Sichuan, ou un carpaccio de bar au poivre rose. À essayer aussi, le Massala chai, une recette indienne de thé à base de cardamome, gingembre râpé, baies de poivre noir, cannelle, clous de girofle, thé noir et lait. Le poivre en grains se conserve sans limite à température ambiante dans un récipient fermé tandis que le poivre moulu ne se conserve que trois mois, car, au-delà, son arôme s'altère.

SPAGHETTI CACIO E PEPE

756 KCAL

L 17,4   G 63,4   P 19,2

400 g de spaghettis
crus
200 g de pecorino râpé
2 cuil. à soupe
d'huile d'olive
5 baies de poivre

PRÉPARATION 15 MIN ● **CUISSON** 10 MIN ENVIRON ● **FACILE** ● €

1. Commencez la cuisson des pâtes dans une grande casserole d'eau bouillante salée. Comptez 1 minute en moins que le temps indiqué sur le paquet.

2. Pendant ce temps, placez le pecorino râpé dans un bol, ajoutez un petit verre d'eau de cuisson des pâtes en plusieurs fois pour que le pecorino fonde et acquière une texture finale crémeuse.

3. Faites chauffer l'huile dans une grande poêle, ajoutez les pâtes cuites *al dente*.

4. Versez la crème de pecorino et mélangez. Si les pâtes sont un peu sèches, n'hésitez pas à ajouter un peu d'eau de cuisson.

5. Poivrez en concassant les baies de poivre au moulin et servez aussitôt, car ces pâtes n'attendent pas !

PÊCHES RÔTIES AU POIVRE ET AU MIEL

294 KCAL L 40,1 G 51,2 P 8,7

PRÉPARATION 10 MIN ● **CUISSON** 40 MIN ● **FACILE** ● €

600 g de pêches jaunes
(soit environ 4 pêches)
50 g de miel
10 tours de moulin
à poivre noir

POUR LA CRÈME
160 g de mascarpone
20 g de miel

POUR LA FINITION
1/4 de botte
de menthe (10 g)
30 g de biscuit amaretti
3 à 4 tours de moulin
à poivre

1. Préchauffez le four à 160 °C.

2. Disposez les pêches découpées en quartiers dans un grand plat allant au four.

3. Ajoutez le miel en filet, le poivre et mélangez pour que les pêches soient bien enrobées.

4. Enfournez pour 30 à 40 minutes.

5. Pendant ce temps, préparez la crème : mélangez le mascarpone et le miel, placez au frais.

6. Effeuillez la menthe, réservez.

7. Au moment de servir, placez dans chaque bol un peu de pêche rôtie et 1 cuillerée de crème sur le côté. Cassez grossièrement les biscuits amaretti sur la crème. Ciselez la menthe et parsemez-en les pêches.

8. Finissez par un petit tour de moulin à poivre et dégustez aussitôt pour un dessert chaud-froid.

LA PRUNE

Nutritive, désaltérante et diététique, la prune est une douceur sucrée qui fait du bien. Elle est aussi un élément important de l'alimentation anticancer par sa richesse en antioxydants.

Ce fruit à noyau, à chair sucrée et juteuse, est produit en été par le prunier, arbuste dont la culture remonterait au moins à l'Antiquité. Les Égyptiens et les Romains en étaient très friands, ce qui favorisa largement sa diffusion. La prune connut un véritable succès en France au Moyen Âge, et plus encore depuis la Renaissance. Le prunier cultivé aujourd'hui sur nos terres serait issu d'un croisement entre plusieurs espèces européennes et asiatiques.

Verte, jaune, violette… on compte des centaines de variétés de prunes différentes, mais on en connaît surtout trois : la reine-claude, la mirabelle et la quetsche. Les premières fleurs commencent à apparaître au printemps et les premiers fruits peuvent être cueillis en juillet. Le saviez-vous ? En France, la reine-claude tiendrait son nom de la première épouse de François Ier, Claude, qui en raffolait !

SES PROPRIÉTÉS ANTICANCER

**Action antioxydante et préventive •
Action bénéfique sur le foie**

• Comme pour beaucoup de fruits, une consommation régulière de prunes diminuerait le risque de maladies cardio-vasculaires, de certains cancers et d'autres maladies chroniques.

• Parmi tous les fruits du marché, certains possèdent de plus grandes propriétés anticancer que d'autres et méritent une place de choix dans votre assiette. Ainsi une forte consommation de prunes permettrait d'augmenter la capacité antioxydante de l'organisme, pour mieux lutter contre les radicaux libres et diminuer les facteurs de risque du cancer. Les acides chlorogéniques de la prune, des flavanols et procyanidols, ont une activité antioxydante, certes moins importante que celle du pruneau, particulièrement intéressant dans un régime de prévention.

• D'après plusieurs études, les flavonoïdes et les acides phénoliques contenus dans la prune permettraient de ralentir la prolifération des cellules cancéreuses du côlon et du sein. Des extraits de prune ont même montré en laboratoire la capacité à provoquer l'autodestruction de cellules cancéreuses du foie, et à accentuer l'efficacité de certains traitements de chimiothérapie.

SES ATOUTS NUTRITIONNELS

Les prunes fraîches, en jus ou séchées, sont toujours riches en antioxydants, en fer et en vitamines A, K et C, ce qui en fait d'excellentes alliées pour la peau. Elles contiennent aussi des minéraux – potassium, magnésium, phosphore, cuivre, fer, zinc – ainsi que du bêtacarotène. Malgré sa saveur bien sucrée, la prune est peu énergétique et très dépurative. Elle favorise l'élimination rénale – grâce à sa richesse en eau – et facilite le bon fonctionnement des intestins par sa teneur en fibres (principalement la pectine) et en sorbitol.

Valeurs nutritionnelles pour 100 grammes	Reine-claude fraîche
Énergie	49 kcal
Eau	82 g
Fibres	2,3 g

L'ACHETER ET LA CUISINER

Comment la choisir. La prune mûre à point doit céder sous une légère pression sans être trop molle et dégager un bon parfum. Choisissez des fruits non abîmés, avec une peau bien lisse. Certaines variétés présentent une pellicule blanche en surface, la pruine. Pas de panique, bien au contraire : c'est un gage de fraîcheur et de qualité produit par le fruit lui-même ! Il suffit de bien les laver pour les déguster à pleines dents.

Bien les conserver. Les prunes sont des fruits fragiles. Elles se conservent quelques jours à température ambiante ou dans le bac à légumes du réfrigérateur, mais il est recommandé de les sortir à l'avance pour profiter de toute leur saveur. Elles se conservent aussi très bien au congélateur à condition d'avoir enlevé les noyaux au préalable.

De multiples recettes. Bien mûre, la prune est excellente à manger telle quelle. En plat, elle se prête à toutes sortes de recettes, mêlant salé et sucré. Par exemple : une compote de prunes accompagnera de l'agneau aromatisé au romarin, ou une farce avec du riz pour une volaille.

Elle se décline en de multiples desserts (crue ou cuite) : en confiture, dans les tartes, clafoutis, crumbles, muffins, etc.

POP TARTS AUX PRUNES

380 KCAL

L 31,3   G 62,8   P 5,9

PRÉPARATION 30 MIN ● CUISSON 30 MIN ● MOYEN ● €

POUR LA PÂTE
200 g de farine
10 g de sucre de canne
4 g de sel
150 g de beurre
36 ml d'eau

POUR LA GARNITURE
6 prunes
4 cuil. à soupe rases
de Maïzena
70 g de miel
1 filet de jus de citron

POUR LA FINITION
1 blanc d'œuf
sucre pour saupoudrer

1. Préchauffez le four à 180 °C.

2. Préparez la pâte : dans un bol, placez la farine, le sucre et le sel ensemble. Ajoutez le beurre coupé en petits morceaux et écrasez-le petit à petit du bout des doigts en y intégrant le mélange d'ingrédients secs, comme si vous faisiez un crumble. Une fois le beurre bien intégré, ajoutez doucement l'eau et mélangez quelques minutes jusqu'à obtenir une pâte homogène. Réservez au frais.

3. Pendant ce temps, coupez les prunes lavées en très fines lamelles et placez-les dans un récipient. Ajoutez la Maïzena, le miel et le jus de citron. Mélangez bien pour que toutes les lamelles de prune soient enrobées. Réservez.

4. Étalez la pâte assez finement et découpez des rectangles d'environ 12 cm de long et 8 cm de large, pour obtenir 12 rectangles. Si certains sont plus grands que d'autres, ce n'est pas grave, gardez-les pour faire les « couvercles » des pop tarts.

5. Placez 6 rectangles de pâte sur une plaque de papier sulfurisé. Ajoutez sur chaque rectangle les lamelles de prune dans le centre, en laissant les bords découverts. Aplatissez-les afin de ne pas avoir un résultat trop bombé. Badigeonnez les bords d'un peu de blanc d'œuf.

6. Pour les couvercles, prenez les 6 autres rectangles et décorez-les de petites entailles dessus, en forme de croix, en diagonale, ou comme vous le souhaitez selon votre humeur créative.

7. Ajoutez ces couvercles sur les tartes et pressez les bords avec une fourchette. Badigeonnez les pop tarts de blanc d'œuf et saupoudrez de sucre.

8. Enfournez pendant environ 30 minutes jusqu'à ce qu'elles soient dorées.

9. Laissez-les refroidir 5 minutes avant de déguster !

UPSIDE DOWN CAKE
AUX PRUNES

304 KCAL

L 11,9   G 76,1   P 12

8 prunes lavées
110 g de beurre pommade
135 g de sucre brun
2 gros œufs
le zeste de 1/2 orange
1 gousse de vanille
135 g de farine
3/4 d'un sachet de levure
1/4 de cuil. à café de cannelle en poudre
90 ml de lait
40 g de beurre fondu
75 g de sucre semoule

MATÉRIEL SPÉCIFIQUE
1 moule avec un fond détachable : pour un démoulage sans stress !

1. Afin d'obtenir un appareil à cake homogène, il est impératif que tous les ingrédients soient à température ambiante. Sortez-les 30 minutes avant de commencer la préparation du gâteau.

2. Préchauffez le four à 180 °C.

3. Dans un bol, fouettez le beurre pommade et le sucre brun afin d'obtenir une consistance aérienne. Ajoutez les œufs un par un en mélangeant entre chaque ajout. Ajoutez le zeste d'orange et les grains de gousse de vanille.

4. Dans un autre bol, mélangez tous les ingrédients secs : la farine, la levure, la cannelle. Ajoutez ces ingrédients secs au mélange à base de beurre et le lait en alternant. Mélangez bien pour obtenir une pâte à cake homogène.

5. Chemisez votre moule : étalez le beurre fondu sur le fond du moule et ajoutez le sucre semoule. Répartissez-les uniformément.

6. Dénoyautez les prunes, et coupez chaque moitié en 4 tranches. Disposez-les joliment sur le fond du moule beurré et sucré. Le concept de ce gâteau étant un démoulage façon « tarte Tatin », disposez les prunes en rosace ou alignées pour obtenir un rendu esthétique.

7. Versez ensuite l'appareil à cake.

8. Faites cuire environ 30 minutes au four. Le gâteau doit être doré. Si vous avez un doute sur la cuisson, la bonne vieille astuce du « planté de couteau » marche toujours : il doit ressortir sec !

9. Laissez refroidir le gâteau pendant 5 minutes, puis démoulez-le. Vous pouvez le manger tiède avec un sorbet framboise pour le dessert ou froid au goûter.

LE QUINOA

Un aliment très complet riche en glucides complexes, source de fibres alimentaires et pourvoyeur de vitamine B9 très intéressants pour protéger sa santé.

Le quinoa est une plante originaire d'Amérique du Sud. Les premières traces de culture par les peuples autochtones ont été datées entre 3000 et 5000 avant J.-C. au niveau du lac Titicaca. Les graines du quinoa constituaient alors l'alimentation de base au même titre que le maïs et la pomme de terre. Classé dans la famille des amaranthacées comme la betterave et l'épinard, le quinoa doit être considéré comme une pseudo-céréale. Longtemps méconnu dans les sociétés occidentales, il a depuis peu gagné en renommée pour la qualité nutritionnelle de ses graines et pour sa composition sans gluten.

Les principaux pays producteurs de quinoa sont la Bolivie, le Pérou et les États-Unis. De nombreuses initiatives ont permis cependant d'étendre sa culture hors d'Amérique ; cette plante représente en effet une réelle opportunité de lutter contre la faim dans le monde selon l'Organisation des Nations unies pour l'alimentation et l'agriculture, la FAO.

SES PROPRIÉTÉS ANTICANCER

Action préventive globale ● Protection du côlon

● S'il n'existe pas à l'heure actuelle d'étude épidémiologique associant directement la prise alimentaire de quinoa à une diminution de l'incidence de certains cancers, plusieurs de ses caractéristiques lui confèrent la légitimité d'appartenir à un régime de prévention.

● Tout d'abord, le quinoa est riche en fer non héminique contrairement aux viandes rouges et charcuteries qui apportent du fer héminique – emprisonné dans une molécule d'hémoglobine. De nombreuses études menées sur l'homme et en laboratoire ont établi une association positive entre des apports élevés en fer héminique et le développement du cancer du côlon. Des habitudes alimentaires un peu modifiées permettent de diminuer ce risque : il est ainsi recommandé de mettre l'accent sur la consommation de viandes blanches et

d'introduire des sources végétales de fer ; or le quinoa en contient presque autant que les lentilles, un très bon argument pour le mettre à son menu. Il est en outre source de fibres alimentaires qui, elles aussi, sont associées à une réduction du risque de cancer colorectal.

● Enfin, le quinoa apporte de la vitamine B9, appelée aussi acide folique, qui intervient dans la synthèse de l'ADN et dans le renouvellement cellulaire. La carence en vitamine B9 serait associée à un risque plus élevé de mutations génétiques pouvant conduire à la formation de tumeurs.

SES ATOUTS NUTRITIONNELS

Le quinoa cuit est source de protéines végétales d'excellente qualité nutritionnelle, car elles contiennent tous les acides aminés essentiels. Il est aussi riche en fer, magnésium et zinc, et apporte des quantités intéressantes de vitamines du groupe B comme les vitamines B6 et B9. Également riche en glucides complexes et source de fibres, le quinoa est un aliment très complet qui s'inscrit dans un régime sain et équilibré en alternative à d'autres céréales et féculents plus communs.

Valeurs nutritionnelles pour 100 grammes	Quinoa cuit	Farine de quinoa
Énergie	120 kcal	380 kcal
Eau	72 g	7,8 g
Protéines	4,4 g	13,3 g
Glucides	21,3 g	70 g
Lipides	1,9 g	5,9 g
Fibres	2,8 g	7 g

L'ACHETER ET LE CUISINER

Fer et calcium. Quelques études suggèrent que le calcium limite l'absorption du fer, il est donc préférable de séparer dans le temps l'ingestion d'aliments sources de calcium et d'aliments sources de fer comme le quinoa.

Savoir le cuire. La cuisson est une étape primordiale pour obtenir un quinoa à la texture agréable qui donnera envie d'en cuisiner souvent. Voici quelques conseils pour y parvenir : pour une personne compter 30 g de quinoa cru ; laver deux fois le quinoa à l'eau claire sans le faire tremper pour éviter qu'il ramollisse ; faire bouillir de l'eau dans une casserole en la recouvrant pour éviter toute perte d'eau ; verser le quinoa dans l'eau bouillante et faire cuire 10 minutes après reprise de l'ébullition ; retirer ensuite du feu et laisser à couvert 20 minutes afin que le quinoa absorbe le restant d'eau. À consommer nature, en salade…

GALETTES DE QUINOA VEGGIE

633 KCAL

L 18,6   G 62,4   P 19,1

PRÉPARATION 40 MIN ● CUISSON 35 MIN ● FACILE ● €

POUR LES GALETTES
140 g de quinoa
2 gousses d'ail
1 oignon blanc
3 cuil. à soupe
d'huile d'olive
1 courgette
140 g de pousses
d'épinards
2 œufs
50 g de parmesan
50 g de chapelure
panko (ou classique)
le zeste
de 1/2 citron jaune
sel, poivre

POUR LA SAUCE
AU YAOURT
200 g de yaourt
1 cuil. à soupe
d'huile d'olive
4 cuil. à soupe de jus
de citron
1/4 de botte d'aneth
1/4 de botte de menthe
1/4 de botte de basilic
1/4 de botte
de coriandre

1. Rincez le quinoa et faites-le cuire comme indiqué sur le paquet en veillant à ne pas prolonger la cuisson au-delà du temps indiqué.

2. Pendant ce temps, faites revenir l'ail écrasé finement et l'oignon blanc coupé en petits dés dans 2 cuillerées à soupe d'huile d'olive pendant 5 minutes.

3. Lavez la courgette, râpez-la avec la peau avant de l'ajouter dans la poêle, salez, poivrez.

4. Faites revenir le tout pendant 5 à 10 minutes, puis ajoutez les pousses d'épinards et faites revenir 2 à 3 minutes supplémentaires. Réservez hors du feu.

5. Dans un bol, placez le quinoa, les légumes cuits. Cassez les œufs, ajoutez le parmesan, la chapelure ainsi que le zeste de citron jaune. Salez, poivrez et mélangez bien le tout. Réservez.

6. Préparez la sauce au yaourt : mélangez dans un bol le yaourt, l'huile d'olive, le jus de citron et les herbes hachées. Salez, poivrez et réservez au frais.

7. Pour la cuisson des galettes de quinoa : faites chauffer le reste d'huile d'olive dans une poêle, et faites cuire la préparation en petits tas, environ 2 cuillerées à soupe, 4 minutes de chaque côté. Lorsqu'elles seront cuites, placez les galettes sur du papier absorbant pour retirer l'excédent d'huile.

8. Servez chaud avec la sauce au yaourt.

QUINOA COMME UN RIZ AU LAIT

580 KCAL

L 16,4 G 69,5 P 14,1

PRÉPARATION 10 MIN ● **CUISSON** 25 MIN ● **REPOS** 1-2 H ● **FACILE** ● €

100 g de quinoa
1 mangue
1 fruit de la Passion
600 ml de lait demi-écrémé
300 ml de crème liquide
60 g de sucre
1 gousse de vanille

1. Rincez le quinoa à l'eau froide et égouttez-le bien.

2. Préparez les fruits : épluchez la mangue et détaillez-la en cubes d'environ 1 cm de côté. Ouvrez le fruit de la Passion, videz-en les grains dans un bol. Réservez le tout au frais.

3. Dans une casserole, versez le lait et la crème. Ajoutez la moitié du sucre et faites chauffer à feu très doux en remuant régulièrement pour ne pas faire brûler le sucre.

4. Coupez la gousse de vanille en deux, puis retirez les grains de vanille en raclant avec un couteau. Placez la gousse et les grains de vanille dans le mélange lait-crème. Quand celui-ci commence à frémir, ajoutez le quinoa.

5. Laissez cuire à feu moyen-doux pendant une vingtaine de minutes en remuant très régulièrement avec une spatule en bois comme pour un riz au lait. Il est très important de bien mélanger pour éviter que le quinoa accroche au fond de la casserole et brûle. Vérifiez la cuisson du quinoa, qui doit être très légèrement ferme. Sa texture ne sera pas aussi fondante que du riz pour ce dessert.

6. Lorsque le quinoa est cuit, ajoutez le reste du sucre qui, en fondant, va rendre la préparation plus liquide ; mélangez, puis retirez du feu. Si vous aimez une texture plus compacte, poursuivez la cuisson encore 5 à 10 minutes sans oublier que la préparation se solidifiera en refroidissant.

7. Couvrez d'un film étirable le quinoa directement au contact de la préparation, afin de ne pas laisser l'air chaud se condenser sur le film et créer de l'humidité. Placez le dessert au réfrigérateur au moins 1 heure jusqu'à ce qu'il soit bien froid.

8. Au moment de servir, disposez le quinoa au lait dans des petits bols, ajoutez les morceaux de mangue et parsemez le tout avec la chair du fruit de la Passion.

LE ROOÏBOS

Ce « thé rouge » apaisant et protecteur n'entrave pas l'absorption du fer, il se montre très prometteur pour protéger nos cellules du stress oxydatif et particulièrement protecteur pour les fumeurs.

Infusion à la robe ambrée et au goût suave, le rooïbos s'obtient à partir d'un petit arbuste du même nom qui pousse en Afrique du Sud dans la région du Cap. Pour se développer, l'*Aspalathus acuminatus* exige un climat montagneux semi-aride et des conditions topographiques très particulières, si bien qu'à ce jour sa culture n'a jamais été exportée ailleurs ! Décrit pour la première fois en 1772 par un naturaliste suédois, mais disponible sur le marché depuis une centaine d'années seulement, le rooïbos connaît une forte notoriété depuis cinq ans. Dans les sociétés occidentales où le café et le thé sont très prisés, il constitue en effet une alternative intéressante ; sans théine et pourvu d'une saveur très appréciable, il a la réputation d'apaiser le corps et l'esprit. Il s'obtient à partir des feuilles et des tiges de l'*Aspalathus acuminatus*, qui une fois récoltées sont broyées, fermentées puis séchées au soleil. C'est lors de sa préparation que le rooïbos prend sa fameuse couleur ambrée qui lui a valu le nom de « thé rouge ».

SES PROPRIÉTÉS ANTICANCER

Protection contre le stress oxydatif • Protection du pancréas • Réduit les méfaits du tabac

● Les feuilles et les tiges du rooïbos contiennent des composés antioxydants qui se retrouvent en concentration variable dans la boisson en fonction du temps et de la température d'infusion. Afin de comprendre leur rôle dans la lutte contre le stress oxydatif, certains de ces composés ont fait l'objet d'études sur modèle animal. Parmi eux, l'aspalathine et la nothofagine, les deux flavonoïdes les plus abondants du rooïbos, présentent la capacité à protéger l'ADN contre les dommages causés par l'oxydation des cellules. Ils limitent ainsi le risque d'apparition de mutations au niveau de l'information génétique, mutations qui peuvent conduire au développement de cellules cancéreuses.

● Le rooïbos contient par ailleurs de la quercétine, un autre flavonoïde qui, lui, a été associé par plusieurs études épidémiologiques à la prévention du risque de cancer du pancréas ; l'une d'elles a été menée auprès de 183 518 volontaires.

● La quercétine réduirait par ailleurs l'effet cancérigène du tabac et serait donc à privilégier pour les fumeurs en contrepartie d'une diminution des apports en bêtacarotène.

SES ATOUTS NUTRITIONNELS

Le rooïbos est une source naturelle d'antioxydants et de minéraux comme le sodium, le potassium et le magnésium. Sans calorie, il se boit de préférence entre les repas afin de couper les petites faims qui appellent au grignotage anarchique.

Le véritable thé (provenant des feuilles du *Camellia sinensis*) est riche en tanins qui interagissent avec le fer et diminuent son absorption dans l'organisme, aussi est-il recommandé pour les femmes de ne pas en boire avec excès. Contrairement au thé traditionnel, le rooïbos contient très peu de tanins et peut donc être bu tout au long de la journée. Cette alternative est d'autant plus intéressante qu'un pourcentage non négligeable de femmes dans la population souffre d'une carence en fer, carence qui conduirait à une réduction des capacités physiques et intellectuelles voire dans certains cas à une anémie.

L'ACHETER ET LE CUISINER

Comment le choisir. Bien réaliser son rooïbos est aussi exigeant et noble que de faire du thé à la japonaise. Dans une enseigne spécialisée, on pourra vous proposer plusieurs sortes de rooïbos : une version nature, sans arômes, ou une version aromatisée à la vanille, aux fleurs séchées, aux fruits confits ou encore aux épices. De plus en plus, ces enseignes proposent aussi du rooïbos vert, non oxydé et non fermenté. Les bénéfices du rooïbos vert sur la santé sont probablement supérieurs à ceux du rooïbos « traditionnel » étant donné que l'étape de fermentation entraîne la perte d'une partie des antioxydants. Sa couleur et sa saveur perdent néanmoins en intensité.

Comment le déguster. Pour une extraction optimale des composés du rooïbos lors de l'infusion, il est important d'utiliser une eau bien chauffée (pour la température, se référer aux conseils d'utilisation sur le sachet) et de suivre la règle suivante : pour 1 à 2 cuillerées à café de rooïbos compter 2 à 4 minutes d'infusion. On pourra ensuite à sa convenance déguster la boisson dans l'instant, ou plus tard une fois refroidie.

———————

MOUSSE AU CHOCOLAT ET AU ROOÏBOS

681 KCAL

L 44,6 G 39,1 P 16,3

200 ml de crème liquide
4 sachets de rooïbos
250 g de chocolat noir
70 % + 50 g pour
la décoration
5 œufs
60 g de sucre glace

PRÉPARATION 30 MIN ● REPOS 2 H ● FACILE ● €

1. Faites chauffer la crème liquide dans une casserole. Lorsqu'elle est chaude, ajoutez les sachets de rooïbos et faites infuser pendant 15 minutes hors du feu.

2. Pendant ce temps, hachez le chocolat finement et placez-le dans un grand saladier.

3. Lorsque la crème est infusée, retirez les sachets et pressez le plus possible pour extraire un maximum de parfum possible. Versez la crème sur le chocolat en trois fois, en remuant bien à la spatule entre chaque ajout.

4. Dans un saladier, séparez les blancs des jaunes d'œufs. Ajoutez les jaunes au chocolat et mélangez bien. Réservez.

5. Montez les blancs en neige, en ajoutant le sucre en pluie une fois les blancs bien mousseux, jusqu'à ce qu'ils soient fermes. Ajoutez les blancs montés en trois fois au mélange de chocolat à la spatule, en veillant à ne pas les casser pour garder un mélange aérien.

6. Placez la mousse dans de jolies verrines et garder au réfrigérateur pendant au moins 2 heures, idéalement toute une nuit.

7. Au moment de servir, parsemez la mousse de copeaux de chocolat obtenus avec un économe.

THÉ GLACÉ AU ROOÏBOS

53,8 KCAL

L 2   G 91,6   P 6,4

PRÉPARATION 15 MIN ● INFUSION 1-2 H ● FACILE ● €

2 sachets de rooïbos
200 ml d'eau chaude
20 ml de sirop d'agave
700 ml d'eau froide
1/2 botte de menthe
2 pêches bien mûres
1/2 citron vert
30 glaçons environ

1. Faites infuser les sachets de rooïbos dans de l'eau chaude pendant 6 à 8 minutes, directement dans la carafe dans laquelle vous servirez le thé glacé.

2. Ajoutez le sirop d'agave et mélangez bien.

3. Versez l'eau froide.

4. Effeuillez la menthe : faites des petits tas de feuilles de menthe et déchirez-les en deux en les écrasant légèrement afin d'en libérer le maximum de parfum. Ajoutez-les au thé.

5. Épluchez les pêches et coupez-les en gros quartiers. Coupez le citron vert en lamelles. Ajoutez le tout au thé.

6. Laissez infuser 1 ou 2 heures au réfrigérateur. Finissez par les glaçons. Dégustez et n'hésitez pas à manger les pêches, elles seront délicieusement imbibées du goût de thé et de menthe !

LE YAOURT

Un aliment ancestral dont les propriétés protectrices des probiotiques qu'il contient sont maintenant bien reconnues… À consommer régulièrement, même pour les hommes qui doivent surveiller leur consommation de calcium.

Le yaourt est un produit issu de la fermentation du lait connu depuis l'Antiquité. Les premières fabrications de yaourt sont probablement dues au stockage de lait dans un sac en peau de chèvre ; les bactéries sauvages présentes à la surface de la peau ont travaillé le lait pour en faire un produit épais, solide et légèrement acide. On localise ces premières découvertes en Asie Mineure.

Dans l'histoire récente, le yaourt a tenu une place importante dans l'alimentation de nombreux peuples européens surtout parce qu'il présente l'avantage d'augmenter la durée de conservation du lait. Les découvertes microbiologiques sur la nature des bactéries impliquées dans la fabrication du yaourt ont permis son industrialisation à partir du XXᵉ siècle. Les bactéries utilisées sont les *Lactobacillus bulgaricus* et les *Streptococcus thermophilus*. Elles acidifient le lait, ce qui entraîne la coagulation de ses protéines ainsi que la modification de sa texture et de son goût.

SES PROPRIÉTÉS ANTICANCER

Protection de la flore intestinale et du côlon ● Renforce les défenses immunitaires

● La présence de bactéries lactiques dans le yaourt – appelées probiotiques – rend cet aliment particulièrement intéressant pour préserver la flore intestinale autochtone. Elles aident en effet cette dernière à se régénérer et à former une barrière efficace contre les microbes pathogènes. Ces probiotiques pourraient en outre jouer un rôle bénéfique dans la prévention du cancer du côlon. Plusieurs études épidémiologiques à ce sujet ont établi une association inverse entre la consommation fréquente de yaourt et les risques de cancer colorectal. Au niveau cellulaire ces observations pourraient s'expliquer par des mécanismes qui ne sont encore pas tous connus.

● Certains essais sur modèle animal et *in vitro* ont cependant permis d'avancer quelques hypothèses : les *Lactobacillus* du yaourt ont la capacité de diminuer l'activité de certaines enzymes présentes dans le côlon responsables de la formation locale de substances cancérigènes ;

des extraits de yaourt mis en présence de cellules cancéreuses du tissu colorectal diminuent leur prolifération, laissant supposer l'existence d'un mécanisme d'inhibition faisant intervenir des bactéries lactiques ; enfin des études suggèrent que la présence des probiotiques du yaourt dans l'intestin amplifie la réponse immunitaire face aux substances étrangères potentiellement toxiques et cancérigènes.

● À noter, pour les hommes, il est avéré qu'une consommation très élevée de calcium laitier après 50 ans augmente les risques de cancer de la prostate. Il est préférable qu'ils consomment des yaourts plutôt que du lait ou du fromage type comté ou à pâte dure qui contiennent des teneurs supérieures en calcium.

SES ATOUTS NUTRITIONNELS

La fermentation du lait par les bactéries *Lactobacillus bulgaricus* et *Streptococcus thermophilus* fait diminuer la quantité de lactose du produit fini, aussi les personnes sensibles à cette substance pourront-elles consommer du yaourt sans risque.

Valeurs nutritionnelles pour 100 grammes	Yaourt au lait demi-écrémé, nature	Yaourt au lait entier, nature
Énergie	47,4 kcal	65 kcal
Eau	88,2 g	88 g
Protéines	4 g	4 g
Glucides	4,8 g	2,6 g
Lipides	1 g	4 g

L'ACHETER ET LE CUISINER

Fabrication maison. Fabriquer ses propres yaourts nécessite une yaourtière et des pots en verre adaptés. La recette se fait avec du lait dans lequel on ajoute soit un yaourt nature, soit des ferments lactiques en poudre.

Bien le conserver. Comme tous les produits laitiers, le yaourt se conserve au réfrigérateur jusqu'à sept jours après fabrication s'il est fait maison. L'acidité produite par les bactéries du yaourt rend peu propice la prolifération d'autres micro-organismes et limite les risques d'intoxication alimentaire en cas de dépassement de la date limite de consommation (il vaut mieux malgré tout respecter les dates de péremption) ; attention, ce n'est pas le cas de la crème fraîche, qui est au contraire un milieu apprécié des bactéries pathogènes.

Le consommer. Afin de limiter les apports non indispensables en sucre on préférera un yaourt nature. Mais il est possible de temps en temps de l'agrémenter de fruits secs pour un petit déjeuner. On peut aussi réaliser une sauce pour l'apéritif en mélangeant l'équivalent d'un pot de yaourt nature avec des herbes ou des épices.

BIRCHER MUËSLI
AUX ABRICOTS RÔTIS

398 KCAL

L 9,8   G 74,7   P 15,5

340 g de yaourt
160 g de flocons
d'avoine
55 g de miel
220 ml de lait
40 g de cranberries
séchées
le zeste
de 1 citron jaune
30 g de pistaches
nature écalées
4 abricots

PRÉPARATION 15 MIN ● REPOS 1 NUIT ● CUISSON 30 MIN ● FACILE ● €

1. La veille, mélangez le yaourt, les flocons d'avoine, 40 g de miel, soit environ 2 cuillerées à soupe, le lait, les cranberries et le zeste de citron. Laissez macérer au frais pendant la nuit.

2. Le jour même, préchauffez le four à 180 °C.

3. Placez les pistaches sur une plaque recouverte de papier sulfurisé et enfournez une dizaine de minutes. Les pistaches doivent être dorées. Laissez-les refroidir, puis concassez-les grossièrement. Réservez.

4. Dans un plat allant au four, placez les abricots dénoyautés et coupés en deux, avec le miel restant. Enfournez pendant une vingtaine de minutes.

5. Au moment de servir, placez un peu de Bircher muësli macéré au fond d'un bol, puis ajoutez deux morceaux d'abricot. Finissez en parsemant de pistaches torréfiées.

6. À déguster le matin pour un petit déjeuner plein d'énergie !

FROZEN YOGURT

492 KCAL
L 14,3   G 75,1   P 10,6

PRÉPARATION 45 MIN ● **CUISSON** 15 MIN ● **RÉFRIGÉRATION** 2 H ● **MOYEN** ● €

350 g de yaourt
à la grecque
300 ml de lait
90 g de sucre
le jus de 1 citron
et demi

POUR LA GARNITURE
120 g de figues sèches
120 g d'abricots secs
40 g d'amandes
sans peau
1 cuil. à soupe de miel

MATÉRIEL SPÉCIFIQUE
sorbetière

1. Dans un saladier, fouettez le yaourt pour le détendre un peu.

2. Dans une casserole, faites chauffer le lait, puis ajoutez le sucre. Mélangez jusqu'à ce que le sucre soit totalement dissous.

3. Hors du feu, ajoutez le jus de citron et mélangez.

4. Ajoutez le lait au yaourt et mélangez pour obtenir une préparation bien homogène.

5. Laissez refroidir au réfrigérateur, puis versez la préparation dans une sorbetière et turbinez pendant 30 à 40 minutes.

6. Réservez au congélateur pendant 2 heures.

7. Avant de servir, préchauffez le four à 180 °C et enfournez les amandes pendant 5 à 10 minutes sur une plaque recouverte du papier cuisson. Elles doivent être légèrement dorées. Réservez.

8. Coupez les fruits secs en gros morceaux et faites légèrement chauffer le miel dans une casserole.

9. Dans chaque bol, faites une jolie boule de frozen yogurt, ajoutez les fruits secs, puis un peu de miel chaud et finissez en parsemant d'amandes torréfiées.

10. Dégustez aussitôt!

AUTOMNE

L'ARTICHAUT

Ce légume aux mille et une possibilités culinaires est aussi bon froid que chaud !
Et son trio gagnant – antioxydants, inuline et vitamine B9 – est incomparable
dans la prévention du cancer.

Plante potagère de la même famille que les laitues, le pissenlit et la chicorée, l'artichaut (*Cynara scolymus*) fait partie des astéracées. Il est apprécié tant pour ses feuilles que pour son cœur fondant. L'artichaut serait apparu dans le Bassin méditerranéen, probablement en Égypte, puis pour la première fois en Italie au XVIᵉ siècle. Introduit en France à la Renaissance par Catherine de Médicis, il faisait partie des mets les plus goûtés sur les tables royales.
Aujourd'hui, les différentes variétés se distinguent principalement par leur forme (ronde ou ovale) et leur couleur (vert, violet, blanc…). Les artichauts les plus courants se consomment cuits comme la variété bretonne camus – qui représente à elle seule 70 % de la production française.

SES PROPRIÉTÉS ANTICANCER

Protection du foie et de l'intestin ● Action bénéfique chez les femmes ménopausées

● Sa grande variété d'antioxydants – composés phénoliques, anthocyanine et silymarine – pourrait contribuer à la prévention et au traitement de certains cancers.
● L'artichaut contient aussi de l'inuline, un précieux prébiotique qui permet aux « bons » micro-organismes de l'intestin de se développer pour favoriser la santé intestinale et le système immunitaire. L'inuline jouerait même un rôle dans la diminution des risques de cancer du côlon.
● Les polyphénols de l'artichaut pourraient, eux, aider à lutter contre le cancer du foie.
● L'artichaut renferme également des teneurs intéressantes en vitamine B9, impliquée dans le phénomène de prolifération cellulaire : une carence en vitamine B9 serait liée en effet à l'apparition et à la progression de certains cancers.
● L'artichaut est très recommandé pour sa haute teneur en fibres, notamment chez les femmes préménopausées ou ménopausées, en raison des risques augmentés de cancer du côlon.

SES ATOUTS NUTRITIONNELS

Qu'il soit cru ou cuit, il est peu énergétique avec seulement 44 kcal pour 100 g. Ses fibres donnent rapidement un sentiment de satiété et permettent de contrôler l'appétit. De plus, il possède des vertus diurétiques par sa teneur en potassium et inuline, facilitant l'élimination urinaire. C'est un puissant antioxydant, riche en vitamines B, C et K, en minéraux, cuivre, fer, magnésium, manganèse, phosphore, zinc, potassium et calcium. Il possède un tanin qui protège le foie, stimule la sécrétion biliaire et fait baisser le taux de cholestérol. Très riche en fibres, l'artichaut renferme à la fois des fibres solubles et des fibres insolubles qui, ensemble, favorisent le bon fonctionnement du transit intestinal et préviennent l'apparition de maladies cardio-vasculaires ou du diabète de type 2.

Valeurs nutritionnelles pour 100 grammes	Artichaut cru	Artichaut cuit
Énergie	44,4 kcal	43,1 kcal
Eau	85,2 g	85,8 g
Glucides (dont sucres)	4,9 g (1,4 g)	4,8 g (1 g)
Fibres	5,4 g	5,1 g

L'ACHETER ET LE CUISINER

Préparation. L'artichaut s'achète le plus souvent frais, mais il existe également en conserve ou surgelé. À l'achat, vérifiez que ses feuilles sont bien serrées et qu'il n'est pas trop ouvert. Il se consomme généralement cuit : l'idéal est de le cuire dans l'eau bouillante ou à la vapeur, de 10 à 15 minutes selon la grosseur. Il est cuit lorsque les feuilles situées près du centre se détachent facilement. Ensuite, l'artichaut doit être consommé dans les 24 heures.

Suggestion. Utiliser le cœur cuit finement coupé sur des pâtes, en purée, dans les soufflés, ou bien en potage.

Conservation. Au réfrigérateur, l'artichaut frais se conserve quelques jours dans un sac plastique. Effeuillé, blanchi 3 minutes dans de l'eau bouillante puis refroidi et séché, il peut être mis en sac au congélateur.

SALADE D'ARTICHAUT À LA POUTARGUE

PRÉPARATION 20 MIN ● CUISSON 15 MIN ● FACILE ● €€

122 KCAL

L 65,1   G 16   P 18,9

1 vingtaine de petits artichauts poivrades
100 g de champignons de Paris
1/4 de botte de persil
4 cuil. à soupe d'huile d'olive
4 cuil. à café de vinaigre de vin
40 g de poutargue
sel, poivre

MATÉRIEL SPÉCIFIQUE
râpe fine (type à zeste)

1. Retirez les premières feuilles des artichauts, coupez la tige et tournez les artichauts, c'est-à-dire coupez les parties extérieures jusqu'à arriver aux feuilles tendres pour qu'il ne vous reste presque que les cœurs.

2. Faites-les cuire dans de l'eau bouillante salée pendant 15 minutes.

3. Pendant ce temps, coupez en tranches très fines les champignons de Paris, avec une mandoline, si vous en avez une. Réservez.

4. Ciselez finement le persil. Réservez.

5. Lorsque les artichauts sont cuits, coupez-les en petits morceaux et placez-les dans un plat de service, encore chauds.

6. Salez, poivrez, puis ajoutez le vinaigre et l'huile d'olive. Mélangez bien.

7. Ajoutez les champignons de Paris crus, le persil ciselé, puis finissez par râper finement la poutargue au-dessus de la salade à l'aide d'un zesteur Microplane de préférence.

8. Dégustez aussitôt la salade tiède.

CANNELLONIS AUX ARTICHAUTS ET ÉPINARDS

639 KCAL

L 28,6   G 47,8   P 23,6

PRÉPARATION 20 MIN ● CUISSON 55 MIN ● FACILE ● €

POUR LA GARNITURE
400 g de cœurs
d'artichaut congelés
2 gousses d'ail
1 cuil. à soupe
d'huile d'olive
125 g d'épinards frais
1/2 botte de basilic frais
100 g de mascarpone
40 g de parmesan
sel, poivre

POUR LES CANNELLONIS
12 feuilles de pâte
à lasagnes
400 g de sauce tomate
1/2 botte de basilic
250 g de mozzarella

1. Préchauffez le four à 180 °C. Mettez à chauffer une grande casserole d'eau salée.

2. Pendant ce temps, faites revenir dans une poêle les cœurs d'artichaut congelés avec les gousses d'ail hachées et l'huile d'olive pendant 15 minutes. Salez, poivrez. (Si vous utilisez des artichauts décongelés, la cuisson sera plus rapide.) Ajoutez les épinards frais hachés grossièrement dans la poêle et laissez-les cuire 5 minutes, juste le temps de les faire retomber.

3. Dans un saladier, placez les artichauts et les épinards cuits, le basilic ciselé, le mascarpone et le parmesan. Mélangez, goûtez et ajustez l'assaisonnement.

4. Une fois l'eau à ébullition, plongez-y les feuilles de pâte à lasagnes et faites-les cuire pendant 5 minutes. Égouttez les feuilles et placez-les dans un bol d'eau tiède.

5. Préparez un grand plat allant au four.

6. Sur le plan de travail, placez une feuille de pâte à lasagne égouttée, répartissez dessus 1 cuillerée à soupe de farce et roulez-la. Placez-la ensuite dans le plat. Répétez l'opération avec chaque feuille de lasagne.

7. Ajoutez la sauce tomate sur les cannellonis. Ciselez par-dessus le basilic et finissez par la mozzarella coupée en petits dés.

8. Enfournez pendant 30 minutes jusqu'à ce que la mozzarella ait légèrement doré.

L'AVOCAT

Quand onctuosité rime avec santé. La pulpe généreuse est source de fibres et ses composés peuvent agir en synergie contre la prolifération des tumeurs cancéreuses.

L'avocat (*Persea americana*) est un fruit frais oléagineux issu de l'avocatier, un arbre tropical appartenant à la famille des lauracées. Lors de sa découverte par les navigateurs espagnols au XIVe siècle, l'avocat se trouvait à l'état sauvage au Mexique et au Guatemala ainsi qu'en Amérique du Sud – au Pérou et en Équateur. Son fruit faisait partie intégrante de la tradition culinaire des Aztèques. Son nom espagnol, *aguacate*, provient d'ailleurs du terme *ahuacatl* utilisé par les autochtones qui désignait également les testicules (peut-être était-ce dû à l'apparence des avocats mûrs pendus sur leur arbre). De nombreuses variétés existent, qui se distinguent par leur forme, leur saveur et leur couleur, la plus insolite étant probablement l'avocat cornichon, fruit de petite taille et dépourvu de noyau. Avec sa chair savoureuse à la texture onctueuse proche de celle du beurre, l'avocat était considéré comme un fruit aphrodisiaque. Il aurait même aidé Louis XIV à retrouver sa libido…

SES PROPRIÉTÉS ANTICANCER

Protection de l'intestin et du côlon ● Action bénéfique chez les femmes ménopausées

● Sa pulpe riche et fondante renferme plusieurs composés aux propriétés anticancéreuses. Leur action simultanée dans l'organisme pourrait offrir une synergie intéressante contre le développement de cancer.

● L'avocat contient des proanthocyanidines, des composés phénoliques aux propriétés antioxydantes, qui protègent les cellules contre le stress oxydatif. Ils ont également montré dans plusieurs études *in vitro* leur capacité à inhiber la prolifération des cellules cancéreuses et à freiner l'élaboration de réseaux sanguins autour des microtumeurs, réseaux qui permettent à ces dernières de s'alimenter et de grossir.

● La présence de vitamine B9 dans sa chair permettrait d'éviter une carence, qui serait associée à l'apparition de cancers.

● Les fibres contenues dans l'avocat participent

au bon fonctionnement du transit intestinal et protègent les cellules du côlon contre les substances carcinogènes. Plusieurs études ont par ailleurs montré que des composés de l'avocat avaient la capacité de stimuler le suicide spontané des cellules cancéreuses.

SES ATOUTS NUTRITIONNELS

Dans la catégorie des fruits et légumes frais, l'avocat est le plus riche en lipides. Il est de ce fait très calorique. Cette richesse est due en majorité à l'acide oléique dont le rôle bénéfique sur la santé cardio-vasculaire est reconnu. Les lipides étant des constituants naturels de l'organisme, il est nécessaire d'en apporter par l'alimentation, et de privilégier des matières grasses de type végétales. L'avocat s'insère donc très bien dans un régime alimentaire équilibré et varié, à condition de rester raisonnable sur la portion et la fréquence (1 à 2 avocats par mois et par personne). La consommation de ce fruit contribue aussi à compléter les apports quotidiens en fibres, vitamine B9, potassium, cuivre, caroténoïdes et vitamine C.

Valeurs nutritionnelles pour 100 grammes	Avocat frais, pulpe
Énergie	169 kcal
Eau	74 g
Lipides	16 g
Acides gras saturés	2,3 g
Fibres	5,2 g

L'ACHETER ET LE CUISINER

À bonne maturité. Fruit climactérique, l'avocat ne commence à mûrir qu'à partir du moment où il est détaché de l'arbre, donc après la récolte. Sa maturation peut être accélérée si on le place à proximité de fruits qui dégagent de l'éthylène, comme la banane et la pomme.

Le conserver. Il est aussi vivement conseillé de le conserver hors du réfrigérateur, à température ambiante. Lors de l'élaboration d'un plat contenant de l'avocat, l'idéal est de le préparer au dernier moment ou d'appliquer une légère touche de jus de citron sur sa chair car celle-ci s'oxyde vite et devient rapidement noire.

L'apprécier. Ses qualités organoleptiques ayant tendance à diminuer à la cuisson, l'avocat s'apprécie surtout froid ; en entrée il fera fondre les amateurs de salades composées, de sauces exotiques ou de boissons insolites, comme le jus d'alpokat, originaire d'Indonésie, à base d'avocat, de lait concentré sucré, d'eau et de café serré. En pressant la chair du fruit, on obtient une huile très utilisée dans l'industrie de la beauté et des cosmétiques pour ses vertus antioxydantes.

SALADE DE NOUILLES SOBA

932 KCAL L 45,3 G 42,1 P 12,6

PRÉPARATION 20 MIN ● CUISSON 10 MIN ENVIRON ● FACILE ● €

320 g de nouilles soba

POUR LA SAUCE
20 ml de sauce soja
60 ml de vinaigre de riz
40 ml d'huile de sésame
40 g de tahini
30 g de miel
le jus de 1/2 citron vert
4 gousses d'ail
4 cuil. à café d'eau chaude

POUR LA GARNITURE
2 avocats
80 g d'oignons nouveaux
80 g de radis roses
1/2 botte de coriandre
150 g de fèves édamames écossées cuites
4 cuil. à soupe de sésame torréfié

1. Faites bouillir de l'eau pour la cuisson des nouilles soba.

2. Pendant ce temps, préparez la sauce : mélangez la sauce soja, le vinaigre de riz, l'huile de sésame, le tahini, le miel, le jus de citron vert, l'ail écrasé et l'eau chaude, fouettez énergiquement. Réservez.

3. Faites cuire les nouilles soba le temps indiqué sur le paquet.

4. Pendant la cuisson des nouilles, préparez les légumes : épluchez et coupez les avocats en fines lamelles. Coupez finement les oignons nouveaux et les radis roses, puis ciselez la coriandre. Réservez chaque ingrédient à part.

5. Égouttez les nouilles soba et passez-les quelques secondes sous l'eau froide pour stopper la cuisson et les refroidir.

6. Répartissez les nouilles dans quatre bols, ajoutez la sauce et mélangez.

7. Ajoutez un peu d'oignon nouveau, de radis, de fèves édamames et de coriandre ainsi que les lamelles d'un demi-avocat dans chaque bol. Séparez chaque ingrédient pour qu'on les distingue dans le bol.

8. Parsemez de graines de sésame torréfiées. Vous pouvez déguster cette salade aussitôt ou la préparer à l'avance en ajoutant la vinaigrette à la dernière minute.

PURÉE D'AVOCAT, ASPERGES VERTES, VINAIGRETTE TIÈDE

312 KCAL   L 79,9   G 9,3   P 10,8

PRÉPARATION 20 MIN ● CUISSON 5 MIN ● FACILE ● €

2 gros avocats
250 g de jeunes
asperges vertes
le jus de 1 citron jaune
60 g de ciboule
2 cuil. à soupe
de vinaigre de vin
4 cuil. à soupe
d'huile d'olive
sel, poivre
fleur de sel

1. Faites bouillir de l'eau avec une pincée de sel.

2. Pendant ce temps, préparez la crème d'avocat : mixez l'avocat avec le jus de citron. Salez, poivrez et réservez à température ambiante en recouvrant la préparation de film alimentaire directement au contact de la crème, sans laisser d'air, afin qu'elle ne noircisse pas.

3. Préparez les asperges : coupez une bonne partie des extrémités qui ne se mangent pas car elles sont dures et filandreuses.

4. Ciselez la ciboule finement. Réservez.

5. Lorsque l'eau bout, ajoutez les asperges. Faites-en cuire la moitié 1 à 2 minutes pour qu'elles soient très croquantes, et l'autre moitié pendant 1 à 2 minutes supplémentaires, pour qu'elles soient juste cuites. Dans les deux cas, dès que vous les retirez de l'eau bouillante, passez-les tout de suite sous l'eau froide pendant 10 secondes.

Si vous voulez préparer cette entrée quelques heures à l'avance, réservez la purée d'avocat au réfrigérateur (n'hésitez pas à bien la citronner pour ne pas qu'elle noircisse), et faites cuire les asperges au dernier moment pour garder la vinaigrette tiède.

6. Coupez d'abord les asperges les moins cuites en fines rondelles. Ajoutez-les à la ciboule, versez immédiatement le vinaigre et l'huile d'olive, puis salez et poivrez. Ce mélange doit être un peu tiède. Ensuite, coupez les asperges restantes en deux dans le sens de la longueur.

7. Placez un peu de purée d'avocat au centre des assiettes, puis disposez joliment dessus les asperges coupées en deux. Versez la vinaigrette asperge-ciboule dessus. Parsemez d'une pincée de fleur de sel et servez aussitôt.

LES CHAMPIGNONS

Un produit de la nature étonnamment nourrissant, aux bienfaits et aux vertus fantastiques. Certaines de ses molécules peuvent avoir un grand intérêt pour le système immunitaire.

Le champignon est un être vivant à part, ni animal ni végétal. Il peut être constitué d'une seule cellule ou bien composé d'un assemblage de plusieurs cellules. On le trouve dans les sous-bois car il a besoin d'air, d'eau et de matières organiques pour vivre. Il en existe au moins un million d'espèces sur la planète. Connu depuis l'Antiquité, il fait partie de l'alimentation humaine depuis toujours. Mais sa consommation ne doit pas se faire à la légère, car certaines espèces sont vénéneuses voire mortelles. Le champignon a des traits caractéristiques qu'il faut connaître avant de partir à la cueillette ! L'amélioration des techniques de production a permis de cultiver de nombreuses variétés. En Europe, c'est le champignon blanc, appelé champignon de Paris, qui est le plus généralement consommé. On trouve aussi d'autres variétés plus délicates comme les pleurotes. En Asie, c'est le shiitaké qui est le plus apprécié, la Chine étant d'ailleurs le premier producteur de champignons dans le monde.

LEURS PROPRIÉTÉS ANTICANCER

**Stimulation du système immunitaire •
Protection de l'estomac et du côlon**

• À l'origine de la pénicilline et de médicaments antirejet, les champignons sont aussi précieux contre les tumeurs malignes. Certains champignons produisent des molécules ou macromolécules efficaces dans le traitement contre les cancers. Elles agissent indirectement en stimulant le système immunitaire ou directement en bloquant la multiplication des cellules cancéreuses.

• D'après des études en laboratoire et chez l'animal, les lectines (protéines présentes dans le champignon) ont la capacité d'inhiber la multiplication des cellules cancéreuses du côlon. D'autres essais cliniques ont montré que des extraits de *Schizophyllum* permettaient d'améliorer le quotidien de patientes atteintes d'un cancer du col de l'utérus. Par ailleurs, les espèces contenant des bêta-D-glucanes auraient des capacités immunostimulantes.

● De plus, les champignons (de Paris, shiitaké, maïtaké, pleurote) contiennent des polysaccharides et de la lentinane qui stimulent la multiplication et l'activité des cellules immunitaires. La lentinane inhiberait la formation des tumeurs cancéreuses et serait très efficace dans le traitement de certains cancers du côlon et de l'estomac.

LEURS ATOUTS NUTRITIONNELS

Les champignons ont un grand intérêt gastronomique. Ils contiennent des sels minéraux (phosphore, potassium, fer), sont riches en protéines avec des teneurs en acides aminés soufrés. Ils sont bien pourvus en vitamines du groupe B notamment B2, B5 et B9. Leur teneur en minéraux et oligoéléments (en particulier le cuivre) stimule la formation des globules rouges. Le champignon recèle également une quantité non négligeable de zinc et de sélénium aux propriétés antioxydantes. Le shiitaké est un très bon antioxydant, riche en vitamine D.

Valeurs nutritionnelles pour 100 grammes	Champignon de Paris cru	Champignon cru, valeurs sur plusieurs espèces
Énergie	25 kcal	30 kcal
Eau	93 g	93 g
Fibres	1,3 g	1,8 g

LES ACHETER ET LES CUISINER

Astuces pour bien les choisir. D'abord, pour acheter des champignons bien frais, il faut vérifier que leur chapeau est fermé autour de leur pied. S'ils sont emballés, s'assurer qu'il y a un film perforé permettant la circulation d'air. Il est préférable de les consommer frais plutôt qu'en conserve, car ils présentent alors une forte teneur en sodium, même après avoir été rincés.
Au moment de leur préparation. Il est possible de les laver pour enlever la terre. Pour ne pas altérer le goût, il ne faut ni les peler ni les laisser tremper. On peut aussi les brosser délicatement pour retirer la terre, puis les essuyer avec un tissu humide.
Pour les cuisiner. Servir les tranches de champignon crues, humectées de jus de citron, en salade. Ils sont aussi délicieux chauds (cuits, sautés avec de l'ail et du persil, gratinés ou farcis au four). Ils peuvent entrer dans de nombreuses préparations : omelettes, quiches, potages, sauces, soupes… Desséchés, ils gardent leurs propriétés, ce qui permet de les cuisiner au gré des envies. Le shiitaké, commercialisé principalement sous forme déshydratée, sera réchauffé dans un bouillon ou une poêlée de légumes.

SOUPE TOM KHA KAI

293 KCAL

L 34,5   G 13,9   P 51,6

PRÉPARATION 15 MIN ● CUISSON 40 MIN ENVIRON ● FACILE ● € €

POUR LE BOUILLON
750 ml de bouillon
de volaille
1 morceau de 60 g
de gingembre frais
5 bâtons de citronnelle
sel, poivre

POUR LA GARNITURE
90 g de champignons
de Paris
400 g de filets de poulet
300 ml de lait de coco
140 g de shiitakés frais
140 g de pak choï
1 botte de coriandre
1 botte de basilic
le jus de 2 citrons verts

1. Préparez d'abord la base de la soupe : dans un grand faitout, versez le bouillon de volaille, le gingembre épluché et coupé en lamelles et les bâtons de citronnelle coupés en rondelles. Laissez mijoter à feu doux.

2. Pendant ce temps, nettoyez et découpez les champignons de Paris en morceaux moyens de même taille.

3. Coupez les filets de poulet en fines lamelles. Salez, poivrez.

4. Au bout d'une vingtaine de minutes, goûtez le bouillon : il doit être imprégné de la saveur de la citronnelle et du gingembre. Si ce n'est pas le cas, laissez mijoter pendant encore 10 minutes.

5. Ajoutez ensuite le lait de coco et tous les champignons. Couvrez et laissez cuire 10 minutes supplémentaires.

6. Ajoutez les lamelles de poulet et le pak choï coupé en deux dans la longueur, couvrez et laissez cuire encore 10 minutes.

7. Pendant ce temps, ciselez finement les herbes. Réservez.

8. Une fois tous les ingrédients de la soupe cuits, ajoutez le jus de citron vert. Goûtez et ajustez l'assaisonnement si nécessaire.

9. Servez la soupe dans des grands bols, parsemée du mélange d'herbes fraîches. Dégustez aussitôt !

CHAMPIGNONS FARCIS

609 KCAL

L 20,9   G 61,8   P 17,3

PRÉPARATION 10 MIN ● CUISSON 30 MIN ● FACILE ● €

500 g de gros champignons type portobellos
500 g de tomates cerises en branches
5 cuil. à soupe d'huile d'olive
180 g de riz complet
4 gousses d'ail
2 oignons blancs
300 g de ricotta
20 g de parmesan râpé
2 pincées de piment d'Espelette
le zeste et le jus de 1 citron jaune
100 g de roquette
sel, poivre

1. Préchauffez le four à 190 °C.

2. Évidez le chapeau des champignons. Vous n'utiliserez pas cette chair dans cette recette, réservez-la pour une autre préparation.

3. Dans un plat allant au four, placez les chapeaux de champignons évidés ainsi que les branches de tomates cerise. Salez, poivrez et recouvrez de 2 cuillerées à soupe d'huile d'olive en filet. Enfournez pendant 10 minutes.

4. Pendant ce temps, faites cuire le riz dans de l'eau bouillante salée, en retirant 1 minute au temps de cuisson indiqué.

5. Faites revenir l'ail et l'oignon finement ciselés dans 1 cuillerée à soupe d'huile d'olive jusqu'à ce qu'ils soient dorés.

6. Dans un saladier, mélangez le riz cuit, l'ail et l'oignon, la ricotta, la moitié du parmesan, le piment d'Espelette et le zeste du citron jaune. Salez, poivrez et mélangez bien.

7. Garnissez les champignons de cette farce, et ajoutez le reste du parmesan râpé. Enfournez pour 20 minutes, jusqu'à ce que les champignons soient cuits et la farce légèrement gratinée.

8. Pendant ce temps, assaisonnez la roquette de jus de citron, d'huile d'olive, de sel et de poivre.

9. Une fois les tomates et les champignons cuits, sortez le plat du four, parsemez de roquette et servez aussitôt !

LA CRANBERRY

Cette petite baie salvatrice venue des régions froides, source de fibres alimentaires,
est aussi un allié coloré pour prévenir le cancer. Fraîche ou en jus…
on peut profiter de ses vertus toute l'année.

La cranberry est une baie originaire du Canada. On la connaît aussi sous le nom de canneberge,
airelle rouge et atoca, au Québec. Les Amérindiens en avaient un usage culinaire sous forme de
pemmican, un aggloméré de graisse animale, viande séchée et cranberry qui leur permettait de
passer l'hiver, rigoureux dans cette partie du monde. Ils l'utilisaient également pour les teintures et
comme agent de cicatrisation des plaies. La culture de la cranberry est complexe ; en effet l'arbrisseau
sur lequel poussent les petites baies exige des conditions climatiques et édaphiques particulières
(sol sablonneux et très humide, pH acide et climat froid). À la récolte, les champs de cranberry
prennent une allure singulière : ils sont inondés d'eau afin de couvrir entièrement la plante, qui
mesure 30 cm de hauteur, puis des machines agricoles agitent l'eau pour faire remonter les fruits
mûrs à la surface. Cette technique astucieuse offre un paysage extraordinaire teinté de rouge sur
de longues étendues.

SES PROPRIÉTÉS ANTICANCER

**Protection de la paroi des muqueuses de
l'estomac ● Action bénéfique contre le
vieillissement prématuré**

● Les propriétés anticancéreuses de la cranberry
proviennent principalement de ses composés
phénoliques, concentrés au niveau de sa peau.
● La cranberry en est particulièrement pourvue
et présente une activité antioxydante supérieure
à la fraise et à la framboise. Les flavonoïdes,
anthocyanes et proanthocyanidines qu'elle
contient exercent une activité antioxydante qui
permet de lutter contre le stress oxydatif au
niveau des tissus cellulaires et qui limiterait
ainsi leur vieillissement prématuré. La présence
d'antioxydants dans l'organisme pourrait
également atténuer les dommages causés par les
radicaux libres sur l'ADN, ce qui préviendrait les
mutations génétiques responsables de l'initiation
du cancer. Mais ce n'est pas l'unique mécanisme
d'action de ces phytocomposés.

● Les proanthocyanidines montrent en laboratoire la capacité à empêcher la croissance des microtumeurs en inhibant la formation de nouveaux vaisseaux sanguins autour d'elles. Sans apport de nutriments par le sang, l'accroissement de ces microtumeurs reste limité.

● La cranberry présente par ailleurs des propriétés antibactériennes qui permettraient d'éviter la fixation d'*Helicobacter pylori* sur la paroi des muqueuses de l'estomac : à long terme le risque de cancer gastrique serait diminué.

SES ATOUTS NUTRITIONNELS

La cranberry est une source intéressante de fibres alimentaires. Ces dernières aident au maintien d'un bon transit intestinal et sont en moyenne trop peu consommées par les populations occidentales. Les teneurs en vitamine C de la cranberry en faisaient un allié de choix contre le scorbut chez les marins et baleiniers jusqu'à la fin du XVIIIᵉ siècle. Aujourd'hui cette maladie a presque disparu, mais la cranberry sert toujours, en particulier pour prévenir les infections urinaires et les caries.

Valeurs nutritionnelles pour 100 grammes	Cranberry fraîche
Énergie	46 kcal
Eau	87 g
Glucides (dont sucres)	12,2 g (4,1 g)
Fibres	4,6 g

L'ACHETER ET LA CUISINER

Différentes formes. Disponible à partir de septembre et jusqu'à la fin de l'année, la cranberry se conserve plutôt bien ; néanmoins, sa culture nécessitant des conditions particulières, on la trouve très peu sous forme fraîche hors des régions froides du Canada, des États-Unis et des pays baltes et nordiques. Elle existe heureusement sous d'autres formes (séchée ou en jus) qui conservent en partie ses bienfaits nutritionnels.

De multiples utilisations. En cuisine, l'utilisation de la cranberry ne s'arrête pas au fameux pemmican. Au contraire, les options culinaires sont multiples : elle accompagne à merveille les volailles ou gibiers, s'insère discrètement dans les salades hivernales ou le taboulé à la place des raisins secs. On la travaille en sauce, comme les Américains le font à Thanksgiving, fraîche, pour bénéficier d'un croquant acidulé, ou en jus, nature ou en smoothie.

SALADE DE POUSSES D'ÉPINARDS, FETA ET CRANBERRIES

370 KCAL

L 45,3   G 40,3   P 14,4

PRÉPARATION 10 MIN ● CUISSON 10 MIN ● FACILE ● €

POUR LA SALADE
100 g de cranberries séchées
200 g de pousses d'épinards fraîches, lavées
50 g de pignons de pin
150 g de feta

POUR LA VINAIGRETTE
le jus de 1 citron jaune
2 cuil. à soupe d'huile d'olive
2 cuil. à soupe d'huile de noisette
sel, poivre

1. Préchauffez le four à 220 °C, et enfournez les pignons pendant 5 à 10 minutes sur une plaque recouverte de papier cuisson jusqu'à ce qu'ils soient légèrement dorés. Laissez-les refroidir.

2. Placez les pousses d'épinards dans un saladier.

3. Préparez la vinaigrette : mélangez le jus de citron, les huiles et assaisonnez de sel et de poivre à votre convenance.

4. Versez la vinaigrette sur la salade et mélangez bien pour que les feuilles soient toutes assaisonnées.

5. Coupez la feta en gros morceaux, puis écrasez-les grossièrement au-dessus des épinards avec vos doigts.

6. Parsemez enfin les pignons et finissez par les cranberries séchées pour que leur couleur ressorte.

COOKIES AUX FLOCONS D'AVOINE

506 KCAL

L 25,4   G 66,4   P 8,3

PRÉPARATION 15 MIN ● CUISSON 15 MIN ● FACILE ● €

80 g de cranberries séchées
80 g d'abricots secs
130 g de beurre fondu
70 g de vergeoise brune
60 g de cassonade
1 œuf
110 g de farine
1/2 cuil. à café de cannelle
2 pincées de fleur de sel
5 g de bicarbonate de sodium
130 g d'avoine en flocons

1. Préchauffez le four à 180 °C.

2. Coupez les cranberries et les abricots secs en petits morceaux et réservez-les.

3. Fouettez ensemble le beurre fondu tiède avec les sucres pendant quelques minutes. Ajoutez l'œuf et mélangez à nouveau.

4. Dans un autre bol, mélangez la farine, la cannelle, la fleur de sel, le bicarbonate et les flocons d'avoine.

5. Versez ces ingrédients secs dans le mélange à base de beurre en l'incorporant à la spatule.

6. Ajoutez les cranberries et les abricots secs coupés. Mélangez.

7. Façonnez des boules de pâte de la taille d'une balle de golf, soit environ 50 g. Vous pouvez vous aider d'une cuillère à glace si vous en avez une pour façonner rapidement des boules régulières.

8. Placez les boules de pâte à cookies bien espacées et en quinconce sur une plaque recouverte de papier sulfurisé allant au four.

9. Enfournez pendant 10 à 15 minutes jusqu'à ce que les cookies soient légèrement dorés.

10. Laissez refroidir avant de déguster.

Une fois les boules de cookies crues façonnées, vous pouvez facilement les congeler. Ainsi, il vous suffira de les décongeler quand vous souhaiterez en consommer.

LE CRESSON

Ce bouquet végétal fait du bien. Il est un trésor de vitamine C et un allié
pour se prémunir du cancer. N'hésitez pas à mettre du cresson dans votre assiette.
Sa note poivrée est incomparable pour relever certains plats !

Le cresson (*Nasturtium officinale*) est une plante herbacée de la famille des brassicacées appelée communément cresson de fontaine ou cresson officinal. Originaire du Moyen-Orient, son utilisation en tant que plante médicinale remonterait à l'Antiquité. Lors des grandes expéditions en bateau à travers le monde, les navigateurs comme James Cook s'en servaient pour prévenir le scorbut. Le cresson aurait d'ailleurs été servi lors du premier repas de Thanksgiving partagé entre les Pères pèlerins et les Indiens d'Amérique. D'autres espèces de plantes sont regroupées dans la catégorie des cressons, bien qu'elles n'appartiennent pas au même genre : c'est le cas du cresson alénois (*Lepidium sativum*) et du cresson de terre (*Barbarea verna*). Quelle que soit l'espèce, la culture du cresson requiert une grande quantité d'eau ; avant que sa culture ne commence il se cueillait à l'état sauvage près des fontaines et des cours d'eau. Le cresson possède un goût caractéristique légèrement âcre et poivré.

SES PROPRIÉTÉS ANTICANCER

Protection de l'estomac ● Action bénéfique antioxydante

● L'intérêt du cresson vient notamment de ses apports en caroténoïdes et en flavonoïdes, deux familles de composés aux propriétés antioxydantes.

● Plusieurs études centrées sur le cresson ont mis en évidence les bénéfices anticancéreux de ces familles de composés chez l'homme. Par ailleurs une étude menée auprès de femmes ayant eu un cancer du sein a montré que la consommation régulière de cresson contribuait à réduire la survie des cellules cancéreuses. Ces résultats pourraient s'expliquer en partie par la présence des isothiocyanates, des composés soufrés issus du broyage du cresson (lors de sa préparation ou sa consommation) qui présentent en laboratoire la capacité de freiner le développement des cellules tumorales.

● Parmi les isothiocyanates les plus puissants, on peut citer le sulforaphane. Lors d'études

effectuées sur des tissus tumoraux, il fut le seul composé nutritionnel à induire la mort de cellules de tumeurs cérébrales infantiles.

● Le sulforaphane du cresson pourrait également protéger l'estomac contre les bactéries de type *Helicobacter pylori* apportées par l'alimentation, et limiter ainsi les risques de cancer gastrique.

SES ATOUTS NUTRITIONNELS

Le cresson de fontaine est un « légume-salade » très peu calorique et composé à plus de 90 % d'eau. Si ses teneurs en nutriments (lipides, protéines et glucides) sont minimes, il est en revanche particulièrement bien pourvu en vitamines et minéraux. Sa richesse en vitamine C en fait un aliment de choix pour garder la forme, en particulier en hiver. Il participe en effet au fonctionnement du système immunitaire et améliore l'absorption en fer. Le cresson est par ailleurs un coagulant naturel grâce à sa richesse en vitamine K et participe à une bonne santé des yeux grâce à ses teneurs en bêtacarotène, précurseur de la vitamine A.

Valeurs nutritionnelles pour 100 grammes	Cresson de fontaine cru
Énergie	21,2 kcal
Eau	93,1 g
Fibres	1,9 g

L'ACHETER ET LE CUISINER

Bien choisir. Le cresson s'achète le plus souvent en botte d'environ 200 g. Pour bien choisir cette dernière, il faut vérifier le degré de fraîcheur du cresson, suggéré par l'absence de flétrissement, la présence de feuilles coupées ou abîmées et par la couleur verte intense des feuilles. Deux variétés de cresson sont disponibles dans le commerce : le cresson alénois, employé comme condiment, se reconnaît à ses feuilles allongées, étroites et découpées tandis que le cresson de fontaine, utilisé à maturité pour confectionner des soupes ou des salades, se distingue par des feuilles arrondies. Afin d'enlever la terre avant de le cuisiner, on peut recommander de tremper le cresson dans de l'eau contenant du vinaigre blanc puis de l'essorer délicatement.

Des idées de préparation. Consommé cru, il apportera une touche fraîche et poivrée à vos salades, accompagné par exemple de pomme, de fromage type comté ou bleu des Causses. Les Anglais en font même un sandwich à manger à l'heure du thé. Enfin, la soupe de cresson reste un mets incontournable bien qu'elle ne permette pas de bénéficier de toute la vitamine C de la plante, à cause de l'étape de chauffage.

SALADE DE CRESSON AUX AGRUMES

435 KCAL

L 42,5   G 44,8   P 12,7

PRÉPARATION 20 MIN ● FACILE ● €

POUR LA SALADE
4 clémentines
4 oranges sanguines
3 pamplemousses roses
1 botte de cresson
1/2 oignon rouge
100 g de feta

POUR LA VINAIGRETTE
40 g d'olives vertes
4 cuil. à café de câpres
2 cuil. à café de moutarde en grains
6 à 8 cuil. à soupe d'huile d'olive
sel, poivre

1. Taillez les agrumes pour n'en garder que les suprêmes, c'est-à-dire les quartiers mais sans la membrane blanche qui les recouvre. La technique est la même quel que soit l'agrume : coupez le haut et le bas du fruit. Posez-le à plat sur une planche, pelez-le du haut vers le bas en retirant toute la membrane blanche mais en essayant de retirer le moins de chair possible. Une fois cette peau ôtée, prenez le fruit dans le creux de votre main et glissez le couteau le long des membranes de part et d'autre de chaque quartier. Le suprême doit se détacher très facilement.

2. Placez le cresson dans un plat de service. Ajoutez les suprêmes d'agrumes de façon harmonieuse, en alternant les couleurs.

3. Découpez l'oignon rouge en très fines lamelles et ajoutez-les à la salade.

4. Préparez la vinaigrette : hachez très finement les olives et les câpres, ajoutez la moutarde et l'huile d'olive. Salez, poivrez et mélangez.

5. Émiettez la feta finement sur la salade.

6. Versez la vinaigrette au dernier moment, juste avant de servir !

BLINIS AU CRESSON ET AU HADDOCK FUMÉ

239 KCAL

L 40,4   G 15,2   P 44,3

200 g de cresson
(150 + 50 g
pour la décoration)
2 cuil. à soupe
de yaourt à la grecque
200 ml de crème liquide
1/2 botte de ciboulette
1/2 botte d'aneth
le jus et le zeste
de 1/2 citron
2 cuil. à soupe
d'huile d'olive
4 gros blinis
300 g de haddock fumé
sel, poivre

PRÉPARATION 20 MIN ● FACILE ● €

---

1. Lavez le cresson, réservez quelques belles feuilles pour la décoration, puis mixez le reste de la botte avec le yaourt à la grecque afin d'obtenir une préparation la plus lisse possible.

2. Fouettez la crème liquide bien froide au batteur ou à la main jusqu'à obtenir une crème montée.

3. Incorporez la préparation au cresson à la crème montée avec une spatule, en veillant à ne pas la faire retomber. Salez et poivrez. Réservez au frais.

4. Ciselez finement la ciboulette et l'aneth. Réservez.

5. Assaisonnez le reste du cresson avec le jus de citron et l'huile d'olive. Salez et poivrez. Réservez.

6. Faites réchauffer les blinis comme indiqué sur le paquet, puis déposez joliment dessus une tranche de haddock fumé.

7. Ajoutez ensuite une grosse cuillerée de chantilly de cresson, puis décorez le tout de feuilles de cresson assaisonnées.

8. Parsemez d'herbes fraîches. Finissez par saupoudrer de zeste de citron jaune. Servez aussitôt.

LA CREVETTE

La chair de la crevette est remplie de minéraux marins et d'antioxydants,
sa grande richesse en sélénium en fait un produit à privilégier pour se protéger
de certains cancers.

Issue de l'ordre des décapodes, la crevette est un crustacé comme le homard, le crabe, la langoustine
et les écrevisses. En fonction des espèces, elle vit en bande ou en solitaire dans les eaux marines,
et, pour certaines, en eau douce. Les plus connues sont les crevettes roses, ou bouquets, d'une
taille de 5 à 10 cm, qui vivent dans les eaux poissonneuses de l'Atlantique, ainsi que les crevettes
grises. Le nom de crevette désigne également d'autres espèces qui ressemblent à ces crustacés
mais qui n'appartiennent pas au même ordre. Parmi ces « fausses » crevettes, on trouve le krill
et la crevette-mante. Le krill, une petite crevette d'eau froide, vit en bande et sert de nourriture aux
poissons et mammifères marins. La crevette-mante détient quant à elle la palme du spécimen le
plus insolite : elle possède en effet le système visuel le plus sophistiqué du règne animal et peut
casser les coquilles de fruits de mer d'un seul coup grâce à ses puissantes pattes avant ! Toutes
ces espèces sont comestibles, pour le plus grand bonheur des hommes.

SES PROPRIÉTÉS ANTICANCER

Protection du poumon et du côlon

● Les crevettes font partie des aliments les
plus riches en sélénium. Une portion de 100 g
contribue à couvrir en moyenne 24 % des valeurs
nutritionnelles de référence en sélénium. Or ce
minéral n'est pas inconnu des chercheurs et
cancérologues. Plusieurs études suggèrent un
effet protecteur d'un régime alimentaire riche en
sélénium sur la prostate, en particulier chez les
non-fumeurs. Ces résultats ont été obtenus dans
le cas d'une supplémentation en sélénium grâce
à la prise fréquente et régulière de compléments
alimentaires ; le sélénium pris sous cette forme
serait également associé à une réduction des
risques de cancer du poumon et du côlon.
● Les effets préventifs de ce minéral pourraient
s'expliquer par son action au niveau cellulaire.
Le sélénium agirait notamment en inhibant de manière spécifique la croissance des cellules
cancéreuses, en induisant chez ces dernières une autodestruction (appelée apoptose) et en limitant
les effets des agents mutagènes sur la molécule d'ADN.

• La crevette contient de l'astaxanthine et le coenzyme Q10, deux éléments aux propriétés antioxydantes. Les études menées sur modèle animal ont mis en avant l'action préventive du coenzyme Q10 sur l'apparition de lésions précancéreuses et celle de l'astaxanthine sur le ralentissement du développement des tumeurs.

SES ATOUTS NUTRITIONNELS

L'intérêt nutritionnel de la crevette provient de ses teneurs en macronutriments (riche en protéines et pauvre en lipides) mais aussi et surtout de ses fantastiques teneurs en vitamines et minéraux. Sa richesse en vitamine B12, vitamine E, cuivre, sélénium, iode et zinc rend la crevette particulièrement intéressante à inclure dans son alimentation, en alternative aux viandes plus traditionnelles.

Valeurs nutritionnelles pour 100 grammes	Crevette cuite
Énergie	93,7 kcal
Eau	74,9 g
Protéines	21,4 g
Lipides	0,9 g

L'ACHETER ET LA CUISINER

Sa provenance. Les crevettes peuvent venir de la pêche (crevettes sauvages) ou de l'aquaculture (crevettes d'élevage). Ces dernières sont majoritairement produites en Asie, en Chine ou en Thaïlande. Elles vivent dans des bassins où elles peuvent recevoir des compléments alimentaires de type phosphate de sodium – pour gonfler leur poids.

Qualité à surveiller. Il semble que les crevettes sauvages fraîches, qu'elles soient crues ou déjà cuites, apportent plus de bienfaits nutritionnels. Riches en vitamines et minéraux, elles présentent un faible taux de contamination aux toxines par rapport aux bulots et aux araignées de mer. Elles sont donc à privilégier dans le cadre d'un régime anticancer.

Il faudrait par ailleurs éviter la consommation de crevettes en barquettes, surgelées ou en conserve, car celles-ci peuvent présenter des teneurs en sel excessives qui favorisent l'hypertension.

Une préparation facile. En cuisine, la crevette est très peu exigeante ! Elle se cuit facilement, nature, dans une eau parfumée au bouillon ou sautée.

BOUCHÉES VAPEUR
AUX CREVETTES

141 KCAL L 15,8 G 56,4 P 27,9

PRÉPARATION 25 MIN ● CUISSON 7 MIN ● MOYEN ● €€

200 g de crevettes
crues décortiquées
35 g de ciboule
1/2 botte de coriandre
1 cuil. à soupe
de sauce d'huître
1 cuil. à soupe
de sauce soja
1 blanc d'œuf
15 feuilles de pâte
à raviolis chinois
2 cuil. à soupe
d'huile de sésame
sauce soja pour
l'accompagnement
sel, poivre

1. Préparez la farce : mixez grossièrement les crevettes, la ciboule, la coriandre, la sauce d'huître, la sauce soja et le blanc d'œuf. Le mélange ne doit pas être totalement mixé, il doit rester des morceaux. Salez, poivrez.

2. Préparez un bol d'eau pour souder les raviolis.

3. Placez une feuille de pâte à raviolis sur le plan de travail et badigeonnez les bords d'eau avec les doigts ou avec un pinceau. Placez ensuite une cuillerée à café de farce aux crevettes au centre.

4. Ramenez les bords opposés du ravioli chinois au centre, d'un côté puis de l'autre, et soudez les bords avec les doigts. Vérifiez que les raviolis sont bien fermés. N'hésitez pas à être créatif pour la forme des bouchées : aumônière, demi-lune…

5. Placez les bouchées dans un panier vapeur préalablement badigeonné d'huile de sésame pour éviter qu'elles collent. Si vous n'avez pas de cuit-vapeur ou de panier vapeur, utilisez une passoire à fond plat placée au-dessus d'une casserole d'eau bouillante. Faites cuire 7 minutes.

6. Dégustez avec de la sauce soja !

PAPILLOTES DE CREVETTES

252 KCAL

L 24,1   G 12,9   P 63

PRÉPARATION 10 MIN ● CUISSON 30 MIN ● FACILE ● €€

600 g de crevettes
crues
2 citrons jaunes
6 gousses d'ail
1 cuil. à café de paprika
1/2 cuil. à café
de piment d'Espelette
4 cuil. à soupe
d'huile d'olive
sel, poivre

1. Préchauffez le four à 180 °C.

2. Sur une plaque ou un plat allant au four, préparez quatre carrés de papier sulfurisé d'environ 30 cm de côté.

3. Épluchez les crevettes en laissant la queue et la tête. Placez-les dans un saladier.

4. Coupez un citron en lamelles le plus finement possible et ajoutez-les aux crevettes.

5. Dans un bol, mélangez l'ail écrasé finement, le paprika, le piment, l'huile d'olive et le jus du second citron. Salez et poivrez.

6. Versez cette sauce sur les crevettes et mélangez bien pour que chaque crevette en soit enrobée.

7. Répartissez les crevettes dans les quatre papillotes, puis fermez-les en repliant la partie haute et en rabattant les côtés.

8. Faites cuire au four pendant 30 minutes.

L'ÉPEAUTRE

Cette céréale dérivée du blé mérite tout à fait d'être utilisée, notamment sous forme de farine, car sa richesse en protéines végétales, en fibres et en minéraux est particulièrement intéressante dans le cadre de la prévention de certains cancers.

L'épeautre ou « blé des Gaulois » est un dérivé du blé cultivé depuis environ 5000 avant J.-C. Son origine géographique fait encore aujourd'hui l'objet de discussions : il semblerait que les premières exploitations agricoles d'épeautre auraient commencé en Iran ou en Europe du Sud-Est. Connu sous le nom de *farrum* chez les Romains, l'épeautre est resté populaire dans certains pays du vieux continent tels que l'Allemagne et la Suisse. Aux États-Unis, son introduction date de la fin du XIXe siècle. Il connut alors un large succès puisque les Américains s'en servaient pour fabriquer de la farine et confectionner des aliments courants comme le pain. Il fut néanmoins remplacé, aux États-Unis comme en Europe, par le blé commun dès le XXe siècle pour pallier son faible rendement.

Le petit épeautre, aussi appelé engrain, est une céréale intéressante car elle ne contient que très peu de gluten, ce qui lui vaut d'être mieux tolérée par les personnes se déclarant sensibles au gluten. Elle n'en est cependant pas dépourvue et ne peut donc pas être consommée par les malades cœliaques.

SES PROPRIÉTÉS ANTICANCER

Protection du côlon ● Diminution de l'inflammation de l'organisme

● Au même titre que les autres céréales quand elles sont complètes, l'épeautre apporte en quantités appréciables des fibres alimentaires, des vitamines, des minéraux, des composés phénoliques et des lignanes. Une consommation journalière de céréale complète est associée par de nombreuses études épidémiologiques à une réduction significative du risque de cancer colorectal. Ces effets peuvent s'expliquer en partie par leur teneur en fibres alimentaires. Ces dernières ne sont pas digérées et exercent localement au niveau du côlon de nombreux bienfaits. Leur utilisation par la flore intestinale permet une fermentation qui libère des agents anticancéreux ; elles ont également la capacité d'absorber de l'eau et de former un gel visqueux qui facilite le transit intestinal et limite ainsi le

contact d'agents cancéreux avec les cellules du côlon. D'autres phytocomposés contenus dans l'épeautre, comme les lignanes, montrent en laboratoire une activité préventive.

● Par ailleurs, la consommation élevée de céréales complètes serait associée à une diminution de la réponse inflammatoire de l'organisme au stress oxydatif, entraînant à long terme un effet préventif contre l'apparition de maladies chroniques comme le diabète et le cancer.

SES ATOUTS NUTRITIONNELS

Il est préférable de consommer de la farine d'épeautre complète, non raffinée, réalisée à partir de la graine entière (c'est-à-dire pourvue du son et du germe). Cela permet en effet de bénéficier de teneurs intéressantes en protéines végétales, en fibres et en minéraux. L'épeautre fournit notamment du phosphore et du magnésium, deux minéraux essentiels à la constitution de la masse osseuse. Il est en outre plus riche en fibres et en vitamines du groupe B que le blé.

Valeurs nutritionnelles pour 100 grammes	Épeautre cuit
Énergie	127 kcal
Eau	66,5 g
Protéines	5,5 g
Glucides (dont sucres)	26,4 g
Fibres	3,9 g

L'ACHETER ET LE CUISINER

Bio de préférence. L'épeautre est une céréale ancestrale particulièrement résistante aux maladies des végétaux et aux ravageurs, ce qui la rend propice à l'agriculture biologique et raisonnée. Elle est d'ailleurs bien souvent commercialisée dans des magasins spécialisés sous forme de farine, de flocons ou de graines entières. Ces dernières doivent être cuites environ 30 minutes et conservent leur croquant même après cuisson.

Farine ou grains. L'épeautre se destine principalement à la confection d'une farine qui sert à fabriquer du pain, de la semoule, des pâtes ou du boulgour. Son petit goût de noisette apporte une saveur très appréciée des connaisseurs. En revanche, ses grains étant plus solides que ceux du blé, ceux-ci se prêtent moins à la dégustation sous leur forme brute, même après cuisson. En alternative aux céréales habituelles, on peut se tourner vers les grains de petit épeautre (ou engrain), plus tendres et adaptés aux préparations culinaires dans lesquelles on utilise normalement du riz – risotto, salade composée, soupe et plats en sauce relevés aux épices (curcuma, curry).

PETIT ÉPEAUTRE AUX COQUES

803 KCAL   L 18,1   G 19,5   P 62,4

TREMPAGE 2 H OU 1 NUIT **PRÉPARATION** 20 MIN ● **CUISSON** 50 MIN ● **FACILE** ● €€

340 g de petit épeautre
6 gousses d'ail
8 échalotes
60 g de céleri branche
4 cuil. à soupe
d'huile d'olive
1,2 kg de coques
200 ml de vin blanc
1,2 à 1,5 l de bouillon
de légumes
1/2 botte de persil plat
le zeste
de 1 citron jaune
sel, poivre

1. Commencez par préparer le petit épeautre : rincez-le plusieurs fois sous l'eau froide. Placez-le dans un bol en le recouvrant d'eau et laissez tremper pendant 2 heures. Rincez-le à nouveau et égouttez le tout. Si vous le souhaitez, vous pouvez vous y prendre la veille, en laissant tremper le petit épeautre pendant une nuit. Cette étape est indispensable car elle va faire gagner du temps de cuisson au petit épeautre.

2. Pendant ce temps, écrasez l'ail, ciselez finement l'échalote et le céleri.

3. Faites revenir le tout à feu doux dans l'huile d'olive dans une grande sauteuse pendant 3 à 5 minutes. Salez, poivrez. Ajoutez le petit épeautre et faites revenir 2 à 3 minutes.

4. Rincez les coques, puis placez-les dans la sauteuse et faites-les revenir quelques minutes jusqu'à ce qu'elles commencent à s'ouvrir. Déglacez avec le vin blanc. Laissez revenir encore quelques minutes.

5. Ajoutez la moitié du bouillon de légumes au petit épeautre, puis, une fois celui-ci absorbé à la façon d'un risotto, ajoutez l'autre moitié du bouillon. Laissez cuire à feu doux. Cela devrait prendre au total environ 30 à 40 minutes au total. Vérifiez la cuisson du petit épeautre : il doit être légèrement croquant sous la dent et enrobé jusqu'à mi-hauteur d'une sauce très liquide. Si ce n'est pas le cas, n'hésitez pas à ajouter quelques louches de bouillon supplémentaire et à laisser cuire encore 5 à 10 minutes.

6. Ajustez l'assaisonnement si nécessaire.

7. Finissez par le persil ciselé finement et le zeste de citron jaune et servez aussitôt dans de gros bols !

CINNAMON ROLLS À L'ÉPEAUTRE

196 KCAL L 7,3 G 81,9 P 10,8

PRÉPARATION 30 MIN ● **REPOS** 3 H 30 ● **CUISSON** 30 MIN ● **ÉLABORÉ** ● €

POUR LA PÂTE
1 sachet de levure
de boulanger
1 cuil. à café rase
de sucre
40 ml d'eau tiède
1 œuf
140 g de lait d'amande
50 g de sucre blond
de canne
45 g de purée d'amande
les grains de 1 gousse
de vanille
390 g de farine
d'épeautre
130 g de farine de blé
1 cuil. à café rase de sel
huile neutre

POUR LA GARNITURE
100 g de sucre blond
de canne
280 g de sucre
vergeoise
2 cuil. à café bombées
de cannelle
60 g de purée d'amande

POUR LE GLAÇAGE
15 g de beurre mou
75 g de sucre glace
45 g de fromage frais
2 cuil. à soupe
de lait chaud

1. Préparez la pâte : mélangez dans un bol la levure, le sucre et l'eau tiède. Réservez 5 à 10 minutes. Dans le bol d'un robot, mettez l'œuf, le lait d'amande, le sucre blond de canne, la purée d'amande et les grains de vanille. Mixez, ajoutez la préparation à base de levure et mélangez à nouveau. À part, mélangez les farines et le sel. Ajoutez la moitié de ce mélange dans le bol du robot puis, à l'aide d'un embout « crochet », commencez à pétrir la pâte. Au bout de quelques minutes, ajoutez petit à petit le reste de farine et continuez à pétrir à vitesse moyenne pendant 10 minutes jusqu'à ce que la pâte ne colle plus.

2. Placez la pâte dans un bol huilé et badigeonnez-la légèrement d'huile. Recouvrez d'un torchon. Laissez lever pendant 2 heures dans un endroit chaud et humide. Elle doit doubler de volume.

3. Pendant ce temps, préparez la garniture : mélangez les sucres, la cannelle et la purée d'amande.

4. Avec le poing, faites sortir l'air de la pâte, puis étalez-la à l'aide d'un rouleau à pâtisserie en un grand rectangle. Parsemez le rectangle de pâte de la garniture à la cannelle, puis roulez-le, le plus serré possible en partant du bord le plus long, pour obtenir un gros boudin. Coupez les bords (qui ont souvent peu de garniture), puis coupez le boudin en morceaux d'environ 5 cm de large.

5. Dans un plat huilé légèrement, alignez les morceaux en laissant un peu d'espace entre chaque, la face coupée vers le haut. Faites lever à nouveau 1 h 30 dans les mêmes conditions que la première fois. Les rolls doivent avoir encore gonflé. Enfournez dans un four préchauffé à 180 °C pendant environ 30 minutes.

6. Pendant la cuisson, préparez le glaçage : mélangez le beurre, le fromage frais et le sucre glace. Une fois le tout homogène, ajoutez le lait chaud. Le glaçage doit avoir une consistance sirupeuse (vous pouvez adapter la quantité de lait pour obtenir la consistance désirée).

7. Lorsque les cinnamon rolls sont bien dorés et cuits, parsemez-les de glaçage à l'aide d'une fourchette en petit filet et servez.

L'HUÎTRE

Ouverture sur le bien-être et perle rare pour ses atouts nutritionnels,
l'huître peut jouer un rôle primordial dans la prévention de certains cancers.

Mollusque bivalve, l'huître était déjà connue des hommes préhistoriques. Les Grecs et les Romains en consommaient beaucoup et ce sont les Grecs qui, les premiers, sont parvenus à élever des huîtres à partir d'embryons récupérés en mer. L'ostréiculture s'est largement développée, la France étant aujourd'hui le principal pays producteur en Europe et le quatrième au niveau mondial.
Il y a deux sortes d'huîtres : les plates et les creuses. Chacune comprend une centaine d'espèces. Elles se nourrissent de plancton, de plantes et d'animaux aquatiques microscopiques. Leur chair est luisante d'une teinte blanc-gris perle, réputée pour être meilleure pendant les mois en « r », de septembre à avril, mais l'huître peut être consommée toute l'année.
Lors de leur commercialisation, le calibre des huîtres est désigné par un chiffre entre 0 et 5 (le calibre 5 étant les plus petites huîtres). Leur saveur dépend du climat, de la température de l'eau et de son degré de salinité, de la nature du fond et du plancton. Aliment régénérant et ressourçant, l'huître a aussi la réputation d'être aphrodisiaque : Casanova en aurait consommé quotidiennement.

SES PROPRIÉTÉS ANTICANCER

Protection de la zone colorectale ● Protection de la prostate chez l'homme, du sein chez la femme

● La consommation de poissons et de fruits de mer semble bénéfique en prévention du cancer. Une étude a montré que chez un grand nombre de femmes, ces aliments contribuaient à la diminution du risque de cancer colorectal. En laboratoire, des extraits d'huître ont la capacité de s'opposer au développement des vaisseaux sanguins nécessaires à la survie des tumeurs – en inhibant la prolifération des cellules constituant la paroi des vaisseaux et en entraînant leur disparition spontanée.

● Les propriétés nutritionnelles de l'huître jouent donc un rôle primordial dans la prévention du cancer. Ainsi le phosphore est l'un des constituants des membranes cellulaires, le fer contribue au transport de l'oxygène dans le sang et à la fabrication de nouvelles cellules, la vitamine B2 favorise la croissance et la réparation des tissus.

● Les huîtres ont surtout une teneur très élevée en vitamine D, connue pour son rôle dans la prévention et le traitement thérapeutique de certains cancers, notamment le cancer de la prostate. La vitamine D semble également jouer un rôle protecteur dans le cancer du sein, et, associée au calcium, dans le cancer du côlon.

SES ATOUTS NUTRITIONNELS

L'huître est un aliment très intéressant sur le plan nutritionnel. Tout d'abord pour son faible apport calorique, dû à sa forte proportion d'eau, et ses teneurs réduites en lipides et en glucides qui en font un véritable allié minceur. De plus, elle est riche en micronutriments, minéraux et oligo-éléments, cuivre, zinc, fer, vitamines A, D B2, B3 et B12. Elle est aussi source de magnésium, phosphore, manganèse et vitamine B5. Ses acides gras oméga-3 contribuent au bon fonctionnement des systèmes immunitaire, circulatoire et hormonal.

Valeurs nutritionnelles pour 100 grammes	Huître creuse crue
Énergie	42 kcal
Eau	87 g
Glucides (dont sucres)	6,4 g
Fibres	1,5 g

L'ACHETER ET LA CUISINER

Bien choisir. Choisissez bien vos huîtres : elles doivent être vivantes, gorgées d'eau et bien fermées. Ouvrir une huître n'est pas compliqué, il suffit d'avoir le couteau adéquat.

Déguster. L'huître se consomme le plus souvent crue avec une vinaigrette ou du citron. Elle se déguste aussi cuite (gratinée, en soupe, en tempura, en sauce…) selon vos envies ! En salade, on les sert cuites à la vapeur sur un lit de jeunes verdures avec une sauce rémoulade. Quand c'est possible, n'hésitez pas à consommer leur eau.

Conserver. Les huîtres fraîches doivent demeurer vivantes : leur coquille fermée et intacte. Elles se conservent au maximum une semaine dans le bac à légumes du réfrigérateur et peuvent aussi être congelées. La congélation change leur texture et demandera plutôt une préparation cuite.

HUÎTRES, CRÈME AU RAIFORT

POUR 1 DOUZAINE D'HUÎTRES

253 KCAL   L 64,1   G 12,4   P 23,5

12 huîtres
250 ml de crème liquide
1/2 cuil. à café
de pâte de raifort
1,5 botte de ciboulette
le zeste
de 1 citron jaune
sel, poivre

PRÉPARATION 30 MIN ● FACILE ● € €

---

1. À l'aide d'un fouet, montez la crème liquide jusqu'à obtenir une consistance ferme, comme une chantilly. Ajoutez le raifort et incorporez-le à la spatule pour ne pas faire retomber la crème. Poivrez et salez légèrement. Réservez au frais.

2. Ouvrez les huîtres. Jetez la première eau et gardez les huîtres ouvertes à température ambiante.

3. Ciselez finement la ciboulette.

4. Au moment de servir, déposez une bonne cuillerée à café de crème sur chaque huître et parsemez de ciboulette.

5. Finissez en parsemant du zeste de citron jaune à l'aide d'un zesteur Microplane au-dessus des huîtres et dégustez aussitôt.

244

HUÎTRES AU SOJA ET GINGEMBRE

187 KCAL

L 48,1   G 26   P 25,9

PRÉPARATION 30 MIN • **FACILE** • €€

12 huîtres

POUR LA SAUCE
4 cuil. à soupe
de sauce soja
1 petite cuil. à café
de miel
2 cuil. à soupe d'huile
de sésame
le jus et le zeste
de 2 citrons verts
1 morceau de 20 g
de gingembre frais
1 échalote
sel, poivre

POUR LA GARNITURE
1/2 botte de coriandre
1/4 de radis noir

1. Préparez la sauce dans un bol en mélangeant la sauce soja, le miel et l'huile de sésame.

2. Prélevez le zeste des citrons verts. Réservez.

3. Ajoutez les jus de citron vert à la sauce. Goûtez et ajustez l'assaisonnement si nécessaire. La sauce doit avoir un bon équilibre entre l'acidité du citron, le salé de la sauce soja et le sucré du miel.

4. Épluchez le gingembre et écrasez-le le plus finement possible. Épluchez et ciselez finement l'échalote. Ajoutez l'échalote et le gingembre à la sauce. Mélangez bien.

5. Effeuillez la coriandre. Réservez.

6. Épluchez le radis noir, découpez-le en très fines tranches (à la mandoline si vous en avez une), puis émincez-le en très fines lamelles. Réservez.

7. Ouvrez les huîtres. Débarrassez-les de la première eau. Ajoutez une bonne cuillerée de sauce sur chaque pièce, puis un peu de coriandre fraîche et quelques lamelles de radis noir.

8. Finissez en parsemant le zeste de citron vert. Dégustez aussitôt.

LES NOISETTES ET LES NOIX

Sous leur coque, la noix et la noisette renferment une énergie à tout casser
et de nombreux antioxydants bénéfiques pour la santé.
Une petite quantité suffit car elles sont vraiment trop craquantes !
Sous forme d'huile, elles offrent des saveurs incomparables.

Fruits à coque, la noix et la noisette font partie des oléagineux (fruits ou graines riches en matières grasses dont on extrait de l'huile). La noix est produite par les noyers, arbres de la famille des juglandacées. Le noyer est cultivé depuis des milliers d'années pour ses qualités nutritives et a été introduit en Europe par les Romains. La noix se présente sous forme de coquille qui se sépare en deux, la partie comestible étant appelée « cerneau ». En France, deux variétés de noix bénéficient d'une appellation d'origine contrôlée (AOC) : la noix de Grenoble et la noix du Périgord.
La noisette, fruit du noisetier, est, elle, formée d'une grosse amande dans une coque ligneuse. Le noisetier (appelé aussi « coudrier ») est un genre d'arbuste de la famille des bétulacées. Jadis, il était considéré comme une plante magique utilisée par les sourciers et les chercheurs d'or ! L'huile de noix et l'huile de noisette sont très utilisées par les chefs cuisiniers et méritent d'être mieux connues, car elles renferment de nombreux bienfaits.

LEURS PROPRIÉTÉS ANTICANCER

Protection de l'organisme contre le vieillissement ● Protection du côlon, du pancréas, de la peau ● Protection de la prostate chez l'homme, du sein chez la femme

● La noisette et la noix sont probablement les fruits à écale et oléagineux les plus susceptibles d'être bénéfiques pour la santé. Leur contenu élevé en antioxydants protège notre organisme des effets néfastes des radicaux libres, prévenant l'apparition de cancers et de maladies liées au vieillissement.

● La noisette contient de nombreux antioxydants dont des tanins, acides phénoliques, flavonoïdes et vitamine E. La noix, en particulier la noix du Brésil, est très bonne pour sa teneur en sélénium et pour son pouvoir antioxydant. Elle contient de l'acide ellagique – un composé phénolique – à fort potentiel antioxydant et anti-inflammatoire qui jouerait un rôle particulier dans la prévention de certains cancers (côlon, peau, pancréas, prostate, colorectal, sein…). Il s'agit du même

composé contenu en grande quantité dans la fraise et la framboise et qui leur confère de belles propriétés préventives. Cependant, il ne faut consommer qu'une quantité raisonnable de ces fruits : pas plus de quelques noix ou noisettes par jour !

LEURS ATOUTS NUTRITIONNELS

Une petite poignée de ces fruits contente l'appétit et apporte une bonne dose d'énergie. Tous deux ont une valeur énergétique élevée apportée majoritairement sous forme de lipides. Bien souvent perçus comme trop caloriques, ces fruits contiennent en fait de « bonnes » matières grasses qui ont notamment une action bénéfique sur la circulation sanguine et sur le système cardio-vasculaire. Noix et noisettes apportent des protéines végétales, des fibres et sont riches en micronutriments : manganèse, cuivre, magnésium, fer, phosphore, zinc, vitamines B1, B6, B9. Un condensé qui favorise le bon fonctionnement de notre système immunitaire.

Valeurs nutritionnelles pour 100 grammes	Noix, cerneau	Noix du Brésil	Noisette
Énergie	209,4 kcal	211,5 kcal	204,9 kcal
Eau	0,939 g	0,84 g	1,452 g
Protéines	4,41 g	4,23 g	4,92 g
Glucides	3,24 g	0,819 g	1,686 g
Lipides	19,14 g	20,46 g	18,9 g
Fibres	1,71 g	2,43 g	2,46 g

LES ACHETER ET LES CUISINER

En petite quantité. Lorsque vous achetez des fruits à coque entiers, veillez à ce qu'ils soient propres et sans fissures. Une fois décortiqués, ils doivent être de taille et de couleur homogène. La noix et la noisette écalées peuvent se conserver dans un récipient hermétique au réfrigérateur. La réfrigération entraîne cependant une diminution du taux de vitamine E : il vaut donc mieux acheter vos fruits en petite quantité pour les consommer rapidement.

De multiples façons de les apprécier. Entiers, hachés, grillés, moulus… On les mange tels quels aussi bien que dans des recettes salées et sucrées. Dans les salades, par exemple, avec des endives ou de la mâche ; dans le pesto, en remplacement des pignons ; dans une sauce accompagnant des pâtes. Côté sucré, la tarte aux noix est un classique, mais on peut aussi intégrer les noix et noisettes dans son müesli.

SALADE DE CAROTTES AUX NOIX DU BRÉSIL

322 KCAL   L 70,5   G 18,3   P 11,1

PRÉPARATION 15 MIN ● CUISSON 10 MIN ● FACILE ● €

100 g de noix du Brésil
400 g de carottes
grossièrement râpées
10 g de coriandre
fraîche

POUR LA SAUCE
2 petites gousses d'ail
le jus de 1,5 citron vert
2 cuil. à café bombées
de tahini
4 cuil. à soupe
d'huile d'olive
2 cuil. à soupe
d'huile de noisette
2 pincées de sel
2 pincées de poivre

1. Préchauffez le four à 220 °C, et enfournez les noix pendant 5 à 10 minutes sur du papier cuisson. Elles doivent être légèrement dorées. Laissez-les refroidir.

2. Râpez grossièrement les carottes dans un plat de service.

3. Ajoutez la coriandre fraîche hachée.

4. Préparez la sauce : dans un bol, mettez l'ail écrasé, le jus de citron vert, le tahini, l'huile d'olive et celle de noisette. Salez, poivrez et mélangez bien le tout.

5. Versez la sauce sur les carottes et la coriandre.

6. Hachez grossièrement les noix refroidies et parsemez-en joliment votre salade.

CHOUX PARIS-BREST

580 KCAL

L 43   G 48,4   P 8,6

PRÉPARATION 2 H ● CUISSON 30 MIN ● ÉLABORÉ ● €€

POUR LE CRAQUELIN
50 g de beurre
pommade
60 g de cassonade
60 g de farine

POUR LA PÂTE À CHOUX
50 ml de lait
50 ml d'eau
5 g de sucre
1 pincée de sel
45 g de beurre
55 g de farine
2 œufs

POUR LA CRÈME
250 ml de lait
50 g de sucre
2 jaunes d'œufs
10 g de farine
10 g de Maïzena
140 g de beurre
80 g de pralin

1. Pour le craquelin : mélangez ensemble le beurre et le sucre. Ajoutez la farine petit à petit. Étalez la pâte en une couche fine, entre deux feuilles de papier sulfurisé. Réservez au congélateur pendant 45 minutes.

2. Pendant ce temps, préparez la pâte à choux. Dans une casserole, faites chauffez le lait, l'eau, le sucre, le sel et le beurre jusqu'à frémissement. Ajoutez la farine tamisée. Mélangez sur feu avec une spatule pendant 2 à 3 minutes afin de « sécher » la pâte. Placez la pâte dans un bol, ajoutez les œufs un par un, en mélangeant bien entre chaque ajout. Vous n'avez pas forcément besoin de mettre la totalité des œufs, il faut surtout obtenir la bonne texture : la pâte doit faire un ruban souple qui ne casse pas.

3. Préchauffez le four à 210 °C.

4. Placez la pâte dans une poche avec une douille n° 10 ou 12. Sur une plaque couverte de papier sulfurisé, alignez des choux d'environ 3 cm de diamètre en les espaçant bien. Sortez le craquelin, découpez-le en cercles de 3 cm de diamètre. Placez un cercle sur chaque chou. Enfournez : après 10 minutes de cuisson, baissez la température à 180 °C. Laissez cuire encore 10 à 15 minutes, puis faites refroidir à température ambiante.

5. Préparez la crème pralinée. Dans une casserole, faites chauffer le lait avec la moitié du sucre. Battez les jaunes avec le sucre restant jusqu'à ce que le mélange blanchisse, puis ajoutez la Maïzena et la farine. Une fois le lait à ébullition, versez-le sur ce mélange, puis reversez le tout dans la casserole. Faites cuire à feu doux tout en mélangeant au fouet pendant quelques minutes. La crème va épaissir : continuez de mélanger encore pendant 1 minute et versez dans un récipient. Filmez au contact de la crème et laissez-la refroidir à température ambiante.

6. Fouettez le beurre pour qu'il devienne pommade, ajoutez le pralin. Intégrez petit à petit la crème refroidie. Vous devez obtenir une crème lisse et soyeuse. Coupez les choux en deux, mettez un peu de crème à l'intérieur à l'aide d'une poche ou d'une cuillère et recouvrez avec le chapeau.

Vous pouvez les déguster aussitôt, mais les choux seront encore meilleurs après 1 heure de repos au frais.

LE POIREAU

Un végétal ancestral à la texture unique qui aide à se maintenir en forme
et qui réserve de nombreux bienfaits nutritionnels. L'allicine est son atout santé.

Le poireau cultivé est un légume appartenant à la grande famille des alliacées qui compte aussi l'ail, l'oignon et la ciboulette. Son bulbe, de forme cylindrique, résulte de la superposition de feuilles en plusieurs couches concentriques. Il laisse apparaître une partie verte tandis que sa partie ancrée dans le sol est blanche ; toutes deux sont comestibles. Son ancêtre, le poireau perpétuel, poussait à l'état sauvage en Asie Mineure il y a plusieurs milliers d'années. Très prisé des Romains, le poireau aurait particulièrement plu à Néron, décrit comme « porrophage » dans l'*Histoire naturelle* de Pline l'Ancien, pour les bienfaits qu'il apportait à la voix et à la gorge de l'empereur. Devenu l'emblème du pays de Galles après une victoire face aux Saxons, le poireau a su rester populaire à travers les âges et tient aujourd'hui une place importante dans notre culture culinaire. Résistant au froid, il est facile à cultiver et fournit quasiment toute l'année un bulbe riche en arômes et saveurs.

SES PROPRIÉTÉS ANTICANCER

Protection du système gastro-intestinal et du côlon

● L'intérêt des légumes de la famille des *Allium* dont fait partie le poireau repose sur leurs teneurs en composés soufrés (c'est-à-dire qui possèdent un atome de soufre). Le plus notable est sans doute l'alliine, un composé très présent dans l'ail et que l'on trouve aussi chez le poireau. Lors du hachage ou du mâchage des tissus végétaux, l'alliine rencontre une enzyme et se transforme en allicine, un composé très réactif qui présente en laboratoire la capacité à rendre inoffensifs les composés carcinogènes et à limiter ainsi les mutations de l'ADN.

● Plusieurs études menées chez l'homme suggèrent un effet préventif des légumes de cette famille sur les cancers du tractus gastro-intestinal (œsophage, estomac, côlon) et même sur le cancer de la prostate. Une alimentation riche en *Allium* serait ainsi à privilégier pour bénéficier de l'action des composés sulfurés.

● Le poireau pourrait également contribuer à protéger le tissu colorectal et à prévenir le cancer grâce à ses fibres alimentaires. Celles-ci ne sont pas digérées et forment un film protecteur dans le côlon qui permettrait de limiter le contact entre les composés carcinogènes et les cellules colorectales.

SES ATOUTS NUTRITIONNELS

L'eau contenue en grande quantité dans le poireau réduit sa densité calorique et en fait un aliment intéressant pour limiter ses apports alimentaires au cours du repas. Les fibres du poireau contribuent également à lui donner un pouvoir rassasiant. La nature de ces dernières diffère entre la partie verte et la partie blanche du bulbe : la première est composée de fibres insolubles (hémicellulose, cellulose) et la deuxième de fibres solubles (pectine). Le poireau est par ailleurs source de vitamine B6, qui participe au fonctionnement du système immunitaire, et de vitamine B9, essentielle pour la production du matériel génétique.

Valeurs nutritionnelles pour 100 grammes	Poireau cru	Poireau cuit
Énergie	29,2 kcal	24,6 kcal
Eau	90,9 g	92,1 g
Fibres	2,5 g	3,2 g

L'ACHETER ET LE CUISINER

La bonne saison. La période de pleine saison du poireau s'étend de septembre à avril. Les poireaux d'automne et d'hiver sont plus grands et charnus que le poireau de printemps, mais ils ne possèdent pas forcément une texture plus fibreuse ; ils peuvent être aussi tendres qu'un petit bouquet de poireaux primeurs. La palme de la tendreté revient néanmoins à une espèce cousine, le poireau de vigne (*Allium polyanthrum*), appelé aussi l'asperge du pauvre, qui pousse à l'état sauvage près des vignobles.

La cuisson. Croquer à pleines dents un poireau cru convient peut-être aux plus courageux, mais il est préférable de faire subir à ce bulbe un brin de cuisson en le faisant revenir. Pour limiter la perte de ses qualités nutritionnelles, on peut aussi opter pour une cuisson vapeur de quelques minutes. Le poireau s'accommode à de nombreux plats : soupe, potage, tarte, quiche, plat de viande ou de poisson en sauce…

RISOTTO POIREAUX—PETITS POIS

701 KCAL

L 7,7   G 81,6   P 10,7

1,2 l de bouillon
de légumes
2 gousses d'ail
6 échalotes
2 cuil. à soupe
d'huile d'olive
3 blancs de poireaux
200 g de riz arborio
80 ml de vin blanc
100 g de petits pois
surgelés
15 g de beurre
30 g de parmesan
sel, poivre

1. Faites chauffer le bouillon de légumes et gardez le chaud dans une casserole à disposition.

2. Émincez l'ail et les échalotes très finement.

3. Coupez les blancs de poireaux en fines rondelles.

4. Dans une autre casserole, faites chauffer l'huile d'olive, puis ajoutez l'ail et l'échalote.

5. Ajoutez le poireau et faites revenir 5 minutes à la poêle.

6. Ajoutez le riz cru, mélangez jusqu'à ce qu'il devienne translucide.

7. Versez le vin blanc et mélangez pendant 5 minutes le temps qu'il soit absorbé.

8. Ajoutez du bouillon de légumes, une louche à la fois, en remuant entre chaque ajout jusqu'à ce que tout le liquide soit absorbé. Cela devrait prendre environ 15 à 20 minutes au total, mais je vous conseille de goûter régulièrement pour vérifier la cuisson. Rectifiez l'assaisonnement si nécessaire.

9. Lorsqu'il ne reste qu'une louche de bouillon à intégrer, ajoutez les petits pois et poursuivez la cuisson du risotto encore quelques minutes. Lorsque le riz et les petits pois sont cuits, ajoutez le beurre et le parmesan en remuant bien. Servez aussitôt !

TOURTE AUX POIREAUX

613 KCAL

L 29,9   G 41,4   P 28,7

PRÉPARATION 45 MIN ● CUISSON 40 MIN ● MOYEN ● €€

300 g de filets de poulet
1 cuil. à soupe
d'huile d'olive
2 carottes épluchées
4 tiges de céleri
branche sans
les feuilles
3 poireaux
2 oignons blancs
300 g de champignons
de Paris
2 cuil. à soupe de farine
600 ml de bouillon
de volaille
2 cuil. à soupe
de moutarde
200 ml de crème
liquide allégée
1 rouleau de pâte
feuilletée
1 œuf
sel, poivre

1. Préchauffez le four à 200 °C.

2. Dans une cocotte allant au four, faites revenir les blancs de poulet, coupés en morceaux de taille moyenne et préalablement salés et poivrés, dans l'huile d'olive, à feu fort, jusqu'à ce qu'ils soient dorés. Retirez-les de la cocotte et réservez.

3. Coupez les carottes et le céleri en fines lamelles, ainsi que les poireaux et les oignons blancs en lamelles moyennes. Faites-les revenir dans la même cocotte, à feu moyen, pendant 5 bonnes minutes. Salez et poivrez. Ajoutez les champignons de Paris et faites revenir encore 5 minutes. Les légumes doivent être légèrement dorés.

4. Remettez les morceaux de poulet dans la cocotte, saupoudrez de farine. Elle donnera une consistance un peu épaisse à la sauce. Ajoutez le bouillon, mélangez bien pour diluer la farine. Assurez-vous qu'il ne reste pas de grumeaux. Ajoutez la moutarde et la crème liquide, mélangez à nouveau. Goûtez la sauce et ajustez l'assaisonnement si nécessaire.

5. Couvrez, laissez cuire 5 à 10 minutes à feu moyen. Ensuite, laissez refroidir votre cocotte quelques minutes hors du feu.

6. Ôtez le couvercle, recouvrez la cocotte de la pâte feuilletée. Roulez l'excédent de pâte qui dépasse en appuyant bien pour la fixer aux bords de la cocotte.

7. Faites une entaille au centre à l'aide d'un couteau : elle permettra à la vapeur de s'échapper et donc de garder une consistance bien croustillante à la pâte feuilletée. Vous pouvez créer avec les restes de pâte des dessins de feuilles, ou une tresse sur les bords pour décorer la tourte. À l'aide d'un pinceau, badigeonnez délicatement la pâte feuilletée d'œuf battu, pour lui donner une belle couleur à la cuisson.

8. Enfournez pendant une vingtaine de minutes. La pâte doit être dorée et croustillante. Servez aussitôt.

LE POMELO

Cet agrume à la pulpe acidulée et vitaminée se distingue par ses propriétés antioxydantes que renforce l'association de la naringine et de la vitamine C. Une synergie anticancer dans un zeste d'énergie !

Le pomelo (*Citrus paradisi*) ne doit pas être confondu avec le pamplemousse (*Citrus maxima*), agrume plus gros et en forme de poire, qui n'est utilisé que pour son jus ou son zeste. Dans le langage courant, la confusion est pourtant bien réelle puisque le pamplemousse que l'on apprécie tant est en fait un pomelo ! Ce fruit est apparu en Amérique contrairement aux autres agrumes qui sont originaires d'Asie. Il est né du croisement naturel entre l'oranger doux (*Citrus sinensis*) et le pamplemoussier, et partage la même forme caractéristique de cette famille de fruits, à savoir un cœur de pulpe compartimenté contenant des pépins et recouvert d'une peau épaisse. Pendant longtemps, les populations locales n'ont pas montré de réel intérêt pour le pomelo, qu'elles laissaient tomber au sol. Aujourd'hui, il est apprécié pour son goût particulier oscillant entre le sucré, l'acide et l'amer et pour ses multiples variétés (blanc, rose et rouge). Le véritable pamplemousse offre quant à lui très peu de jus et renferme de nombreux de pépins ; son utilisation culinaire reste limitée.

SES PROPRIÉTÉS ANTICANCER

Protection contre le stress oxydatif ● Protection du poumon et de l'estomac

● La vitamine C contenue dans le pomelo confère à ce dernier des propriétés antioxydantes. Celles-ci sont amplifiées par la naringine, un composé présent dans la pulpe et la partie blanche du fruit et qui possède lui aussi une activité antioxydante.

● La naringine, responsable de la saveur amère caractéristique du pomelo, se trouve dans tous les fruits de la famille *Citrus*. Outre sa capacité à lutter contre les radicaux libres et le stress oxydatif que provoquent ces derniers dans l'organisme, la naringine est associée à une inhibition du développement des tumeurs par activation de l'autophagie – un mécanisme d'élimination des structures cellulaires défectueuses comme les cellules cancéreuses. En bloquant ainsi la prolifération de ces cellules, la naringine serait impliquée dans la prévention des cancers du poumon et de l'estomac.

• Les limonoïdes, d'autres flavonoïdes contenus dans les pépins et le jus de pomelo, auraient par ailleurs la capacité à provoquer l'autodestruction des cellules cancéreuses par apoptose.

SES ATOUTS NUTRITIONNELS

Le pomelo fait partie des fruits les moins riches en sucre et les moins caloriques – avec des teneurs équivalentes à celles de la pastèque. Il est surtout reconnu pour sa richesse en vitamine C. Un demi-pomelo (environ 100 g) couvre en effet la moitié de nos besoins journaliers en vitamine C. Il apporte aussi d'autres composés intéressants comme la naringine, un flavonoïde qui agit de manière bénéfique sur notre système cardio-vasculaire en baissant le mauvais cholestérol et en augmentant l'élasticité des parois de nos vaisseaux sanguins.

Interactions médicamenteuses. Comme le pamplemousse, le pomelo pourrait augmenter ou diminuer l'efficacité de certains médicaments. Si l'on est concerné par un traitement médicamenteux, il est ainsi recommandé d'en parler à son médecin, d'espacer d'environ deux heures la prise de médicaments et de pomelo et d'éviter d'en consommer trop régulièrement.

Valeurs nutritionnelles pour 100 grammes	Pomelo frais, pulpe
Énergie	35,9 kcal
Eau	89,8 g
Sucres	6,2 g
Fibres	1,3 g

L'ACHETER ET LE CUISINER

Conseils pour l'acheter. Le pomelo est disponible toute l'année, mais sa saison de consommation idéale commence à la fin de l'automne. À l'achat, il est conseillé de sous-peser le fruit afin d'en évaluer la densité de pulpe et de chair, le mieux étant qu'il soit bien lourd. Il se conserve ensuite au réfrigérateur jusqu'à 6 semaines sans que ses qualités nutritionnelles soient significativement affectées – à condition que sa peau soit lisse et non endommagée.

Comment l'apprécier. Il est recommandé de consommer du pomelo au petit déjeuner ou en composante d'entrée puisque son goût acidulé stimule le fonctionnement du système digestif. À noter que le jus de pomelo et le fruit frais contiennent les mêmes teneurs en vitamine C ; attention toutefois à privilégier le pur jus avec pulpe. Mais le pomelo s'apprécie aussi dans d'autres recettes, comme les salades asiatiques ou les plats de viandes en sauce (agneau, veau…) et en desserts rafraîchissants.

SALADE ASIATIQUE AU POMELO

304 KCAL

L 25,2   G 27,9   P 46,8

PRÉPARATION 20 MIN ● CUISSON 10 MIN ● FACILE ● €€

20 g de graines
de sésame
1 pomelo
3 carottes
1 concombre
400 g de crevettes
cuites
3 échalotes

POUR LA SAUCE
2 cuil. à soupe
de sauce soja
3 cuil. à soupe
de nuoc-mâm
40 g de gingembre (soit
un morceau de 4 cm)
3 cuil. à soupe d'huile
de sésame
le jus de 1/2 citron vert

POUR LA FINITION
1 botte de coriandre
fraîche

*Vous pouvez préparer
cette salade en avance,
dans ce cas, n'ajoutez
la sauce et le sésame
qu'au moment de servir.*

1. Préchauffez le four à 180 °C.

2. Placez les graines de sésame sur une plaque recouverte de papier sulfurisé et enfournez dans un four chaud pendant une dizaine de minutes jusqu'à ce qu'elles soient dorées. Laissez-les refroidir. Réservez.

3. Épluchez le pomelo pour ne garder que la chair du fruit. Coupez-la en petits morceaux et placez-les dans le plat de service.

4. Épluchez les carottes. À l'aide d'un économe, faites des tagliatelles de carottes et placez-les dans le plat.

5. Épluchez partiellement le concombre, coupez-le en deux et, sans utiliser la partie centrale, taillez également la chair en tagliatelles. Ajoutez-les dans le plat.

6. Retirez la carapace des crevettes cuites et ajoutez-les à la salade.

7. Épluchez et ciselez finement l'échalote, ajoutez-la aux autres ingrédients. Mélangez le tout.

8. Préparez la sauce : mélangez la sauce soja, le nuoc-mâm, le gingembre épluché et râpé très finement, l'huile de sésame et le jus de citron vert. Versez la sauce sur la salade et mélangez à nouveau.

9. Ajoutez la coriandre effeuillée et ciselée grossièrement. Finissez en parsemant la salade de sésame torréfié. Dégustez aussitôt.

GRANITÉ D'EAU DE COCO, POMELO ET GRENADE FRAÎCHE

177 KCAL

L 0,8   G 96,8   P 2,4

1/2 pomelo
1/2 grenade
quelques feuilles
de menthe

POUR LE GRANITÉ
250 ml de lait de coco
600 ml d'eau
le jus et le zeste
de 1 citron vert
130 g de sucre
de canne

PRÉPARATION 10 MIN LA VEILLE ● **CUISSON** 10-15 MIN ● **FACILE** ● €

---

1. Préparez le granité : versez le lait de coco, l'eau, le jus et le zeste de citron vert ainsi que le sucre dans une casserole et faites chauffer à feu doux jusqu'à complète dissolution du sucre, ce qui prend 10 à 15 minutes.

2. Placez ce mélange dans un récipient assez long et large, pour pouvoir ensuite le gratter à la fourchette, puis au congélateur pour 12 heures minimum ou idéalement la veille.

3. Au bout de 3 heures de congélation, commencez à gratter la préparation durcie avec une fourchette et replacez-la ensuite au congélateur. Répétez cette opération régulièrement, toutes les 2 à 3 heures.

4. Épluchez le pomelo et séparez-le en petits morceaux. Disposez-les au fond de petites verrines ou de bols de service.

5. Égrainez la grenade et réservez les grains.

6. Ciselez le plus finement possible les feuilles de menthe.

7. Au moment de servir, grattez à nouveau le granité de coco durci et placez-en sur le pomelo dans chaque verrine. Parsemez de grains de grenade et de feuilles de menthe fraîche.

8. Servez aussitôt, car le granité fond très vite !

LE POTIRON

Ce légume très peu calorique, riche en fibres, est aussi beau que bon.
Il a un grand intérêt dans la prévention du cancer, même ses graines peuvent
être consommées… Mais prudence pour les fumeurs, le bêtacarotène
que le potiron contient en quantité ne leur est pas favorable.

Le potiron (ou *Cucurbita maxima*) fait partie des courges rapportées d'Amérique du Sud par Christophe Colomb. Son fruit est une grosse baie à la chair fibreuse présentant de nombreux pépins et couverte d'une peau dure. On retrouve également ce type de fruit (appelé péponide) chez le melon et la pastèque. Il est parfois difficile de s'y retrouver entre toutes les espèces de courges existantes du fait de la ressemblance parfois étroite entre leurs différents fruits : le potiron se confond souvent avec la citrouille et la courge musquée. Parmi les variétés de potiron, on compte le potimarron, le giraumon et le kabocha qui varient par leurs tailles, leurs formes et leurs couleurs. Poussant dans les potagers du monde entier, le potiron est drôle par les aspects variés qu'il peut revêtir. La sublime robe du bleu de Hongrie rendrait jalouse la galeuse d'Eysines, un potiron aux boursouflures peu raffinées. Mais le plus impressionnant de tous reste l'Atlantic Giant, un géant pouvant peser jusqu'à une tonne !

SES PROPRIÉTÉS ANTICANCER

Action bénéfique contre le vieillissement de l'organisme ● Consommation à surveiller chez les fumeurs

● La couleur orangée du potiron est due à une grande quantité de caroténoïdes présents dans la peau et la chair. Certains des composés de cette famille possèdent des propriétés intéressantes contre le cancer, comme l'alphacarotène, un caroténoïde proche du bêtacarotène qui présenterait un intérêt supérieur à ce dernier dans le cadre d'un régime préventif. Il contribue à la réduction du stress oxydatif de l'organisme et montre la capacité à induire une autodestruction des cellules du cancer du foie.

● D'autres caroténoïdes, la bêtacryptoxanthine, la lutéine et la zéaxanthine exercent en laboratoire une action inhibitrice contre la multiplication des cellules cancéreuses. Attention chez les fumeurs, et en particulier les femmes, le bêtacarotène est

associé à un risque augmenté de cancer du poumon. D'après les résultats d'études épidémiologiques, il n'est pas conseillé pour ces personnes de se supplémenter en bêtacarotène ni d'avoir une consommation journalière élevée en fruits et légumes riches en ce composé.

Les phyto-œstrogènes contenus dans les graines de courge (potiron, citrouille) pourraient par ailleurs être responsables de l'association positive entre l'ingestion de ces dernières et la baisse du risque de cancer du sein, association révélée par une étude menée sur plus de 8 000 femmes ménopausées en Allemagne.

SES ATOUTS NUTRITIONNELS

La chair du potiron présente une incroyable richesse en eau et n'apporte que très peu de protéines, glucides et lipides, ce qui en fait un légume très peu calorique. Son intérêt nutritionnel réside également dans ses teneurs en fibres, minéraux, vitamines et phytocomposés. Il est par ailleurs très adapté à un régime pauvre en sel à condition de le cuisiner soi-même — les soupes du commerce, et notamment celles proposées en brique, présentent en effet bien souvent des teneurs excessives en sel.

Valeurs nutritionnelles pour 100 grammes	Potiron cuit
Énergie	13,6 kcal
Eau	95,3 g
Fibres	1,6 g
Sel	< 0,02 g

L'ACHETER ET LE CUISINER

Bien le choisir. Savoir distinguer un potiron d'une citrouille n'est pas si compliqué. Le premier a une forme aplatie et une couleur orange pâle alors que la deuxième est ronde et arbore une couleur rouge vif. Grâce à sa peau épaisse et coriace, le potiron entier peut se conserver jusqu'à six mois s'il est stocké dans un endroit sec, à l'abri du froid et des variations de température. Choisissez-le bien mûr, sa couleur doit être un peu terne.

Des idées de recettes. Le potiron fait une merveilleuse soupe accompagnée de pommes de terre, d'oignon et d'une touche de muscade — surtout en y ajoutant la partie fibreuse qui sera mixée au reste de la préparation. Il s'apprécie également en gratin et en purée. Pour des envies sucrées, on craque pour une tarte au potimarron. Et pour ne pas gaspiller les grains, les faire bouillir quelques instants avant de les griller à l'huile d'olive... un vrai délice !

SALADE D'AUTOMNE

240 KCAL

L 46,8   G 43,8   P 9,4

250 g de carottes
600 g de potiron
3 cuil. à soupe
d'huile d'olive
1 oignon rouge
1/2 botte de ciboulette
ciselée finement
sel, poivre

POUR LA SAUCE
AU YAOURT
150 g de yaourt
à la grecque
2 cuil. à soupe
de vinaigre de vin
2 cuil. à soupe d'huile
de noisette

PRÉPARATION 15 MIN ● CUISSON 30 MIN ● FACILE ● €

---

1. Préchauffez le four à 180 °C.

2. Pelez les carottes, ôtez la peau du potiron : coupez les carottes en rondelles et le potiron en morceaux d'environ 2 cm de côté.

3. Placez les morceaux de légumes dans un plat allant au four. Salez, poivrez et nappez d'un filet d'huile d'olive (environ 3 cuillerées à soupe). Mélangez pour bien enrober les légumes d'assaisonnement.

4. Faites cuire au four pendant 30 minutes en remuant régulièrement. Laissez tiédir quelques minutes.

5. Pendant ce temps, hachez l'oignon le plus finement possible et placez-le dans un plat de service. Ajoutez les morceaux de carotte et de potiron cuits. Mélangez.

6. Dans un bol à part, préparez la sauce en mélangeant tous les ingrédients. Versez-la sur les légumes, puis parsemez de ciboulette ciselée finement.

7. Vous pouvez déguster cette salade tiède ou la laisser totalement refroidir, selon votre goût.

POTIRON RÔTI À LA SAUGE

122 KCAL

L 27,8 G 58,5 P 13,7

PRÉPARATION 10 MIN ● CUISSON 20 MIN ● FACILE ● €

---

1 kg de potiron
8 gousses d'ail
1/2 botte de sauge
2 cuil. à soupe
d'huile d'olive
sel, poivre

1. Préchauffez le four à 180 °C.

2. Épluchez et découpez le potiron en tranches d'environ 1 cm d'épaisseur. Il est possible également de laisser la peau.

3. Disposez-les sur une plaque recouverte de papier sulfurisé ou dans un plat allant au four.

4. Ajoutez les gousses d'ail en les laissant dans leur peau. Disposez-les sur la plaque.

5. Disposez dessus les feuilles de sauge, préalablement lavées.

6. Salez et poivrez généreusement, puis ajoutez un filet d'huile d'olive sur les tranches de potiron.

7. Mettez le tout au four pendant une vingtaine de minutes : les tranches de potiron doivent être complètement rôties et tendres.

Cette préparation au potiron peut être utilisée un peu tiède dans une salade, ou comme accompagnement avec une volaille, par exemple.

LE RAISIN

Fruit du mythe et symbole de la santé, le raisin offre de multiples avantages tant par son index glycémique bas que par sa richesse en éléments capables d'agir contre le cancer. Si le vin fournit les meilleurs effets anticancer, la modération reste de mise !

L'histoire du raisin est étroitement liée à celle du vin. On situe les premières traces de vinification en Géorgie et en Arménie, où des jarres en céramique ont été retrouvées. À l'origine, la fermentation du fruit se serait produite de manière spontanée grâce à la présence naturelle de moisissures sur la pellicule du fruit. Par phases de migration successives, l'exploitation de la vigne s'est ensuite développée en Turquie, puis en Grèce avant d'atteindre les côtes méditerranéennes. Syrah, chardonnay, merlot, viognier, malbec… autant de cépages appréciés pour le délicieux breuvage que l'on en fait. Mais pour ne pas réduire le raisin à la seule vinification, on peut également découvrir les cépages de raisin de table, comme l'alphonse-lavallé, le cardinal, le chasselas ou encore la madeleine royale. Les grappes de ces raisins auraient gagné leur titre de noblesse au xvie siècle lorsque le roi François Ier décida de les servir en banquet.

SES PROPRIÉTÉS ANTICANCER

Protection de la peau, du système digestif et de l'appareil respiratoire

● Les remarquables propriétés anticancer des grains de raisin proviennent principalement des nombreux polyphénols concentrés dans leur peau et leurs pépins. Le raisin rouge fait à ce titre partie des fruits les plus riches en anthocyanines, après les baies. Il constitue de ce fait une source journalière à ne pas négliger au vu des résultats très prometteurs d'études menées en laboratoire, en particulier sur des cellules du côlon, de l'œsophage, des poumons et de la peau.

● Ces études montrent la capacité des anthocyanines à induire la mort des cellules cancéreuses, à inhiber le développement et l'alimentation des tumeurs et à limiter leur pouvoir invasif – c'est-à-dire leur capacité à utiliser des circuits comme le sang pour se déplacer et générer une nouvelle tumeur dans un autre endroit de l'organisme.

● Les résultats d'une étude récente réalisée chez l'homme suggèrent par ailleurs un effet préventif de la consommation journalière de raisin sur le tissu colorectal. Bien que cette étude ait été conduite sur une courte période et que des essais complémentaires soient nécessaires, ces résultats tendent à confirmer ceux obtenus en laboratoire sur les propriétés anticancer du raisin.

● Sous quelle forme consommer le raisin pour maximiser ses effets anticancer? À quantité consommée équivalente, c'est le vin rouge qui fournit le plus de polyphénols. En effet, les polyphénols du raisin sont concentrés dans la peau et les pépins, deux matrices alimentaires desquelles l'extraction des nutriments est difficile. Lors de la vinification, l'étape de macération du jus avec la peau et les pépins favorise la migration des polyphénols vers la phase liquide (le futur vin rouge). Cependant, il ne faut pas oublier que le vin rouge est une boisson alcoolisée. À partir d'un certain volume bu, les bénéfices des polyphénols sont contrebalancés par les effets néfastes de l'éthanol sur la santé, c'est pourquoi la consommation de vin rouge doit rester modérée.

SES ATOUTS NUTRITIONNELS

Le raisin fait partie des fruits les plus riches en sucres – avec la banane et le litchi. En cas de perte d'énergie en journée, à choisir entre des biscuits et du raisin il est préférable d'opter pour le fruit, car celui-ci possède un index glycémique plus bas, ce qui signifie qu'il libère de manière plus progressive le sucre dans le sang. À long terme, il en résulte un risque réduit de développer des maladies comme le diabète de type 2 ou l'obésité.

Le raisin apporte par ailleurs des quantités intéressantes de potassium, de vitamine C et de vitamines B1 et B6.

Valeurs nutritionnelles pour 100 grammes	Raisin blanc frais	Raisin noir frais	Raisin, pur jus
Énergie	70 kcal	62,1 kcal	68,1 kcal
Eau	88,2 g	83,2 g	82,6 g
Sucres	16,1 g	12,2 g	15,5 g

L'ACHETER ET LE CUISINER

Le choisir bien mûr. Le raisin est un fruit d'automne que l'on trouve sur les étals à partir du mois d'août jusqu'à la fin du mois d'octobre. À cette même période se juxtapose le temps des vendanges, c'est-à-dire la saison de récolte du vin destiné à la vinification. Le raisin est considéré comme un fruit non climactérique, ce qui signifie qu'une fois récolté sa maturation prend fin. Aussi est-il recommandé de le choisir bien mûr, afin de pouvoir apprécier son goût sucré en bouche au moment de la dégustation. Enfin, et toujours pour cette même raison, il est préférable de le conserver loin des fruits qui mûrissent après la récolte, comme la banane, la pomme ou le kiwi, car ceux-ci libèrent une hormone végétale qui favoriserait le pourrissement prématuré des grains de raisin.

Raisins secs. À consommer toute l'année, ils concentrent les bienfaits du raisin frais et s'adaptent facilement aux recettes sucrées ou salées. Préférez du raisin issu d'une filière d'agriculture biologique ou raisonnée.

RIZ À LA CANNELLE, PIGNONS ET RAISINS SECS

608 KCAL

L 30,7 G 60,4 P 8,9

PRÉPARATION 10 MIN ● CUISSON 20 MIN ● FACILE ● €

250 g de riz basmati
2 oignons blancs
120 g de pignons
de pin
40 g de raisins secs
4 cuil. à soupe
d'huile d'olive
1/2 cuil. à soupe
de cannelle en poudre
sel, poivre

1. Faites bouillir de l'eau dans une bouilloire.

2. Pelez, puis coupez les oignons blancs en fines lamelles.

3. Dans une sauteuse, faites revenir les oignons, les pignons et les raisins secs dans l'huile d'olive. Ajoutez la cannelle et laissez revenir pendant 5 bonnes minutes jusqu'à ce que les oignons aient bien ramolli.

4. Versez le riz et mélangez bien jusqu'à ce qu'il devienne translucide. Ajoutez l'équivalent du double du volume de riz en eau chaude. Salez, poivrez, couvrez et laissez à feu moyen pendant 15 minutes jusqu'à ce qu'il soit cuit.

Ce riz est un délice en accompagnement de boulettes de viande.

HOT CROSS BUNS

145 KCAL

L 14,4   G 78,2   P 7,4

PRÉPARATION 30 MIN ● **REPOS** 1 H 45 ● **CUISSON** 30-40 MIN ● **ÉLABORÉ** ● €

150 ml de lait tiède
50 g de sucre
1 sachet de levure
boulangère déshydratée
(7 g)

POUR LA PÂTE
300 g de farine
1/2 cuil. à café de sel
1 cuil. à café rase
de cannelle en poudre
1/4 de cuil. à café
de noix de muscade
2 pincées
de gingembre moulu
40 g de beurre
130 g de raisins secs
1 pomme jaune, pelée,
vidée et coupée
en petits morceaux
1 œuf
huile

POUR LA DÉCORATION
40 g de farine
40 ml d'eau
2 belles cuil. à soupe de
confiture de coing

MATÉRIEL SPÉCIFIQUE
grand moule
rectangulaire

1. Dans un bol, mélangez le lait tiède, le sucre et la levure. Réservez pendant 10 minutes.

2. Pendant ce temps, mélangez les ingrédients secs dans le bol du robot : la farine, le sel, les épices. Ajoutez le beurre en petits morceaux et intégrez-le aux ingrédients secs. Ajoutez les raisins secs, les morceaux de pomme, l'œuf puis le mélange à base de levure.

3. Pétrissez la pâte pendant au moins 15 à 20 minutes dans le robot à l'aide de l'embout « crochet ». Elle doit être élastique, mais restera un peu collante. Placez-la dans un bol préalablement huilé et laissez lever 1 h 15 dans le four à 40 °C ou dans un endroit chaud et humide. La pâte doit avoir doublé de volume.

4. Préparez un grand moule rectangulaire légèrement huilé.

5. Sortez la pâte du four, puis, avec votre poing, faites-en sortir l'air.

6. Placez la pâte sur le plan de travail fariné, puis façonnez de petites boules et alignez-les dans le moule en laissant un peu d'espace entre chacune. Laissez lever à nouveau 30 minutes dans le four à 40 °C.

7. Pendant ce temps, mélangez la farine et l'eau à l'aide d'un fouet. Vous devez obtenir un mélange lisse et crémeux. À l'aide d'une poche à douille ou d'un sachet congélation dont vous aurez coupé un coin, tracez avec cette préparation des lignes verticales et horizontales sur les boules de pâte de sorte que chacune ait une croix blanche en son centre. Enfournez 30 à 40 minutes dans un four préchauffé à 190 °C.

8. Une fois les petites brioches sorties du four, badigeonnez-les à l'aide d'un pinceau de confiture de coing, que vous aurez préalablement fait fondre.

9. Laissez tiédir et dégustez.

LE SARRASIN

Graine star anticancer, cette céréale offre de nombreux avantages :
peu calorique, énergétique, rassasiante et dépourvue de gluten, elle contient
aussi de puissants antioxydants intéressants dans la lutte contre
un certain nombre de maladies de civilisation.

Contrairement au blé et au riz, le sarrasin n'appartient pas à la famille des graminées mais à celle des chénopodiacées, comme le quinoa. Originaire d'Asie, il s'est répandu en Extrême-Orient puis en Europe au XIVe siècle. Le sarrasin a très longtemps été nommé « blé noir » pour sa ressemblance avec les épis de blé et la teinte foncée de ses grains. Il a fallu attendre le Moyen Âge pour que cette plante soit importée en France. En Occident, c'est surtout sa farine – au goût de noisette – qui est utilisée pour faire des galettes, des crêpes et des gâteaux. Les principaux pays producteurs sont la Chine, la Russie, l'Ukraine et le Kazakhstan, mais on cultive aussi le sarrasin dans de nombreux pays d'Asie, dans les régions à sol pauvre qui ne conviennent pas aux autres céréales.

SES PROPRIÉTÉS ANTICANCER

Protection de l'estomac, de l'intestin et du côlon ● Protection du sein chez la femme

● D'après des études, la consommation régulière d'extraits de protéines de sarrasin réduirait l'incidence des tumeurs du côlon et retarderait l'apparition de tumeurs mammaires. Ces protéines auraient un effet inhibiteur de la prolifération cellulaire en raison de leur composition particulière en acides aminés. Grâce à ses puissants antioxydants (acides phénoliques et flavonoïdes), le sarrasin diminuerait l'apparition de certains cancers et de pathologies liées au vieillissement.

● Le sarrasin est un aliment contenant un ingrédient qui stimule la croissance et l'activité des bonnes bactéries de l'intestin. Ces bactéries libèrent des composés au moment de leur fermentation d'où des effets bénéfiques pour la santé. Le sarrasin serait un bon prébiotique, renforçant les défenses naturelles de l'estomac et du côlon.

SES ATOUTS NUTRITIONNELS

Le sarrasin est peu connu pour ses valeurs nutritives. Pourtant il est peu calorique, rassasiant et énergétique. Outre ses protéines qui contiennent tous les acides aminés essentiels, la graine de sarrasin a une capacité antioxydante supérieure à celle du blé, de l'avoine, de l'orge et du seigle. Elle est riche en fibres, en minéraux – manganèse, magnésium, phosphore –, en zinc, potassium et sélénium. Et comme la majeure partie des céréales, elle regorge de vitamines du groupe B (B2, B3, B5, B6 et B9). Dépourvue de gluten, elle est idéale pour les personnes allergiques ou atteintes de maladie cœliaque. Selon certaines études, une consommation importante de sarrasin permettrait de lutter contre le cholestérol, le diabète, la formation de calculs biliaires, les maladies cardiovasculaires et certains cancers.

Valeurs nutritionnelles pour 100 grammes	Farine de sarrasin
Énergie	347 kcal
Eau	12,3 g
Protéines	9,1 g
Glucides	70,5 g
Amidon	60 g
Fibres	4,2 g

L'ACHETER ET LE CUISINER

Facile à cuisiner. Le sarrasin est vendu en graines, en farine ou en semoule. Il se prête à de nombreuses recettes salées et sucrées : pain maison, biscuits, crêpes, pâtes… On verra une vraie différence par rapport à la farine de blé car les préparations seront beaucoup plus légères. Pour les végétariens, le sarrasin – très riche en protéines – deviendra l'aliment indispensable des repas !
Sa cuisson. Cuire le sarrasin entier une trentaine de minutes dans l'eau bouillante, un peu moins pour du sarrasin concassé. Attention : il devient vite une bouillie s'il est mal cuit. Farcir des galettes de sarrasin avec des légumes grillés (aubergine, poivron, courgette) ou avec un mélange de feuilles d'épinards cuites mélangées à du fromage frais. Sous forme de graines, le sarrasin agrémentera les salades. Au petit déjeuner il se prépare en porridge avec des fruits frais. On peut aussi réaliser du thé détox avec une poignée de graines grillées et infusées 3 à 4 minutes. À boire tous les matins pour drainer les toxines.
Sa conservation. La farine de sarrasin se conserve au frais, deux mois maximum.

SALADE TRÉVISE
AU SARRASIN GRILLÉ

506 KCAL

L 46,1   G 10,2   P 43,7

---

2 petites salades trévises
30 g de graines de sarrasin
1 grosse burrata d'environ 300 g

POUR LA SAUCE AUX ANCHOIS
10 filets d'anchois
6 cuil. à soupe d'huile d'olive
3 cuil. à soupe de vinaigre de vin rouge
le zeste de 1 citron jaune
le jus de 1/2 citron jaune
poivre

1. Préchauffez le four à 200 °C.

2. Placez les graines de sarrasin au four sur du papier sulfurisé et faites-les torréfier quelques minutes jusqu'à ce qu'elles soient dorées. Réservez.

3. Nettoyez bien les trévises, enlevez les premières feuilles extérieures, coupez les autres feuilles grossièrement et placez-les dans un saladier.

4. Préparez la vinaigrette aux anchois : placez les anchois, l'huile d'olive, le vinaigre, le zeste et le jus de citron dans un bol, mixez bien le tout pour obtenir une sauce homogène et liquide. Poivrez à votre convenance.

5. Faites deux grosses entailles en croix sur la burrata et déchirez-la délicatement afin d'obtenir des quartiers irréguliers.

6. Disposez les morceaux de burrata de part et d'autre sur la salade.

7. Versez la sauce aux anchois joliment sur le plat et finissez le dressage en saupoudrant de graines de sarrasin torréfiées.

BOUILLON DE NOUILLES SOBA

418 KCAL

L 36,9   G 51,3   P 11,9

POUR LA GARNITURE
300 g de champignons shiitakés
1/2 chou chinois
2 cuil. à soupe d'huile de sésame
4 cuil. à soupe de sauce soja

POUR LES NOUILLES
260 g de nouilles soba
100 g de ciboule
60 g de chou kale
4 cuil. à soupe de miso
4 cuil. à café de graines de sésame torréfiées

MATÉRIEL SPÉCIFIQUE
4 bols assez profonds

1. Préparez les champignons : coupez-les en fines lamelles et faites-les sauter à feu moyen avec la moitié de l'huile de sésame et de la sauce soja pendant 5 bonnes minutes. Réservez.

2. Faites de même avec le chou chinois coupé en gros quartiers, cette fois à feu doux, avec le reste d'huile de sésame et de la sauce soja. Le chou doit rester un peu croquant. Réservez.

3. Faites cuire les nouilles soba comme indiqué sur le paquet, en retirant 1 minute de cuisson. Puis égouttez-les et rincez-les à l'eau froide pour stopper la cuisson.

4. Pendant la cuisson des pâtes, coupez la ciboule en fines rondelles et coupez le chou kale en petits morceaux. Réservez.

5. Au fond de chaque bol, mettez l'équivalent d'une bonne cuillerée à soupe bombée de miso, puis versez l'équivalent d'une grosse tasse d'eau bouillante et mélangez pour le diluer.

6. Ajoutez les nouilles soba au centre, puis un peu de shiitaké, la ciboule, le chou chinois, une petite poignée de chou kale cru et parsemez de graines de sésame torréfiées. Servez bien chaud !

LE THÉ VERT

Boisson ancestrale, apaisante et relaxante, le thé vert est un puissant antioxydant aux propriétés régénératrices. Son intérêt dans le cadre d'un régime de prévention du cancer a été démontré dans de nombreuses études.

Originaire d'Asie, le thé est l'une des boissons les plus consommées dans le monde, juste derrière l'eau. Rouges, noirs, verts, fumés… il en existe plus de 3 000 variétés obtenues à partir des feuilles de *Camellia sinensis*. C'est uniquement l'environnement, l'altitude, la saison de la récolte et le mode de transformation qui modifient l'apparence et la qualité du thé. La culture et la cérémonie du thé relèvent de l'art en Chine et au Japon. De tous, c'est le thé vert qui est le plus réputé et qui apparaît comme le plus bénéfique pour la santé. En effet, contrairement aux autres types de thé (fermentés ou fumés), il ne subit aucune transformation et conserve toutes ses vertus. Il se présente en feuilles, en poudre ou en briquettes de feuilles comprimées. Ses feuilles sont récoltées sur des arbres âgés de 5 à 50 ans, voire de plus de 1 000 ans pour les « grands crus » ! Les principaux pays producteurs sont l'Inde, la Chine, le Kenya, le Sri Lanka, la Turquie, l'Indonésie.

SES PROPRIÉTÉS ANTICANCER

Puissant antioxydant ● Protection du rein, de l'estomac, du côlon et de la prostate chez l'homme

● La plus importante substance antioxydante du thé est l'EGCG, un polyphénol puissant qui inhibe la croissance tumorale et favorise l'autodestruction des cellules cancéreuses. Il réduit le risque de métastases, inhibe la croissance de plusieurs lignées cellulaires atteintes.

● Beaucoup d'études confirment les propriétés bénéfiques du thé vert dans la prévention du cancer, notamment grâce à la quercétine et au kaempférol qu'il contient. Par exemple, chez les patients atteints de lésions de la bouche, la consommation régulière de thé vert pendant au moins trois mois permet de réduire de plus de 50 % le risque de développer un cancer de la cavité buccale.

● Les polyphénols issus du thé auraient aussi un rôle important en prévention du cancer du rein, de l'estomac, du côlon et de la prostate. Toutefois, il est recommandé de ne pas consommer de thé vert au cours d'un traitement de chimiothérapie.

SES ATOUTS NUTRITIONNELS

Le thé vert est très riche en antioxydants qui aident l'organisme à lutter contre les radicaux libres. Il contient trois principales familles d'antioxydants : les catéchines, les théaflavines et les théarubigines. Son activité antioxydante dépasse même celle des fruits et légumes, son pouvoir est quatre fois supérieur à la vitamine C. Ainsi, deux tasses de thé représentent l'équivalent de sept verres de jus d'orange ! Le thé vert est un bon stimulant contre la fatigue, un bon diurétique et un allié minceur, un hypoglycémiant efficace contre le diabète. Il stimule la mémoire et favorise la santé osseuse. De plus, il contient un acide aminé reconnu pour son effet relaxant, au niveau mental et physique. Enfin, il joue un rôle déterminant dans les fonctions cardio-vasculaires, immunitaires et dans la prévention du cancer.

Valeurs nutritionnelles pour 100 grammes	Thé vert infusé
Énergie	1 kcal
Eau	99,9 g

L'ACHETER ET LE CUISINER

L'art du thé. On préférera du thé en feuilles (en vrac) en petites quantités pour préserver sa fraîcheur. Utiliser plutôt de l'eau de source ou filtrée en carafe. L'eau doit être chaude mais pas bouillante (70 °C environ), car elle brûlerait littéralement les feuilles tendres du thé vert. Dans une théière assez grande pour que les feuilles se déploient parfaitement, laisser infuser entre 2 et 4 minutes pour préserver le goût et toutes les qualités nutritionnelles. En effet, c'est lors des cinq premières minutes d'infusion que sont libérés plus des deux tiers des antioxydants. Il faut boire le thé vert fraîchement infusé. Son goût désaltérant et son contenu – quatre fois plus faible en caféine que les autres thés – en font un pur moment de plaisir !

Pour cuisiner. Vous pouvez tout aussi bien utiliser du thé en sachet.

En été. Pour faire du thé glacé : après infusion, verser dans une carafe remplie de glace avec quelques feuilles de menthe. Des feuilles de thé peuvent aussi farcir un poisson avant d'être cuit à la vapeur ou au four. On peut confectionner gâteaux, muffins, sorbets ou granités à base de thé vert…

À conserver. Dans une boîte étanche, au sec, à l'abri de la lumière dans un endroit frais, mais pas au réfrigérateur.

OCHAZUKE AU MAQUEREAU

839 KCAL

L 17,8 G 51,4 P 30,7

PRÉPARATION 20 MIN ● CUISSON 25 MIN ● FACILE ● €€

400 g de riz rond
japonais
560 ml d'eau
8 filets de maquereau
1 grande feuille
d'algue nori
80 g de radis noir
2 sachets de thé vert
800 ml d'eau bouillante
4 cuil. à soupe
d'œufs de truite
20 g de sésame torréfié
4 cuil. à café
de sauce soja
sel, poivre

MATÉRIEL SPÉCIFIQUE
4 bols assez profonds

1. Préchauffez le four à 190 °C.

2. Rincez le riz à l'eau froide, égouttez-le bien et mettez-le dans une casserole avec 560 ml d'eau. Couvrez. Portez à ébullition à feu fort, puis, quand l'eau bout, baissez et laissez cuire sur feu moyen pendant quelques minutes. Baissez ensuite sur feu doux et laissez cuire pendant 12 minutes (ou le temps indiqué sur le sachet), en laissant le couvercle.

3. Pendant ce temps, préparez les différents éléments. Placez les filets de maquereau sur une plaque allant au four, côté peau vers le bas. Salez, poivrez, puis retournez-les peau vers le haut et enfournez pour 5 à 10 minutes de cuisson. Mettez ensuite le four en position gril et continuez la cuisson pendant 5 minutes afin que la peau soit un peu croustillante.

4. Découpez l'algue nori en très fines lamelles aux ciseaux. Réservez. Épluchez le radis noir et découpez-le en fines tranches (à la mandoline si vous en avez une). Réservez.

5. Faites infuser le thé vert dans 800 ml d'eau bouillante pendant quelques minutes.

6. Lorsque le riz est cuit, placez-en au fond de chaque bol. Ajoutez dessus les rondelles de radis noir, puis 2 filets de maquereau par bol. Complétez avec une cuillerée à soupe d'œufs de truite, puis parsemez de sésame torréfié. Terminez avec des lamelles d'algue et 1 cuillerée à café de sauce soja dans chaque bol.

7. Servez les bols à table avec le thé à côté et laissez chaque personne ajouter le thé dans son bol.

GÂTEAU DE CRÊPES THÉ VERT MATCHA–CHOCOLAT

POUR 4 PERSONNES

526 KCAL

L 25 G 61 P 14

PRÉPARATION 30 MIN ● **REPOS** 20-30 MIN ● **CUISSON** 2 MIN/CRÊPE ● **MOYEN** ● €€

POUR LA PÂTE À CRÊPES AU THÉ VERT MATCHA
3 œufs
35 g de sucre de canne
125 g de farine
10 g de poudre de thé vert matcha
1 gousse de vanille
40 g de beurre fondu
275 ml de lait

POUR LA MOUSSE AU THÉ VERT MATCHA
100 g de yaourt
10 g de poudre de thé vert matcha
45 g de sucre glace
200 ml de crème liquide
1 gousse de vanille

POUR LE GLAÇAGE AU CHOCOLAT
50 g de chocolat noir
45 g de chocolat au lait
70 ml de crème liquide

1. Préparez la pâte à crêpes : dans un grand saladier, mélangez les œufs, le sucre, la farine et la poudre de thé vert matcha. Fendez la gousse de vanille en deux dans la longueur, raclez avec un couteau les graines. Ajoutez-les à la pâte avec le beurre fondu. Mélangez. Diluez la pâte en versant le lait petit à petit. Réservez au frais pendant 20 à 30 minutes.

2. Pendant ce temps, préparez la mousse au thé vert : dans un bol, mélangez le yaourt, la poudre de thé vert et la moitié du sucre glace. Montez la crème liquide en chantilly, avec les graines de vanille et le reste du sucre glace. Mélangez ces deux préparations en veillant à ne pas faire retomber la chantilly : incorporez un peu de chantilly dans le mélange au thé vert pour l'assouplir, puis incorporez le reste de la chantilly en deux fois, à la spatule, du centre vers l'extérieur en tournant le bol au fur et à mesure. Placez la mousse dans une poche à douille ou sinon réservez dans un bol, au réfrigérateur.

3. Faites cuire une vingtaine de crêpes dans une poêle d'environ 20 cm de diamètre.

4. Passez au montage : vous pouvez utiliser un cercle à gâteau de 18 cm de diamètre, sinon veillez à ce que la mousse ne dépasse pas trop des bords. Commencez par une crêpe, ajoutez un peu de mousse, lissez à l'aide d'une cuillère pour avoir une couche fine et d'une épaisseur égale partout. Ajoutez à nouveau une crêpe, appuyez un peu uniformément, ajoutez à nouveau de la mousse et ainsi de suite. Répétez ces opérations jusqu'à ne plus avoir de crêpes ni de mousse, finissez par une crêpe. Tassez légèrement le gâteau de crêpes avant de le mettre au réfrigérateur.

5. Préparez le glaçage : coupez le chocolat en petits morceaux. Faites bouillir la crème liquide, versez-la en trois fois sur les morceaux de chocolat. Mélangez à l'aide d'une spatule : vous devez obtenir un glaçage épais et liquide. Versez-le sur le gâteau de crêpes en le laissant joliment dégouliner sur les côtés. Dégustez aussitôt ou réservez au réfrigérateur.

HIVER

L'ANANAS

Quand exotisme rime avec santé : l'ananas est une bonne source de vitamine C.
Il contient en plus une enzyme, la broméline, aux propriétés anticancer démontrées.
Un superbe fruit à cuisiner sans hésiter !

Fruit originaire d'Amérique du Sud, l'ananas appartient à la grande famille des broméliacées. Le mot « ananas » est dérivé de *naná naná*, qui, en tupi-guarani, la langue parlée par les Indiens guaranis du Paraguay, signifie « parfum des parfums ». Les Espagnols nommèrent ce fruit *piña* parce qu'il ressemble à une pomme de pin. Les Anglais le nommèrent *pineapple* pour la même raison. Christophe Colomb découvrit ce fruit lorsqu'il arriva en Guadeloupe en 1493. Pour les habitants des îles, la tranche d'ananas offerte était un signe d'hospitalité et un cadeau de bienvenue pour les navigateurs, afin qu'ils se désaltèrent après leur long voyage. Ce fruit est récolté 14 à 20 mois après sa plantation sur la plante herbacée vivace du même nom. Il en existe différents types, parmi lesquels les plus connus et les plus commercialisés sont la Cayenne, la Queen, la Red Spanish, la Pernambuco. De grosse ou de petite taille ; à la chair blanche ou dorée ; ferme, fibreuse ou tendre ; juteuse, acide, sucrée, parfumée… à chaque variété sa caractéristique !

SES PROPRIÉTÉS ANTICANCER

Protection du côlon

● Les qualités médicinales de l'ananas sont reconnues par les peuples traditionnels en Amérique du Sud, en Chine et dans le sud-ouest de l'Asie. Elles sont en grande partie attribuées à la broméline. Plusieurs études menées en laboratoire sur des souris ou sur des cellules humaines ont mis en évidence que la broméline peut agir contre les cellules cancéreuses.

● La broméline a montré la capacité à diminuer de façon significative la croissance des cellules cancéreuses, stimuler leur mort cellulaire (apoptose) et réguler l'expression génétique de plusieurs promoteurs du cancer. Les diverses études ont été réalisées sur des cellules de l'estomac, du côlon, de la peau ou encore du cerveau.

● La broméline peut être prise sous forme de complément alimentaire, mais elle est également fournie naturellement par le fruit ; opter pour cette dernière option permettra en plus de bénéficier de l'effet préventif des fibres alimentaires de l'ananas contre le cancer colorectal.

SES ATOUTS NUTRITIONNELS

L'ananas est un fruit très juteux qui mélange la douceur et l'acidité de l'exotisme. Sa chair fraîche contient des fibres alimentaires, ce qui permet de lutter contre la paresse intestinale. Au niveau des vitamines, c'est la vitamine C qui est la plus présente ; un verre de pur jus d'ananas d'environ 260 ml couvre un tiers des apports quotidiens de référence pour cette vitamine. Ce fruit apporte également des minéraux comme le magnésium, le potassium, le calcium. Enfin, la chair d'ananas fournit un autre élément intéressant, la broméline ; il s'agit d'une enzyme de la famille des protéases qui permet l'accélération de la digestion et stimule l'activité de l'intestin grêle.

Valeurs nutritionnelles pour 100 grammes	Ananas frais, pulpe	Ananas, pur jus
Énergie	52,6 kcal	48,5 kcal
Eau	85,8 g	86,3 g
Glucides (dont sucres)	11 g (9,2 g)	11,6 g (11,6 g)
Fibres	1,5 g	0,2 g

L'ACHETER ET LE CUISINER

Bien le conserver. La maturité de l'ananas se reconnaît lorsque ses feuilles se détachent facilement. Comme beaucoup d'autres fruits exotiques, l'ananas supporte très peu les températures froides. Pour le conserver plus longtemps il faut donc éviter de le placer au réfrigérateur.

À déguster. Il s'apprécie frais, en jus, en sauce ou caramélisé ; en préparations sucrées, salées, chaudes ou froides. Grâce à sa saveur sucrée et acidulée, il se marie bien avec les viandes blanches comme la dinde, le poulet et le porc, mais aussi avec du poisson et des crustacés.

Astuce pour les pâtissiers en herbe. La broméline présente dans l'ananas empêche la gélatine d'agir et de prendre. Pour casser cet effet il faut faire bouillir le jus d'ananas avant de l'incorporer dans la préparation avec la gélatine. Cette enzyme fait aussi cailler le lait, c'est pourquoi il vaut mieux ajouter l'ananas au dernier moment de la préparation d'un plat à base de laitages. Pour une boisson très rafraîchissante, mixer de la chair d'ananas avec du jus de citron, du gingembre frais et de l'eau.

POULET AIGRE-DOUX

1081 KCAL

L 7,2 G 74,7 P 18,1

PRÉPARATION 20 MIN ● CUISSON 35 MIN ● FACILE ● €€

1 ananas
20 g de graines
de sésame
400 g de riz complet
500 g de filets de poulet
2 poivrons
1 oignon jaune
180 g de sucre
150 ml de vinaigre
de cidre
90 ml de ketchup
2 cuil. à soupe de soja
4 gousses d'ail
2 cuil. à soupe d'huile
de sésame
sel, poivre

1. Préchauffez le four à 180 °C.

2. Épluchez l'ananas, retirez le cœur, coupez la chair en morceaux et réservez.

3. Placez les graines de sésame sur une plaque recouverte de papier sulfurisé et enfournez pendant 10 minutes environ jusqu'à ce qu'elles soient dorées. Laissez-les refroidir. Réservez.

4. Rincez le riz et plongez-le dans une grande casserole d'eau bouillante, couvrez, baissez le feu et laissez cuire pendant 20 minutes.

5. Pendant ce temps, découpez les filets de poulet en petits morceaux. Réservez. Faites de même avec les poivrons et l'oignon.

6. Préparez la sauce aigre-douce : dans une casserole, mélangez le sucre, le vinaigre de cidre, le ketchup, le soja et l'ail écrasé. Faites chauffer à feu doux pendant 10 à 15 minutes.

7. Pendant que la sauce cuit, faites revenir le poivron rouge puis l'oignon dans une grande sauteuse avec l'huile de sésame pendant 5 minutes, à feu fort. Ajoutez l'ananas, faites revenir 3 à 5 minutes, ajoutez les morceaux de poulet et faites revenir encore 5 minutes à feu moyen.

8. Ajoutez la sauce aigre-douce, qui doit avoir bien épaissi. Faites revenir encore 5 minutes.

9. Placez le riz complet cuit dans un grand plat de service, disposez dessus le poulet aigre-doux, parsemez de sésame torréfié et servez aussitôt !

TARTE À L'ANANAS

307 KCAL

L 31,1   G 56,9   P 12

PRÉPARATION 45 MIN ● CUISSON 55 MIN ● FACILE ● €

1 rouleau de pâte
feuilletée

POUR LA GARNITURE
2 ananas Victoria (soit
environ 400 g
de chair)
35 g de sucre de canne
le jus de 1 citron vert
1 bouchon de rhum

POUR LA CRÈME
1 petit-suisse
30 g de beurre
pommade
50 g de sucre de canne
45 g de poudre
d'amande
40 g de noix
de coco râpée
le zeste de 1 citron vert
1 œuf

POUR LA FINITION
20 g de noix
de coco râpée

1. Préchauffez le four à 180 °C.

2. Étalez le rouleau de pâte feuilletée sur une plaque recouverte de papier sulfurisé et retroussez les bords de la pâte. Piquez-la à l'aide d'une fourchette et enfournez pendant 15 minutes.

3. Pendant ce temps, coupez les bases des ananas en veillant à bien enlever tous les œillets, puis coupez les côtés en grosses tranches afin de tailler de gros cubes de chair.

4. Sortez la pâte feuilletée du four, aplatissez le centre qui aura certainement un peu gonflé et gardez-la de côté. Placez les cubes d'ananas dans un plat allant au four, saupoudrez le sucre de canne, versez le jus de citron vert et le rhum. Enfournez pour 20 minutes environ en remuant à mi-cuisson.

5. Préparez la crème à la noix de coco : mélangez le petit-suisse, le beurre pommade, le sucre, la poudre d'amande, la noix de coco râpée, le zeste de citron vert et l'œuf. Fouettez le tout pour obtenir un mélange bien homogène.

6. Étalez cette crème de coco sur la tarte, puis parsemez des cubes d'ananas rôtis. Finissez en saupoudrant de noix de coco râpée.

7. Enfournez pendant 20 à 25 minutes. La tarte doit être juste dorée. Dégustez !

LA CAROTTE

La carotte offre une palette pigmentée et vitaminée, c'est un allié du quotidien contre le cancer pour les personnes qui ne fument pas. Mais les fumeurs doivent être beaucoup plus prudents avec le bêtacarotène qu'elle contient.

De la famille des apiacées, ce légume-racine aurait été découvert il y a cinq mille ans sur les terres d'Afghanistan. Sa place importante dans notre alimentation est relativement récente ; en effet la carotte a longtemps été consommée de façon marginale et les Grecs qui la connaissaient l'utilisaient surtout pour ses propriétés médicinales. Au Moyen Âge, elle ne faisait pas partie des légumes nobles en raison de sa couleur blanchâtre. En fait, sa couleur orange est apparue au XIXe siècle. Ce sont les Hollandais qui ont réalisé des croisements naturels entre plusieurs espèces. Aujourd'hui, c'est la variété orange qui domine le marché mondial. Cependant, avec l'essor des légumes anciens, d'autres variétés réapparaissent comme les carottes marron, violettes ou blanches. La carotte est cultivée dans le monde entier à l'exception des régions tropicales. Dans les jardins potagers, les premières cultures se font au printemps et les plus tardives en été, ce qui permet de constituer des réserves pour l'hiver !

SES PROPRIÉTÉS ANTICANCER

Protection du poumon chez le non-fumeur, de l'œsophage et, chez la femme, protection du sein et de l'utérus

● On le sait : la consommation des fruits et légumes riches en carotène est idéale pour rester en bonne santé. Or la carotte est riche en caroténoïdes et ses antioxydants jouent un rôle efficace dans la prévention de certains cancers comme celui de l'œsophage et du col de l'utérus. Attention toutefois : si le bêtacarotène protège les populations non fumeuses contre le cancer du poumon, il augmenterait les risques chez les populations de fumeurs.

● Outre le carotène, la carotte contient naturellement du falcarinol qui a des effets très bénéfiques contre le cancer du côlon. Par ailleurs, selon plusieurs études épidémiologiques, les hommes qui mangent des carottes trois fois par semaine réduiraient de 20 % le risque de développer une tumeur prostatique.

● Chez les femmes, une consommation de plus de trois carottes par semaine diminuerait le risque de cancer du sein de près de 48 %.

SES ATOUTS NUTRITIONNELS

La carotte est d'abord un bon aliment minceur qui, contrairement à ce qu'on pourrait croire, a une charge glycémique plutôt faible. Crue, cuite ou en jus, la carotte orange regorge de bienfaits. En effet, sa teneur élevée en caroténoïdes (principalement le bêtacarotène, la lutéine et le zéaxanthine) lui confère des propriétés antioxydantes exceptionnelles. Plus la carotte est colorée, plus elle contient de caroténoïdes. La carotte violette en est très riche tandis que la carotte blanche en est totalement dépourvue.

Ensuite, c'est un concentré de vitamines (B1, B2, B3, B6, B9, C, E, provitamine A), de fer, de phosphore et de potassium. Mieux que toutes les crèmes antiâge, la carotte préserve la peau, s'oppose aux radicaux libres et ralentit le vieillissement! Elle favorise en outre le bon fonctionnement des systèmes nerveux, musculaire et intestinal. L'apport simultané de fibres et de caroténoïdes en fait un légume particulièrement « protecteur » contre le cholestérol, l'athérosclérose, les maladies cardio-vasculaires et certains cancers.

Valeurs nutritionnelles pour 100 grammes	Carotte crue
Énergie	36,3 kcal
Eau	89,4 g
Sucres	4,9 g
Fibres	2,2 g

L'ACHETER ET LA CUISINER

Comment les choisir. La première étape consiste à bien choisir les carottes que l'on achète ; les racines doivent être fermes et les feuilles vertes et fraîches. Pour les préparer il faut d'abord couper les fanes, puis les laver soigneusement sous un filet d'eau pour enlever toute la terre.

À croquer, siroter ou mijoter… Les vitamines sont concentrées sous la peau de la carotte, aussi est-il bon d'éviter de l'éplucher. En ce cas, on pourra se fournir en légumes issus de l'agriculture raisonnée ou biologique, ou même commencer un potager soi-même. Il est possible d'alterner les modes de cuisson – rôtie, au four –, mais pour préserver toute sa vitamine C, cuire la carotte à la vapeur, dans un autocuiseur et limiter le temps de cuisson. En jus, elle met tout de suite de bonne humeur grâce à son goût frais et vitaminé ; crue, râpée, elle accompagne naturellement toutes les salades ; en flan ou soufflé, elle est excellente avec du gruyère et du persil.

CAROTTES NOUVELLES RÔTIES ET GRANOLA AUX GRAINES

255 KCAL

L 34,7   G 45,3   P 20

PRÉPARATION 20 MIN ● CUISSON 45 MIN ● FACILE ● €

700 g de carottes nouvelles
60 g de graines de courge
15 g de graines de pavot
10 g de graines de sésame
20 g de graines de sarrasin non grillé
1 cuil. à café de cumin
1 cuil. à café de paprika
1 pincée de piment d'Espelette
2 cuil. à soupe d'huile d'olive
sel, poivre

POUR LA SAUCE À LA MENTHE
1 botte de menthe
300 g de yaourt (environ 2,5 pots)

1. Préchauffez le four à 180 °C.

2. Épluchez les carottes, laissez-les entières et réservez-les.

3. Préparez les graines : mélangez-les avec les épices dans un bol. Ajoutez 1 petite cuillerée à soupe d'huile d'olive, amalgamez. Salez, poivrez.

4. Répartissez ce mélange sur une plaque recouverte de papier sulfurisé et enfournez pendant 15 minutes en remuant à mi-cuisson comme pour un granola.

5. Laissez refroidir ensuite les graines pour qu'elles soient bien croustillantes.

6. Dans un grand plat allant au four, ou sur une plaque recouverte de papier sulfurisé, déposez les carottes nouvelles entières et légèrement grattées. Ajoutez le restant d'huile d'olive en filet, salez et poivrez. Mélangez pour bien enrober les carottes d'assaisonnement. Enfournez pendant 30 minutes.

7. Préparez la sauce : mixez ensemble le yaourt et la menthe. Salez, poivrez.

8. Au moment de servir, disposez les carottes nouvelles dans un plat de service et parsemez du granola aux graines et aux épices. Servez avec la sauce au yaourt !

CARROT CAKE

563 KCAL

L 44,7   G 45,6   P 9,7

PRÉPARATION 20 MIN ● CUISSON 30 MIN ● FACILE ● €

POUR LE GÂTEAU

2 gros œufs
50 g de sucre de canne
50 g de sucre blanc
100 ml d'huile
d'arachide
70 g de farine
60 g de poudre
d'amande
60 g de noix hachées
1 cuil. à café
de cannelle
1/2 cuil à café
de gingembre moulu
1/4 de cuil. à café
de noix de muscade
1 sachet de levure
chimique
1 pincée de sel
200 g de carottes
râpées
30 g de raisins secs
le zeste de 1 orange

POUR LE GLAÇAGE

30 g de beurre mou
50 g de sucre glace
150 g de *cream cheese*
(ou fromage frais
à tartiner)

MATÉRIEL SPÉCIFIQUE

1 moule à cake ou rond,
ou bien 6-8moules
individuels

1. Préchauffez le four à 180 °C.

2. Battez ensemble les œufs et les sucres jusqu'à obtenir un mélange bien mousseux. Ajoutez l'huile petit à petit en continuant de bien fouetter.

3. Dans un autre bol, mélangez tous les ingrédients secs : la farine, la poudre d'amande, les noix hachées finement, les épices, la levure et le sel.

4. Intégrez ce mélange sec aux œufs battus. Ajoutez les carottes râpées, les raisins et le zeste d'orange et mélangez bien.

5. Recouvrez le ou les moule(s) à gâteau de papier sulfurisé suivant que vous souhaitez faire un seul gros gâteau ou plusieurs petits individuels. Versez l'appareil dans le(s) moule(s) et faites cuire pendant environ 30 minutes. Le temps de cuisson va varier en fonction de la forme et de la taille du moule utilisé. Je vous conseille de surveiller régulièrement la cuisson à partir d'environ 15 minutes. Pour vérifier si le gâteau est cuit, plantez dedans un couteau qui doit ressortir propre.

6. Laissez le gâteau refroidir, de préférence en dehors du moule, sur une grille, pour que l'air chaud puisse sortir.

7. Préparez le glaçage : mélangez le beurre et le sucre jusqu'à obtenir un mélange homogène. Ajoutez le *cream cheese* et mélangez bien. Le glaçage doit être lisse, donc tous les ingrédients bien intégrés, mais il faut éviter de trop travailler le *cream cheese* afin qu'il ne perde pas de sa fermeté.

8. Nappez joliment le gâteau bien froid avec le glaçage.

9. Vous pouvez le déguster immédiatement, mais je vous conseille de le garder quelques heures au réfrigérateur, il sera encore meilleur !

LE CHOCOLAT

C'est un plaisir qui vous fait du bien, le chocolat est riche en fibres et en magnésium, et le chocolat noir a un potentiel antioxydant remarquable !

L'origine du cacaoyer remonte à celle des civilisations d'Amérique centrale. Les Aztèques et les Mayas sont probablement les premiers à avoir consommé un breuvage épicé à base de fève de chocolat, considéré alors comme nourrissant et fortifiant. Les Espagnols ont ensuite fait connaître le chocolat en Europe sous forme de boisson liquide réservée à une certaine élite. Et ce n'est qu'au XIXe siècle qu'ont été inventées les différentes formes de chocolat dont nous raffolons aujourd'hui et dont nous consommons en moyenne près de 7 kilos par an ! La pâte de cacao est obtenue à partir de la fève, après que cette dernière a subi plusieurs étapes de transformation : fermentation, torréfaction, broyage et extraction d'une partie de la matière grasse (appelée aussi beurre de cacao). Le chocolat est le fruit du mélange, en proportions variables, entre la pâte de cacao, le beurre de cacao et le sucre.

SES PROPRIÉTÉS ANTICANCER

Puissant antioxydant, en plus de remonter le moral, protège contre les radicaux libres

● Le chocolat noir fait partie des aliments les plus riches en polyphénols et possède de ce fait de fantastiques propriétés antioxydantes. Comme le thé vert et le vin, le cacao contient de nombreuses catéchines, des composés de la famille des flavonoïdes, qui s'assemblent pour former des proanthocyanidines. Ces derniers sont responsables de l'astringence du chocolat noir. Les catéchines et les proanthocyanidines ont des propriétés antioxydantes qui leur permettraient de lutter contre le stress oxydatif dans l'organisme.

● La consommation d'une quantité modeste de cacao a ainsi été associée à une augmentation de la capacité antioxydante du sang. Selon plusieurs études menées en laboratoire, les proanthocyanidines auraient par ailleurs la capacité de limiter le développement des tumeurs grâce à plusieurs mécanismes. Ils inhiberaient la croissance des cellules cancéreuses en diminuant la quantité de récepteurs EGFR à leur surface (récepteurs à facteur de croissance). Les proanthocyanidines seraient aussi impliqués dans le ralentissement de la prolifération des tumeurs par inhibition de l'angiogenèse – la construction d'un réseau de vaisseaux sanguins à proximité d'une tumeur.

● Enfin, la consommation de chocolat noir contribue à augmenter ses apports en fibres, reconnues pour leur rôle protecteur contre le cancer, ainsi qu'en magnésium qui contribue à la réplication et la réparation de l'ADN.

SES ATOUTS NUTRITIONNELS

Le chocolat est un aliment énergétique par excellence. En effet qu'il soit noir, au lait ou blanc, un carré de 10 g apporte environ 55 kcal, ce qui n'est pas négligeable. Cependant tous les chocolats ne se valent pas. D'un point de vue nutritionnel, le carré de chocolat noir à 70 % de cacao (ou plus) est à privilégier. Riche en fer d'origine végétale et en fibres, il est également source de magnésium. Le chocolat au lait et le chocolat blanc sont moins riches en lipides mais sont très sucrés.

Valeurs nutritionnelles pour 100 grammes	Chocolat noir à 70 % de cacao minimum	Chocolat au lait en tablette	Chocolat blanc
Énergie	572 kcal	545 kcal	551 kcal
Lipides	41,9 g	31,6 g	32 g
Sucres	21,3 g	50,5 g	57,1 g
Fibres	12,6 g	1,2 g	0 g

L'ACHETER ET LE CUISINER

Savoir le conserver. Le chocolat se conserve dans son emballage d'origine, à l'abri de la chaleur, de la lumière et de l'humidité. Il ne faut surtout pas le mettre au réfrigérateur car le froid modifie sa saveur. Au-delà des aspects nutritionnels, sa qualité dépend aussi de ses ingrédients.

Des qualités variables. Certains chocolats contiennent en effet des huiles végétales, des émulsifiants, des agents de conservation ou de la paraffine qui altèrent sa qualité. Un coup d'œil sur la liste des ingrédients vous permettra de faire un choix avisé. Sachez aussi que la quantité de flavonoïdes contenue dans le chocolat dépend de sa teneur en cacao et en lait. Plus un chocolat est riche en poudre de cacao, plus il contient de flavonoïdes. Ainsi, c'est la poudre de cacao qui renferme le plus de flavonoïdes, suivie du chocolat noir et du chocolat au lait. Quant au chocolat blanc, il ne contient pas une once de flavonoïdes car il est fabriqué à partir de beurre de cacao seulement ! Si le chocolat noir n'est pas votre préféré, pourquoi ne pas alterner avec le chocolat au lait, sans en abuser ?

———————

TARTE CAPPUCCINO

711 KCAL
L 42,8   G 47,7   P 9,5

PRÉPARATION 50 MIN ● REPOS 1 H 10 ● CUISSON 30 MIN ● MOYEN ● €

POUR LA PÂTE SUCRÉE
200 g de farine
65 g de sucre glace
25 g de poudre
d'amande
2 g de sel
120 g de beurre doux
1 œuf

POUR LA CRÈME CAFÉ
100 ml de crème liquide
2 grosses cuil. à café
de café soluble
150 g de mascarpone
25 g de sucre glace

POUR LA GANACHE
180 g de chocolat noir
80 g de chocolat au lait
180 ml de crème liquide
25 g de cacao
en poudre

MATÉRIEL SPÉCIFIQUE
1 moule à tarte de
20-22 cm de diamètre
ou 6 moules individuels

1. Préparez la pâte sucrée : mélangez dans un bol tous les ingrédients secs. Intégrez le beurre coupé en petits cubes avec le bout des doigts comme si vous faisiez un crumble. Ajoutez l'œuf et mélangez pour obtenir une pâte homogène. Placez la pâte sur le plan de travail et écrasez-la, sans trop la travailler, avec la paume de la main pour bien amalgamer tous les ingrédients. Dès que la pâte est homogène, enroulez-la d'un film plastique et laissez-la reposer pendant 30 minutes au réfrigérateur.

2. Préparez la crème café : faites chauffer 3 cuillerées à soupe de crème liquide, versez le café soluble en mélangeant jusqu'à ce qu'il soit dissous. Laissez refroidir, puis intégrez cette crème au mascarpone et mélangez bien. Montez le reste de la crème liquide en chantilly avec le sucre glace. À l'aide d'une spatule, intégrez-la à la préparation au mascarpone en plusieurs fois en veillant à garder un mélange aérien. Réservez au frais.

3. Préchauffez le four à 180 °C.

4. Reprenez la pâte, étalez-la et placez-la dans le moule, piquez le fond à l'aide d'une fourchette, recouvrez de haricots secs ou de riz enrobés dans de l'aluminium. Cela va permettre à la pâte de précuire sans que les bords s'affaissent dans le moule. Enfournez, puis, au bout de 15 minutes, ôtez le riz et laissez cuire encore 15 minutes. Laissez refroidir le fond de tarte à température ambiante.

5. Préparez la ganache : coupez les chocolats en petits morceaux. Faites chauffer la crème (sans la faire bouillir) et versez-la en trois fois sur les morceaux de chocolat. Mélangez à l'aide d'une spatule pour obtenir un mélange soyeux. Versez la ganache encore chaude sur les tartes refroidies, jusqu'en haut. Laissez prendre au réfrigérateur 1 heure.

6. Une fois la ganache durcie, ajoutez dessus la chantilly café, éventuellement à la poche à douille pour un résultat parfait ! Saupoudrez du cacao en poudre.

7. Vous pouvez déguster les tartes aussitôt, mais elles seront encore meilleures après 1 heure ou 2 passées au réfrigérateur. Elles se conservent deux jours au frais.

SCONES AU CHOCOLAT

PRÉPARATION 15 MIN ● CUISSON 20 MIN ● MOYEN ● €

312 KCAL

L 19   G 71   P 10

500 g de farine
2 sachets de levure
chimique
1 pincée de cannelle
1 pincée de sel
80 g de sucre de canne
80 g de beurre ramolli
300 g de chocolat noir
100 g de raisins secs
2 œufs
200 ml de lait

1. Préchauffez le four à 200 °C.

2. Dans un grand bol, placez tous les ingrédients secs ensemble : farine, levure, cannelle, sel et sucre. Comme si vous faisiez un crumble, ajoutez le beurre en petits morceaux et incorporez-le grossièrement du bout des doigts aux éléments secs petit à petit, mais pas totalement.

3. Ajoutez le chocolat coupé grossièrement et les raisins secs.

4. Battez les œufs et ajoutez-les ainsi que le lait (gardez-en un tout petit peu pour la finition) et mélangez jusqu'à obtenir une pâte homogène. Pour réussir des scones, il ne faut surtout pas trop travailler la pâte, sinon les scones seront secs. Il doit également rester des petits morceaux de beurre visibles.

5. Étalez la pâte sur une plaque recouverte de papier sulfurisé. Vous pouvez découper des ronds à l'aide d'un emporte-pièce ou placer toute votre pâte sur la plaque et, à l'aide d'un couteau, la prédécouper en parts.

6. Badigeonnez les scones de lait et placez-les au four pendant 15 à 20 minutes jusqu'à ce qu'ils soient bien dorés.

7. À déguster chauds en sortant du four ou bien le lendemain en les passant 5 minutes dans un four bien chaud pour qu'ils ne soient pas secs.

LE CHOU

Sain et peu calorique, il sera un véritable allié de votre organisme face aux maladies, ses nombreux antioxydants protègent en particulier les poumons et l'appareil digestif. Certains de ses composants seraient même susceptibles de limiter le développement de certains cancers. Ne soyez pas rebuté par son côté rustique, le chou est vraiment un atout santé.

Chou blanc, chou vert, chou rouge, choux de Bruxelles, chou-fleur… ils appartiennent tous à la famille des crucifères ou brassicacées, comme le radis, le navet ou le cresson. Leur culture en tant que légume, développée à partir de formes sauvages de l'Europe de l'Ouest et de l'Europe méridionale, remonte à l'Antiquité. Au Moyen Âge, on utilisait le chou comme plante médicinale ou comme base de soupe. La choucroute, qui allait bénéficier d'une forte notoriété, était déjà mentionnée au XIVe siècle. Populaire, le chou est lié à quantité de dictons et légendes (ainsi dit-on que « les enfants naissent dans des choux »). Aliment de base des paysans, il fut aussi accepté par la noblesse et la royauté qui lui reconnaissaient un pouvoir protecteur contre le scorbut. Le chou est demeuré un aliment « rustique », associé à l'image d'un légume qui embaume toute la maison… Pourtant, il est facile à cultiver car très résistant, ce qui le rend très disponible et bon marché.

SES PROPRIÉTÉS ANTICANCER

Action protectrice sur les poumons et l'appareil digestif

● Différentes études ont montré que la consommation régulière de chou jouerait un rôle dans la prévention de certains cancers. Grâce à ses propriétés antioxydantes, le chou diminue le risque de maladies cardio-vasculaires, de cholestérol, et protège des radicaux libres.

● Les nombreux antioxydants qu'il contient sont très intéressants : ainsi ses composés phénoliques limiteraient la croissance des cellules cancéreuses et favoriseraient leur autodestruction. Les anthocyanines, présentes principalement dans le chou rouge, ont une forte activité antioxydante qui permettrait d'inhiber la formation de tumeurs malignes. Le chou possède aussi une activité bactéricide – notamment sur une bactérie responsable des ulcères de l'estomac. Les recherches montrent que le chou aurait une action protectrice contre le cancer du poumon et de l'appareil digestif.

● Les composants du chou (glucosinolates) s'activent au contact d'une enzyme lors de la mastication et produisent une molécule susceptible de limiter le développement du cancer. Chez les femmes, la consommation régulière de chou aiderait à la prévention du cancer des ovaires et du cancer des reins. Les choux contiennent aussi des composés indoles qui agiraient contre les cancers du côlon, de l'estomac, de l'œsophage, du rectum et de la vessie.

SES ATOUTS NUTRITIONNELS

Sous ses airs peu glamour, le chou renferme de nombreuses qualités nutritionnelles. Il suffit de bien savoir le cuisiner pour obtenir tous ses bienfaits ! Tonifiant, il couvre 50 % de nos besoins en vitamines B1 et en vitamines A et E. Il traite la fatigue et permet de rester en forme tout l'hiver. Riche en minéraux et en fibres, il facilite le transit intestinal, soulage les douleurs gastriques, favorise une bonne circulation sanguine. Dans le cadre d'un régime diététique, le chou bat tous les records : très peu calorique, il stimule la perte de sucres et de graisses en favorisant l'élimination des toxines. C'est une bonne source de vitamines C, B1, B6, B9, K et d'acide folique, de fer (notamment le chou rouge) et de manganèse.

Valeurs nutritionnelles pour 100 grammes	Chou rouge cru	Chou blanc cru
Énergie	33 kcal	29 kcal
Eau	90,2 g	91,5 g
Fibres	2,3 g	1,7 g

L'ACHETER ET LE CUISINER

Astuce de préparation. Il rebute parfois pour sa réputation de légume difficile à digérer. Il y a pourtant quelques astuces pour éviter les dérivés soufrés malodorants qu'il contient : le râper finement et le manger cru. Pour le cuire, il faut toujours le blanchir 5 minutes à l'eau bouillante, puis opter pour une cuisson à la poêle, à la vapeur ou à l'étouffée. Pour une cuisson à grande eau, en marmite, ne pas hésiter à ajouter quelques graines de cumin, de fenouil ou d'anis.

Idées de recettes. Pour une soupe aux choux simplissime, prendre un cœur de chou vert, du lard salé, trois oignons, trois carottes, trois pommes de terre et un clou de girofle. En salade, ajouter au chou cru des raisins secs.

———

ROULEAUX DE PRINTEMPS VEGGIE

94,9 KCAL

L 18,2   G 68   P 13,8

PRÉPARATION 40 MIN ● FACILE ● €

1 grosse carotte
1/2 concombre
1 avocat
80 g de chou rouge
1/2 botte de coriandre
1/2 botte de menthe
1 citron vert
40 g de vermicelles
de riz
12 feuilles de riz
100 g de sauce à
rouleaux de printemps

Le plus délicat est de maintenir la garniture et de bien serrer les rouleaux de printemps. Si vous êtes trop généreux en garniture, vous aurez du mal à les fermer. Quoi qu'il arrive, c'est un coup de main à prendre, les premiers sont souvent les moins réussis mais au bout de quelques essais, cela devient plus facile !

1. Préparez les légumes. Taillez les carottes et les concombres en fins bâtonnets d'environ 8 cm de long. Coupez l'avocat en fines lamelles. Coupez le chou rouge en lanières très fines. Effeuillez la coriandre et la menthe. Coupez le citron vert en deux. Conservez chaque ingrédient à part, vous devez tout avoir à disposition pour garnir les rouleaux de printemps !

2. Placez ensuite les vermicelles de riz dans un bol d'eau très chaude pendant environ 10 minutes.

3. Avant de commencer l'assemblage des rouleaux, préparez un torchon humide sur le plan de travail ainsi qu'une assiette creuse remplie d'eau tiède et toutes les garnitures de légumes dans des bols séparés.

4. Commencez l'assemblage : trempez une feuille de riz dans l'eau tiède jusqu'à ce qu'elle soit bien ramollie. Placez-la ensuite sur le torchon humide. Au centre, placez deux feuilles de menthe vers l'extérieur, puis un peu de carotte, de concombre, de chou rouge et d'avocat. Ajoutez quelques gouttes de jus de citron vert sur l'avocat, quelques feuilles de coriandre et finissez par un peu de vermicelles de riz. Veillez à garder la garniture bien au centre. Repliez les deux côtés, puis rabattez la partie la plus proche de vous, tout en maintenant la garniture, et repliez votre rouleau de printemps.

5. Avant de servir, coupez-les en deux de biais pour qu'on y distingue toutes les belles couleurs, et dégustez avec la sauce.

PÂTES AU CHOU-FLEUR

644 KCAL

L 14,6   G 65,2   P 20,1

PRÉPARATION 10 MIN ● CUISSON 20 MIN ● FACILE ● €

40 g d'amandes
700 g de sommités
de chou-fleur
350 g de spaghettis
1 cuil. à soupe d'huile
4 gousses d'ail
le jus et le zeste
de 1 citron jaune
30 g de câpres
50 g de parmesan
20 g de beurre
1 botte de persil
sel, poivre

1. Préchauffez le four à 180 °C.

2. Placez les amandes sur une plaque recouverte de papier sulfurisé et enfournez une dizaine de minutes jusqu'à ce qu'elles soient dorées. Laissez-les refroidir, puis concassez-les grossièrement. Réservez.

3. Faites cuire les sommités de chou-fleur dans de l'eau bouillante salée pendant 1 à 2 minutes. Elles doivent être à peine cuites. Égouttez-les et réservez-les.

4. Faites bouillir de l'eau pour les pâtes, faites-les cuire en retirant 1 minute au temps de cuisson indiqué sur le paquet.

5. Pendant ce temps, faites chauffer l'huile d'olive dans une poêle. Ajoutez les gousses d'ail épluchées, puis les sommités de chou-fleur. Salez, poivrez, puis ajoutez le zeste et jus de citron jaune et les câpres. Faites revenir pendant 5 à 10 minutes à feu moyen.

6. Râpez le parmesan et ciselez le persil. Réservez à part.

7. Au moment d'égoutter les pâtes, gardez de côté un verre d'eau de cuisson.

8. Placez les pâtes dans la poêle à feu moyen, puis ajoutez l'eau de cuisson, le parmesan, le beurre, et mélangez bien pendant 1 à 2 minutes ; cela va former un liant pour éviter que les pâtes sèchent. Éteignez le feu, ajoutez le persil et les amandes.

9. Servez aussitôt sinon les pâtes vont sécher !

LE CURCUMA

Le curcuma, cette épice aux mille vertus, outre ses actions bénéfiques
dans certaines maladies, est l'aliment anticancer par excellence dans un régime
préventif. C'est aussi une merveilleuse épice qui saura relever vos plats !

Connu depuis l'Antiquité pour ses vertus médicinales, le curcuma est un colorant jaune obtenu en broyant la racine (rhizome) du *Curcuma longa*, une plante d'environ un mètre, originaire du sud de l'Asie. Les premières traces de l'utilisation du curcuma remontent au VIIe siècle dans la médecine chinoise et indienne. Le curcuma appartient à la famille des zingibéracées, comme le gingembre et la galanga. Aussi appelé le « safran des Indes », il est aujourd'hui cultivé en Inde, en Chine, à l'île Maurice et à la Réunion. S'il est utilisé en tant que colorant et teinture, c'est sa saveur exotique qui en fait son succès. Dans la cuisine, il entre dans la composition du fameux curry, il relève les plats et colore naturellement les viandes et les légumes. Saviez-vous qu'il possède aussi de nombreux bienfaits pour la santé ? Le curcuma est d'ailleurs l'un des éléments essentiels de la médecine ayurvédique (indienne) et des médecines traditionnelles asiatiques.

SES PROPRIÉTÉS ANTICANCER

Puissant antioxydant, protège et aide à lutter contre de nombreux cancers

● Les effets antioxydants et anti-inflammatoires de la curcumine joueraient un rôle dans la prévention et le traitement du cancer. La curcumine inhiberait la prolifération des cellules cancéreuses tout en favorisant la fabrication d'enzymes. Des études épidémiologiques montrent en effet que certains types de cancers sont plus rares (côlon, sein, prostate, poumon) dans les pays asiatiques où l'on consomme beaucoup de curcuma.

● Utilisée seule ou en association avec la chimiothérapie, la curcumine (8 g/jour) permettrait, dans certains cas, de stabiliser l'évolution du cancer du pancréas et du cancer colorectal. Il a été démontré que la consommation

de curcumine durant plusieurs mois faisait régresser les lésions précancéreuses comme les polypes intestinaux. La curcumine pourrait être utile en tant que traitement adjuvant du cancer : elle pourrait augmenter les effets thérapeutiques de la radiothérapie et de la chimiothérapie en rendant les cellules cancéreuses plus sensibles à ces traitements, tout en réduisant leurs effets indésirables.

SES ATOUTS NUTRITIONNELS

Le curcuma contient différents nutriments mais ce sont surtout les curcuminoïdes (ces pigments jaunes qui lui donnent sa couleur) qui le rendent particulièrement intéressant : ce sont des antioxydants très puissants, qui permettent de lutter contre les radicaux libres. Cette épice est connue dans le traitement des troubles inflammatoires dont les douleurs arthritiques ou rhumatismales. Elle sert à traiter les ulcères de l'estomac et les troubles du foie, réduit l'hyperlipidémie et le risque de maladies cardio-vasculaires. L'efficacité des rhizomes du curcuma est reconnue contre les troubles digestifs, les nausées, la perte d'appétit mais aussi dans l'amélioration des fonctions biliaires. Cette épice serait aussi bénéfique sur la maladie de Crohn et la maladie d'Alzheimer. Enfin de récentes études montrent que le curcuma aurait un effet préventif contre le diabète. Pensez-y : pour profiter au maximum des bienfaits de cette précieuse épice, il faut ajouter du poivre noir fraîchement moulu, qui améliore l'absorption des curcuminoïdes.

Valeurs nutritionnelles pour 100 grammes	Curcuma
Énergie	3,1 kcal
Fibres	0,2 g

L'ACHETER ET LE CUISINER

Relever les plats. Cette épice est généralement utilisée en poudre, mais vous pouvez trouver du rhizome frais dans certaines épiceries asiatiques. Elle entre facilement dans la composition de nombreux plats et mélanges d'épices : une petite cuillerée suffit pour colorer et parfumer le riz, les sautés de légumes, les volailles ! Elle aromatise aussi les soupes, les tajines, les sauces. Essayer la soupe de carottes menthe curcuma (effet détox garanti), les brochettes de poulet au curry et au gingembre…

Conservation. Afin de profiter de toutes les qualités de cette épice, en acheter de petites quantités. Le curcuma frais se conserve au réfrigérateur pendant une à deux semaines dans un sac plastique perforé. En poudre, il doit être conservé à l'abri de la lumière dans un contenant opaque. Il se conservera ainsi un an.

PAV BHAJI

349 KCAL

L 13,1 G 70,4 P 16,5

300 g de pommes
de terre
2 carottes
400 g de chou-fleur
100 g de petits pois
1/2 poivron vert
sel, poivre

LES ÉPICES

4 gousses d'ail
3 oignons rouges
200 g de tomates
2 cuil. à soupe
d'huile d'olive
1,5 cuil. à café
de garam masala
1,5 cuil. à café
de cumin en poudre
1 cuil. à café rase
de piment
1 cuil. à café
de curcuma

POUR LA FINITION

1 botte de coriandre
fraîche
2 citrons verts

POUR L'ACCOMPAGNEMENT

4 petits pains type
muffin ou pain
à hamburger

1. Faites cuire ensemble les légumes à la vapeur ou dans une casserole d'eau chaude : les pommes de terre, les carottes épluchées et coupées grossièrement en morceaux, les sommités de chou-fleur, les petits pois et le poivron vert vidé. Ils doivent tous être bien cuits et très tendres.

2. Salez et poivrez légèrement, puis écrasez le tout grossièrement dans un plat à part. Vous ne devez ni obtenir une consistance trop lisse, ni laisser de trop gros morceaux de légumes. Réservez.

3. Pendant la cuisson de vos légumes, mixez ensemble assez finement l'ail, l'oignon et les tomates. Salez et poivrez.

4. Faites chauffer l'huile dans une grande sauteuse, puis versez-y le mélange à base d'oignon. Ajoutez toutes les épices, mélangez bien et faites chauffer à feu moyen pendant une dizaine de minutes, jusqu'à ce que le mélange brunisse un peu.

5. Ajoutez à ce moment-là le mélange de légumes ainsi qu'un grand verre d'eau et faites revenir à feu très doux pendant 30 minutes. N'hésitez pas à ajouter de l'eau au fur et à mesure pour ne pas avoir une consistance trop compacte.

6. Effeuillez la coriandre, coupez les citrons verts en quartiers.

7. Au moment de servir, parsemez de coriandre fraîche. Servez avec des quartiers de citron vert, ainsi qu'un pain toasté par personne.

BOULETTES DE CABILLAUD DE MA GRAND-MÈRE

237 KCAL

L 29,8   G 14,9   P 55,3

PRÉPARATION 15 MIN ● CUISSON 15 MIN ● REPOS 10 MIN ● FACILE ● €€

400 g de filets
de cabillaud
6 cuil. à soupe
de semoule moyenne
2 cuil. à café
de curcuma
4 gousses d'ail
1 petite botte
de persil plat
2 œufs
sel, poivre

POUR LA SAUCE
3 cuil. à soupe
d'huile d'olive
1 cuil. à café
de curcuma
1/2 cuil. à café
de paprika
1 verre d'eau
le jus de 2 citrons

1. Hachez le cabillaud grossièrement. Placez-le dans un bol, salez et poivrez.

2. Ajoutez la semoule, le curcuma, l'ail écrasé, le persil haché finement et les œufs. Mélangez bien avec vos mains pour tout incorporer et bien répartir tous les ingrédients.

3. Humidifiez vos mains afin que la préparation ne colle pas, puis formez des boulettes d'environ 2 cm d'épaisseur et 8 cm de large (de la taille d'un citron environ). Si vous voyez qu'elles se défont, n'hésitez pas à les placer pendant une dizaine de minutes au réfrigérateur, cela devrait aider un peu à les rendre compactes.

4. Préparez la sauce : faites chauffer l'huile dans une poêle, lorsque l'huile est bien chaude ajoutez les épices et un verre d'eau. Salez, poivrez.

5. Quand la sauce commence à bouillir, baissez le feu et placez les boulettes dans la poêle. Veillez à réduire le feu sinon les boulettes risquent de se défaire !

6. Après 5 minutes de cuisson modérée, retournez les boulettes et laissez cuire encore 5 minutes.

7. Quand la sauce commence à épaissir, déglacez avec le jus des citrons. Laissez cuire encore 5 minutes, puis coupez le feu et laissez reposer pendant une dizaine de minutes avant de servir. Ces boulettes se dégustent aussi bien chaudes que tièdes et même froides le lendemain avec un filet de citron.

LES FRUITS SECS

Ils mettront du moelleux dans votre journée et leur combinaison de fibres,
de polyphénols et de vitamines représente un atout majeur
dans un régime anticancer. Attention à leurs calories, mais une petite poignée
seulement apporte beaucoup de bénéfices !

Le terme de « fruits secs » regroupe à la fois les fruits séchés issus de la déshydratation de fruits frais (abricot, banane, raisin…) et les fruits oléagineux naturellement secs (amandes, noix, noisettes…). La déshydratation des fruits frais est un procédé de conservation millénaire. Elle permettait de constituer des réserves de nourriture, vitales pour affronter les épisodes de pénurie agricole.

Les populations du pourtour méditerranéen ont toujours apprécié les fruits secs, qui faisaient partie de leur alimentation quotidienne. Dans la Rome antique par exemple, les esclaves de maison avaient pour obligation d'en tenir un stock suffisant tout au long de l'année pour contenter leur maître. Au Moyen Âge, les fruits secs sont devenus un symbole de frugalité dans la religion chrétienne, comme le montre leur surnom d'alors : « fruits du Carême ». Aujourd'hui, les fruits secs jouissent d'un regain d'intérêt ; dans une alimentation saine et naturelle ils représentent un facteur d'équilibre et de bien-être intérieur.

LEURS PROPRIÉTÉS ANTICANCER

Protection du système digestif ● Action bénéfique contre l'inflammation de l'organisme

● La consommation modérée mais fréquente de fruits secs vient compléter les apports journaliers en fibres alimentaires. Il a été mis en évidence depuis plusieurs années qu'un régime alimentaire riche en fibres protège contre le risque de cancer colorectal. Les fruits secs ont donc un rôle non négligeable à jouer dans la prévention de ce cancer, parmi les plus diagnostiqués dans les pays occidentaux.

● Les fruits secs présentent par ailleurs une forte activité antioxydante grâce aux nombreux polyphénols et vitamines qui les composent. Ils permettent ainsi de diminuer le stress oxydatif et l'inflammation chronique des tissus de l'organisme ; ils contribuent aussi à limiter les mutations génétiques des cellules, responsables de l'initiation des cancers.

● Anthocyanines, catéchines, acides phénoliques, terpènes, vitamine E sont des composés bioactifs non détruits par la déshydratation du fruit ; leur activité antioxydante a la capacité d'agir directement sur les cellules cancéreuses pour en inhiber la croissance.

LEURS ATOUTS NUTRITIONNELS

Certes caloriques, mais pas sans intérêt nutritionnel, les fruits secs regorgent de vitamines et minéraux comme la vitamine E, les vitamines du groupe B, le calcium, le potassium, ou encore le fer. Ils sont également une source intéressante de fibres.

Très caloriques, ils doivent être consommés en petites quantités, de l'ordre d'une poignée par jour. Les calories des fruits oléagineux viennent de leurs teneurs en lipides et celles des fruits séchés de leurs teneurs en glucides et sucres simples ; pour une portion de 30 g de fruits séchés, ces quantités de sucres simples sont néanmoins comparables à celles apportées par un fruit frais.

Valeurs nutritionnelles pour 100 grammes	Abricot sec	Raisin sec	Figue séchée	Banane mi-séchée
Énergie	81,3 kcal	90,9 kcal	75,6 kcal	88,2 kcal
Eau	81,3 g	5,1 g	9,2 g	8,4 g
Glucides (dont sucres)	15,9 g (12,2 g)	19,9 g (17,8 g)	15,1 g (14,4 g)	17,1 g
Fibres	1,7 g	0,9 g	2,4 g	0 g

Voir aussi p. 249 les valeurs nutritionnelles de certains fruits oléagineux.

LES ACHETER ET LES CUISINER

Où les trouver. Les fruits secs sont disponibles toute l'année et se conservent bien. Les fruits oléagineux peuvent être ramassés directement au pied de l'arbre. Quant aux fruits séchés, il est possible de les préparer soi-même à partir de fruits frais ; il suffit d'investir dans une petite machine d'électroménager, le déshydrateur.

La qualité avant tout. Il faut toujours préférer des produits issus de l'agriculture biologique ou raisonnée afin d'éviter la consommation de pesticides.

En complément. Le procédé de déshydratation des fruits diminue fortement les teneurs en vitamine C, aussi faut-il compléter la consommation de fruits séchés par celle de fruits frais riches en vitamine C (agrumes, fruits rouges, papaye ou encore kiwi).

L'instant de dégustation idéal. Au petit déjeuner, seuls ou avec des céréales ; en collation, accompagnés d'un fruit frais et d'un peu de chocolat noir ; ou bien lors d'une épreuve sportive, une heure avant et une heure après l'effort. Et pour apporter une touche de moelleux aux plats, en ajouter dans les tajines ou curries, filets de poisson et plats de volaille.

GRANOLA MAISON

595 KCAL

L 29,6 G 56,8 P 13,6

PRÉPARATION 10 MIN ● **CUISSON** 50 MIN ● **FACILE** ● €

60 ml d'huile
80 ml de sirop d'agave
1/2 cuil. à café
de cannelle
1 pincée de fleur de sel
200 g de flocons
d'avoine
20 g de sésame
15 g de lin doré
50 g d'amandes
hachées grossièrement
20 g de graines
de courge
50 g de raisins secs
50 g d'abricot secs

1. Préchauffez le four à 160 °C.

2. Dans une casserole, faites chauffer à feu doux l'huile, le sirop d'agave, la cannelle et la fleur de sel et mélangez afin d'obtenir un liquide homogène. Laissez tiédir.

3. Pendant ce temps, mettez tous les autres ingrédients dans un grand bol, excepté les raisins et les abricots secs.

4. Versez sur les ingrédients secs le liquide tiède et mélangez le tout à la spatule. Tous les ingrédients doivent être bien enrobés du liquide.

5. Versez le tout sur une plaque allant au four recouverte de papier sulfurisé, et étalez la préparation sur toute la surface de la plaque pour que tous les éléments se mêlent et s'agglutinent les uns aux autres.

6. Enfournez pendant une cinquantaine de minutes. Toutes les 15 minutes, sortez la plaque du four et mélangez votre granola pour qu'il ne brûle pas.

7. Laissez le granola refroidir à l'air libre, puis ajoutez les raisins secs et les abricots secs coupés en petits dés.

8. Versez le granola dans un bocal ; vous pouvez le conserver pendant deux semaines.

FAR AUX PRUNEAUX

521 KCAL L 9,8 G 78,3 P 11,9

PRÉPARATION 10 MIN ● CUISSON 1 H ● REPOS 1 H ● FACILE ● €

90 g de farine
70 g de sucre de canne
1 pincée de sel
3 œufs
500 ml de lait
10 g de beurre
2 cuil. à soupe de sucre
de canne liquide
300 g de pruneaux
dénoyautés

1. Préchauffez le four à 200 °C.

2. Tamisez la farine.

3. Dans un bol, mélangez le sucre, le sel et la farine tamisée. Ajoutez les œufs, mélangez à nouveau. Ajoutez le lait petit à petit en mélangeant au fouet pour éviter la formation de grumeaux.

4. Beurrez le moule puis tapissez le fond du moule de sucre de canne liquide.

5. Placez les pruneaux dans le fond du moule, ajoutez la préparation à far.

6. Enfournez et laissez cuire pendant 1 heure. Le gâteau doit être doré.

7. Laissez refroidir à température ambiante, puis faites reposer 1 heure au frais avant de déguster.

LA GRENADE

Ce fruit n'en finit plus de révéler ses bienfaits pour la santé. Elle appartient au top 3 des aliments incontournables dans une démarche anticancer. C'est un élixir éclatant qui a aussi le pouvoir de combattre les cellules cancéreuses.

La grenade est une baie composée de pépins entourés de la pulpe rouge caractéristique, les arilles. Le fruit du grenadier est utilisé depuis un bon millier d'années pour ses effets positifs sur la santé. Originaire du Moyen-Orient, la grenade présentait un énorme avantage pour les voyageurs car son épaisse écorce permettait de la conserver longtemps, et sa pulpe riche en eau étanchait la soif. La pulpe rouge permettait aussi de fabriquer de l'encre. Aujourd'hui, elle est cultivée dans les régions chaudes subtropicales de l'Europe, de l'Afrique, de l'Asie et jusqu'en Amérique. La grenade est associée à de nombreux mythes et croyances. Fruit du paradis, c'est une grenade qu'Ève aurait cueillie dans l'Arbre défendu et non une pomme ! Méconnue, la grenade est pourtant pleine de vertus. Il en existe plusieurs variétés, différant selon leur acidité ou leur caractère sucré, leur taille ou la couleur de leur écorce.

SES PROPRIÉTÉS ANTICANCER

Action antioxydante contre le vieillissement et contre la maladie

● Ce qui rend la grenade exceptionnelle, c'est sa combinaison des effets des tanins et des flavonoïdes, d'où une double action anticancer. Ses antioxydants aident l'organisme à lutter contre les radicaux libres et contre la maladie. En effet, les études menées en laboratoire montrent que le jus de grenade ou ses extraits permettraient de ralentir la progression des cancers du côlon, de la prostate et du sein.

● La consommation quotidienne de jus de grenade diminuerait la croissance des cellules cancéreuses. Contre le cancer de la prostate, elle diviserait par trois la prolifération des cellules malignes.

● Elle permettrait de retarder les récidives de cancer : un verre de jus par jour pourrait, chez les patients ayant été opérés d'un cancer de la prostate, reculer le temps de la PSA (marqueur de récidive présent dans le sang) à 54 mois au lieu de 15 mois.

SES ATOUTS NUTRITIONNELS

Sa particularité est sa grande richesse en antioxydants, une haute teneur en polyphénols (tanins, flavonoïdes) qui ont une action très bénéfique pour la santé. Ainsi son pouvoir antioxydant est trois à quatre fois supérieur à celui du thé vert ou du vin rouge ! La grenade crue contient également une quantité importante de vitamines B5, B6, E et C : elle est tonifiante – en fruit frais ou en jus. De plus, elle est constituée de minéraux (potassium, phosphore, magnésium) et d'oligoéléments (zinc, fer). Ses puissants antioxydants ont une action bénéfique sur le cœur, le cerveau, les dents et les os. Elle agit sur le taux de cholestérol, possède des propriétés anti-âge, anti-inflammatoires et antivirales. Le jus de grenade permettrait également de diminuer la pression sanguine chez les personnes souffrant d'hypertension.

Valeurs nutritionnelles pour 100 grammes	Grenade fraîche, pulpe et pépins
Énergie	71 kcal
Eau	81 g
Fibres	2,3 g

L'ACHETER ET LA CUISINER

Où la trouver. La grenade se vend aujourd'hui facilement sur les marchés et dans les supermarchés. Pour choisir le fruit bien mûr, c'est lorsqu'il émet un son métallique lorsqu'on le frappe du plat de la main. À taille égale, les fruits les plus lourds sont signe qu'ils sont bien juteux. L'écorce doit être lisse, brillante, d'un beau rouge profond, sans brunissures.

Préparation. Pour extraire le jus : la passer au presse-agrumes, comme un pamplemousse, après l'avoir coupée en deux. Pour faire son propre sirop, faire bouillir 2 tasses d'arilles et 2 tasses de sucre (ou de miel). Filtrer dans un tissu pour éliminer les graines. On trouve aussi jus et concentrés dans les commerces.

En cuisine. La grenade se prête à de nombreuses recettes ! Dans une salade salée ou sucrée à servir avec un fromage blanc. On peut aussi servir les arilles frais avec du riz brun et des amandes. Le jus de grenade peut être utilisé dans les coulis, sauces, ou pour faire mariner viandes et poissons !

Conservation. Le fruit frais se conserve quelques semaines au réfrigérateur ; le jus peut être conservé plusieurs jours. Les arilles frais se conservent un an au congélateur. Enfin, les arilles séchés (entiers ou en poudre) se gardent dans un endroit frais et sec à l'abri de la lumière.

SALADE TIÈDE
DE CHOU-FLEUR RÔTI
AU CUMIN, FETA ET GRENADE

175 KCAL

L 53,2   G 21,3   P 23,5

PRÉPARATION 20 MIN ● CUISSON 20 MIN ● FACILE ● €

1 chou-fleur (environ
500 g, une fois coupé
en petites têtes)
2 cuil. à café de cumin
en poudre
3 cuil. à soupe
d'huile d'olive
1/2 grenade
100 g de feta
le zeste
de 1/2 citron jaune
poivre

1. Préchauffez le four à 200 °C.

2. Commencez par faire blanchir les têtes de chou-fleur dans de l'eau bouillante salée pendant 2 à 3 minutes, juste pour les précuire.

3. Égouttez-les bien, puis placez-les dans un plat allant au four. Ajoutez le cumin en poudre, ainsi que l'huile d'olive. Poivrez. Il n'est pas nécessaire d'ajouter du sel car l'eau de cuisson était déjà salée, et la feta salera la salade. Mélangez bien pour que le chou-fleur soit totalement enrobé de cumin et d'huile d'olive.

4. Enfournez jusqu'à ce que le chou-fleur soit doré, soit environ une vingtaine de minutes.

5. Pendant ce temps, égrainez la grenade en essayant de retirer le plus de parties blanches possible. Pour cela, coupez les deux extrémités du fruit, puis faites des entailles sur les bords au niveau des alvéoles. Déchirez ensuite doucement la grenade et égrainez-la au-dessus d'un bol d'eau froide, afin de séparer les graines de toutes les parties blanches. Réservez les graines dans un bol.

6. Dans un autre bol, écrasez légèrement la feta avec les doigts afin de faire des petits morceaux irréguliers. Réservez.

7. Dès que le chou-fleur est bien doré, laissez-le tiédir quelques minutes dans le plat de cuisson. Ajoutez le zeste de citron et mélangez bien.

8. Parsemez de feta écrasée, des graines de grenade et servez aussitôt !

PUDDING AUX GRAINES DE CHIA

333 KCAL L 37,8 G 54,7 P 7,5

PRÉPARATION 10 MIN ● REPOS 12 H ● FACILE ● €€

40 g de graines de chia
(en magasin bio)
400 ml de lait de coco
50 ml de sirop d'agave
1 mangue
1 grenade

MATÉRIEL SPÉCIFIQUE
verrines

1. La veille, préparez les graines de chia : mélangez dans un bol les graines de chia avec le lait de coco ainsi que le sirop d'agave. Réservez au frais pendant 12 heures pour que les graines de chia gonflent avec le liquide.

2. Le lendemain, mélangez ce pudding et versez-le dans des verrines.

3. Coupez la mangue en petits morceaux et ajoutez-en dans chaque verrine.

4. Égrainez la grenade et ajoutez des graines de grenade dans chaque verrine.

5. Vous pouvez faire ces verrines à l'avance et les garder au frais jusqu'au moment de les servir.

LES LENTILLES ET LES LÉGUMINEUSES

On pourrait dire des légumineuses que ce sont de belles oubliées, pourtant ces plantes nourricières renferment des trésors de bienfaits, tant par leur action protectrice anticancer que par leur richesse en fibres, vitamines et minéraux. En outre, elles sont faciles à cuisiner !

Les légumineuses, aussi appelées légumes secs, appartiennent à la vaste famille des féculents. Plus de 7 000 espèces sont référencées aujourd'hui dans le monde, les principales nourricières pour l'homme étant les lentilles (vertes, brunes, noires, rouges), les fèves et haricots (haricots blancs, rouges, noirs, romains, pintos, mungos, adzukis, soja, etc.), et les pois (cassés, entiers, chiches). Les légumineuses furent sans doute parmi les premières plantes à être cultivées. Elles font partie de l'alimentation de base au Proche-Orient, en Asie, en Afrique du Nord et en Inde. Longtemps considérées comme la nourriture des pauvres, elles reviennent aujourd'hui dans nos menus grâce à la combinaison de plusieurs qualités : composition nutritionnelle intéressante, prix bas, production agricole locale, peu contraignante, qui enrichit les sols en engrais naturel. Une aubaine à l'heure où l'augmentation de la population mondiale oblige à relever le défi de l'alimentation de demain.

LEURS PROPRIÉTÉS ANTICANCER

Protection de l'appareil digestif, du côlon et du sein chez la femme

● Les fibres alimentaires apportées par les légumineuses favorisent et accélèrent le transit intestinal au niveau du côlon, limitant le temps de contact entre les cellules intestinales et les substances potentiellement cancérigènes. Les légumineuses permettraient ainsi de réduire d'environ 38 % le risque d'apparition du cancer colorectal, à condition d'en mettre suffisamment dans l'assiette.

● Elles auraient également une action protectrice contre les cancers du pancréas et du sein. Des études ont mis en évidence l'existence de plusieurs composés anticancer entrant dans la composition des légumineuses. La lectine par exemple – une protéine de la lentille agissant comme facteur antinutritionnel – présente la capacité en laboratoire d'inhiber la croissance des cellules cancéreuses.

● La lentille noire Beluga contient aussi de la delphinidine, un antioxydant de la famille des anthocyanines. Des études *in vitro* ont montré que ce composé diminuait la croissance des cellules cancéreuses chez l'homme.

LEURS ATOUTS NUTRITIONNELS

La composition nutritionnelle des légumineuses est particulièrement intéressante dans le cadre d'un régime équilibré et sain. Elles sont riches en protéines végétales de bonne qualité. Une portion de 200 g de lentilles en apporte par exemple 16 g, l'équivalent d'une portion de viande ! Accompagnées de légumes et de céréales, elles font un plat complet idéal pour réduire sa consommation de viande. Par ailleurs, l'index glycémique des légumineuses est faible, favorisant la satiété et limitant la sécrétion d'insuline par l'organisme. Elles sont également riches en fibres, ce qui leur donne un rôle de facilitatrices du transit intestinal. Enfin, les légumineuses contribuent à couvrir nos besoins journaliers en divers vitamines et minéraux, comme les vitamines du groupe B, le magnésium, le calcium ou encore le sélénium, un antioxydant qui aide à lutter contre le vieillissement de la peau. Notons que les lentilles sont parmi les légumineuses les plus digestes grâce à leur teneur réduite en cellulose.

Valeurs nutritionnelles pour 100 grammes	Lentilles cuites	Flageolets cuits	Pois chiches cuits	Pois cassés cuits
Énergie	112 kcal	84,4 kcal	139 kcal	121 kcal
Eau	69,6 g	74,9 g	63,9 g	65 g
Protéines	8,1 g	4,1 g	8,9 g	8,5 g
Glucides (dont sucres)	16,6 g (1,2 g)	11,7 g (0,7 g)	21,1 g	14 g (0,7 g)
Fibres	4,2 g	7,1 g	4,8 g	10,6 g

LES ACHETER ET LES CUISINER

Conservation et trempage. Les légumineuses se conservent dans un contenant étanche, au frais et au sec, pendant environ un an. Mis à part les lentilles, il est nécessaire de les faire tremper dans l'eau froide avant cuisson pour rompre leur peau épaisse et sèche.

En cuisine. Le temps de cuisson varie selon le type de légumineuse : si les lentilles corail cuisent en moyenne 15 minutes, les pois chiches demandent environ 1 h 30 de cuisson. En cuisine, les légumineuses s'utilisent dans la préparation d'un grand nombre de mets, que ce soit pour une entrée, un plat principal ou un dessert. Au choix : un bouillon de fèves, du dhal (plat traditionnel indien à base de lentilles corail), du chili con carne, des crêpes à la farine de pois chiche…

SOCCA NIÇOISE EN PIZZA

407 KCAL

L 26,5   G 45,1   P 28,3

PRÉPARATION 30 MIN ● REPOS 30 MIN ● CUISSON 30 MIN ● MOYEN ● €

POUR LA PÂTE À SOCCA
250 g de farine
de pois chiche
1 cuil. à café
de bicarbonate
500 ml d'eau
4 cuil. à café
d'huile d'olive
quelques pincées
d'origan
sel, poivre

POUR LA GARNITURE
1 oignon rouge
150 g de feta
50 g de petites
olives noires
50 g de parmesan
3 courgettes
200 g de champignons
3 cuil. à soupe
d'huile d'olive
1 gousse d'ail
1/2 botte de basilic
1/2 botte de persil plat

1. Préparez la pâte à socca : placez la farine de pois chiche ainsi que le bicarbonate dans un bol. Intégrez l'eau petit à petit tout en mélangeant avec un fouet. Ajoutez l'huile, l'origan, puis salez et poivrez pour relever le goût de la farine de pois chiche. La pâte doit avoir la consistance d'une pâte à crêpe. Laissez-la reposer 30 minutes au frais.

2. Pendant ce temps, préparez la garniture : coupez l'oignon rouge en fines lamelles, émiettez la feta grossièrement, dénoyautez les olives si nécessaire, faites de jolis copeaux de parmesan, coupez les courgettes en grosses tagliatelles à l'aide d'un économe et réservez tous les ingrédients à part dans de petits bols. Dans une poêle, faites revenir les champignons coupés grossièrement avec 1 cuillerée à soupe d'huile d'olive, ainsi que la gousse d'ail. Réservez.

3. Préchauffez le four à 180 °C.

4. Faites chauffer un filet d'huile d'olive dans une poêle assez large bien chaude. Placez une grosse louche d'appareil à socca et étalez la pâte sur toute la surface de la poêle, comme pour une crêpe. Une fois que des bulles apparaissent sur toute la surface de la socca, retournez-la et laissez cuire encore 1 à 2 minutes. La pâte peut être un peu cassante au moment de la retourner, il faut donc veiller à huiler la poêle pour qu'elle ne colle pas. Puis retournez-la d'un coup sec.

5. Placez les soccas sur une plaque allant au four recouverte de papier sulfurisé, comme pour une pizza. Ajoutez les courgettes, les champignons, la feta émiettée, les lamelles d'oignon rouge et les olives noires. Versez un filet d'huile d'olive. Poivrez.

6. Faites cuire pendant 15 à 20 minutes au four.

7. Ciselez finement le basilic et le persil, ajoutez-les à la dernière minute ainsi que les copeaux de parmesan.

8. Dégustez en plat ou coupé en petits morceaux pour l'apéritif !

FALAFELS LIGHT
AUX LENTILLES CORAIL

462 KCAL

L 34,1   G 43,7   P 22,2

PRÉPARATION 30 MIN ● CUISSON 20 MIN ● FACILE ● €

120 g de lentilles corail
4 gousses d'ail
1 oignon rouge
1/2 botte de persil plat
120 g de pois chiches
en conserve
2 pincées de piment
d'Espelette
1/2 cuil. à café
de cumin en poudre
1/2 cuil. à café
de coriandre en poudre
20 g + 40 g de farine
de pois chiche
4 cuil. à soupe
d'huile d'olive
sel, poivre

POUR LA SAUCE
80 g de tahini
le jus de 1/2 citron
8 cuil. à soupe d'eau
2 pincées de paprika
20 g de graines
de sésame torréfiées

1. Préchauffez le four à 200 °C.

2. Rincez les lentilles corail, puis faites-les cuire à feu moyen pendant une dizaine de minutes avec environ 350 ml d'eau dans une casserole à couvert avec les gousses d'ail et une pincée de sel.

3. Pendant ce temps, hachez grossièrement à l'aide d'un robot l'oignon rouge, le persil et les pois chiches ensemble. Salez, poivrez et ajoutez les épices.

4. Dès que les lentilles sont cuites, écrasez-les grossièrement ainsi que les gousses d'ail. Il est important de garder des morceaux pour ne pas avoir une purée lisse.

5. Ajoutez les lentilles à votre mélange à base de pois chiche, mélangez bien et ajoutez les 20 g de farine de pois chiche. Vous devez obtenir une pâte épaisse, dans laquelle vous distinguez des morceaux.

6. Formez des petites boulettes à la main, roulez-les dans le reste de farine de pois chiche pour les enrober légèrement.

7. Placez chaque boulette sur une plaque allant au four recouverte de papier sulfurisé, puis badigeonnez-les légèrement d'huile d'olive et enfournez pendant 20 minutes, en les retournant à mi-cuisson.

8. Pendant ce temps, préparez la sauce : mélangez le tahini, le jus de citron, l'eau et le paprika. Salez, poivrez et réservez au frais.

9. Au moment de servir, placez les falafels dans un plat et versez joliment la sauce en filet, parsemez de sésame torréfié.

LE MAQUEREAU

Un poisson gras à privilégier pour sa chair riche en vitamines et nourrissante. Ses apports en sélénium sont particulièrement intéressants dans la prévention de certains cancers. Les poissons gras ne sont pas exempts du risque de pollution mais le maquereau reste un bon aliment santé à de multiples points de vue.

Le maquereau est un poisson gras appartenant à la famille des scombridés, comme le thon. Plusieurs espèces abondent dans les différentes mers du monde, Pacifique, Atlantique, Méditerranée… La plus courante le long des côtes européennes et américaines est *Scomber scombrus*, maquereau commun appelé aussi maquereau bleu. Il se reconnaît facilement par sa forme fuselée, son dos bleu acier marbré d'ondulations noires et son ventre blanc argenté. Situé en milieu de chaîne alimentaire, il se nourrit essentiellement de zooplancton, de petits poissons et de mollusques ; lui-même est la proie des plus gros poissons, des mammifères marins et de l'homme. Animal grégaire, il se déplace dans des bancs pouvant s'étendre sur plusieurs kilomètres à faible profondeur (jusqu'à 200 m sous la surface). La plupart des espèces de maquereaux sont classées dans la catégorie « préoccupation minimale » d'extinction – c'est la catégorie des espèces répandues et abondantes.

SES PROPRIÉTÉS ANTICANCER

Protection de la prostate chez l'homme et de la vessie chez la femme

● Les milieux aquatiques dans lesquels vivent les poissons (mer, eau douce, etc.) sont pollués par de nombreux métaux lourds et autres substances chimiques classées cancérigènes. Les tissus graisseux des poissons gras accumulent ces éléments dont une partie se retrouve dans notre organisme au fur et à mesure de nos consommations – ce qui présente un risque sur la santé à long terme. Les instances officielles recommandent ainsi de limiter la consommation de poisson gras à une portion hebdomadaire et de varier leur provenance.

● Le maquereau fait partie des poissons gras à privilégier, par rapport au saumon, au thon et au flétan, car il représente un compromis intéressant entre l'apport nutritionnel et le degré de contamination en ces éléments cancérigènes.

● Un filet de 100 g couvre 94 % des valeurs nutritionnelles de référence en sélénium. Ce

micronutriment inhibe les radicaux libres et limite le stress oxydatif. Il possède en outre la capacité à stimuler l'autodestruction des cellules cancéreuses. Chez l'homme, une alimentation riche en sélénium pourrait ainsi réduire de moitié le risque de cancer de la prostate et plus généralement le risque de cancer digestif. Chez la femme, le sélénium a été associé à la prévention du cancer de la vessie.

SES ATOUTS NUTRITIONNELS

Le maquereau est un poisson gras – comme le saumon, le hareng, la sardine et le flétan. En moyenne 100 g de filet apporte 15,8 g de lipides, principalement des acides gras insaturés qui jouent un rôle bénéfique pour la santé cardio-vasculaire. Parmi ces lipides, environ 3 g sont des oméga-3, sous forme d'EPA et de DHA, deux acides gras dits indispensables, car notre organisme ne peut les fabriquer en quantité suffisante ; ils doivent être apportés par l'alimentation et notamment par les poissons gras. Les oméga-3 jouent un rôle important dans le développement et le fonctionnement du cerveau, du système nerveux et de la vision chez l'enfant et chez le jeune adulte. Ils pourraient également participer à la prévention de la dépression et d'autres troubles cérébraux et visuels. Le maquereau est par ailleurs riche en protéines et constitue une excellente source de vitamine B12, de vitamine D, de sélénium, d'iode, de magnésium et de phosphore.

Valeurs nutritionnelles pour 100 grammes	Maquereau cuit au four
Énergie	238 kcal
Eau	61,5 g
Protéines	23,9 g
Lipides (dont saturés/mono-insaturés/polyinsaturés)	15,8 g (4,6/6,5/4 g)

L'ACHETER ET LE CUISINER

Bien le choisir. La chair du maquereau a tendance à se dégrader très vite à partir du moment où il est pêché, favorisant la formation d'histamine en cas de mauvaise conservation. L'ingestion importante de cette molécule peut provoquer une intoxication avec des symptômes de type allergiques. Il est donc conseillé de consommer le maquereau dans les 24 heures après qu'il a été pêché. Acheté chez le poissonnier, deux indices permettent de garantir sa fraîcheur : les yeux brillants et la rigidité.
En conserve aussi. On peut également consommer du maquereau en conserve, en version nature ou dans une marinade de vin blanc… une excellente alternative aux conserves de thon, peu recommandables d'un point de vue sanitaire (présence potentielle de métaux lourds, PCB, etc.) et surtout écologique.

SALADE DE POMMES DE TERRE AU MAQUEREAU

476 KCAL

L 45,4   G 36,1   P 18,6

PRÉPARATION 25 MIN ● CUISSON 20 MIN ● FACILE ● €€

---

650 g de pommes de terre
1 petit oignon rouge
40 g de jeunes pousses d'oignon
1/4 de botte de menthe (ou une grosse poignée)
1/4 de botte d'aneth (ou une grosse poignée)
1/4 de botte de coriandre (ou une grosse poignée)
5 cuil. à soupe de vinaigre de vin rouge
8 cuil. à soupe d'huile d'olive
le jus et le zeste de 1 citron jaune
200 g de maquereau fumé au poivre
sel, poivre

1. Faites cuire les pommes de terre à l'eau bouillante salée sans les éplucher. Faites une petite entaille autour des pommes de terre crues qui facilitera l'épluchage quand elles seront cuites. Vérifiez la cuisson à l'aide d'un couteau : les pommes de terre doivent être tendres.

2. Égouttez-les, passez-les sous l'eau froide avant de les éplucher. Tirez la peau à partir de l'entaille, elle devrait partir très facilement.

3. Dans un plat de service, ajoutez les pommes de terre coupées en rondelles, ainsi que les deux sortes d'oignons ciselés finement en rondelles. Salez, poivrez. Ajoutez les herbes fraîches ciselées finement et mélangez.

4. Préparez une vinaigrette : mélangez le vinaigre, l'huile, le jus de citron, et assaisonnez de sel et de poivre. Ne soyez pas trop généreux sur le poivre car le maquereau en contient déjà beaucoup.

5. Nappez les pommes de terre de vinaigrette et mélangez-les pour bien les enrober de sauce.

6. Émiettez le maquereau grossièrement et disposez-le harmonieusement sur la salade. Finissez par le zeste de citron jaune.

7. Vous pouvez déguster cette salade tiède en entrée ou en accompagnement, ou bien la déguster froide.

WRAP DE MAQUEREAU GRILLÉ, RIZ COMPLET

646 KCAL

L 21   G 50,9   P 28,2

PRÉPARATION 15 MIN ● CUISSON 30 MIN ● FACILE ● € €

2 gros maquereaux
4 cuil. à soupe
de sauce soja
1 cuil. à soupe de
vinaigre de riz
2 cuil. à soupe d'huile
de sésame
250 g de riz complet
poivre

POUR LA GARNITURE
1 laitue
1 petite botte
de coriandre
1/2 concombre
40 g de ciboule
2 citrons verts

1. Préchauffez le four à 190 °C.

2. Faites de petites entailles sur la chair du poisson des deux côtés. Ouvrez les maquereaux sur toute la longueur par l'intérieur (si vous avez fait vider vos poissons, ils devraient déjà être un peu ouverts à cet endroit). Placez les maquereaux, la face ouverte sur le plat, peau vers le haut. Versez la sauce soja, le vinaigre de riz et l'huile de sésame. Poivrez mais ne salez pas, car la sauce soja est déjà très salée.

3. Enfournez pendant 30 minutes.

4. Pendant ce temps, faites cuire le riz complet dans une casserole d'eau bouillante, couvrez et baissez le feu pendant la cuisson.

5. Pendant que le riz complet cuit, préparez la garniture. Effeuillez la laitue et sélectionnez à part les plus belles feuilles qui vont servir de crêpes. Effeuillez la coriandre et réservez. Videz le concombre, coupez-le en très fines lamelles d'environ 10 cm dans le sens de la longueur pour être intégrées dans les wraps. Faites de même avec la ciboule : coupez-la en deux ou trois, puis taillez de fines lamelles dans la longueur. Coupez les citrons verts en quartiers.

6. Au moment de servir, disposez joliment tous les ingrédients dans un plat pour que chaque convive prépare ses petits wraps : prenez une belle feuille de laitue, placez-y un peu de riz complet, un morceau de maquereau, des herbes et des crudités. Finissez par quelques gouttes de jus de citron vert. Roulez et dégustez !

LE PAIN COMPLET

Ce complément du repas constitue par sa teneur en magnésium et sa richesse en fibres une véritable barrière contre certains cancers. À privilégier absolument.

Le pain est un aliment qui tient une place fondamentale dans l'alimentation humaine depuis des milliers d'années. À l'origine, la recette de sa fabrication consistait à former une pâte – avec de l'eau et de la farine – qu'il fallait pétrir, mouler puis cuire au four. Les Égyptiens auraient fait la découverte du pain levé par hasard, en laissant reposer de la bouillie de céréales contaminée par une levure ou une bactérie sauvage, ce qui aurait entraîné une fermentation spontanée et un gonflement du pain. Le pain complet est élaboré à partir de farine complète, composée de graines de céréales entières c'est-à-dire de graines ayant conservé leur enveloppe de son. À l'opposé, la farine blanche, dite « raffinée », est obtenue à partir de l'amande du grain de blé à la suite de l'élimination des nombreuses couches superficielles qui la recouvrent. Dépourvue de son, elle a perdu l'essentiel de ses vitamines, minéraux et fibres. Ainsi le pain complet est-il à adopter d'urgence, à la fois pour son goût unique et pour son excellente qualité nutritionnelle.

SES PROPRIÉTÉS ANTICANCER

Protection de l'intestin et du côlon ● **Protection du sein chez la femme**

● Les fibres alimentaires contenues dans le pain complet facilitent le transit intestinal, ce qui favoriserait à long terme une diminution du risque de cancer du côlon.

● L'un des mécanismes qui expliquerait ce constat est la baisse du temps de contact entre les agents carcinogènes et le tissu colorectal, baisse permise par l'accélération du transit par les fibres. Plusieurs études cliniques menées chez l'homme ont, elles aussi, permis d'associer un régime alimentaire riche en magnésium avec une diminution du risque de cancer du côlon. Elles ont conclu qu'une consommation régulière et fréquente d'aliments riches en magnésium, comme le pain complet, pouvait constituer un levier de prévention sérieux contre ce type de cancer.

● Le magnésium limiterait par ailleurs l'action de la créatine C, une protéine impliquée dans l'état inflammatoire et la survenue de maladies

chroniques. La consommation de pain complet à la farine de seigle est en outre associée à la prévention du risque de cancer du sein.

SES ATOUTS NUTRITIONNELS

À portion égale, le pain complet apporte près de six fois plus de magnésium que la baguette blanche. Le magnésium fait partie des minéraux les plus abondants du corps humain et doit être apporté en quantité suffisante par l'alimentation. Production d'énergie, synthèse et réparation de l'ADN, prolifération des cellules… il intervient dans plusieurs processus métaboliques essentiels. Le pain complet est par ailleurs recommandé pour ses teneurs en fibres ; consommé à chaque repas en alternance avec d'autres types de pains ou de féculents, il participera au bon fonctionnement du transit intestinal.

Valeurs nutritionnelles pour 100 grammes	Pain complet ou intégral farine T150	Pain, baguette courante
Énergie	269 kcal	286 kcal
Eau	30,9 g	27,4 g
Glucides (dont sucres)	50,6 g (1,7 g)	56,6 g (2,1 g)
Fibres	5,6 g	3 g

L'ACHETER ET LE CUISINER

Bio de préférence. Il est conseillé de consommer du pain complet issu de l'agriculture biologique ou raisonnée, car les résidus de pesticides se concentreraient principalement dans le son des céréales. Le type de farine utilisée influe sur le goût, la texture et l'aspect du pain. Les farines de blé, de seigle et d'épeautre sont considérées comme panifiables (leur teneur en gluten rend possible la formation d'une pâte élastique) tandis que les farines d'orge, d'avoine, de châtaigne ou encore de noix ne sont pas panifiables et servent surtout à apporter un goût spécial au pain.

Choisir le bon pain complet. Pour reconnaître le degré de raffinage d'une farine, il suffit de se référer au code, indiqué sur l'emballage, par la lettre T suivie d'un numéro. Plus ce numéro est élevé, plus la farine est complète, T150 étant le maximum (farine complète) ; la farine blanche est quant à elle indiquée par le code T55. Afin de varier les plaisirs, laissez-vous tenter par deux pains complets allemands, le vollkornbrot, pain noir au levain naturel et à la mélasse, et le pumpernickel, un pain noir à base de seigle, cuit lentement et torréfié.

———————

CRAB CAKES

197 KCAL L 22,3 G 26,5 P 51,2

PRÉPARATION 10 MIN ● REPOS 20 MIN ● CUISSON 15 MIN ● FACILE ● €€

400 g de chair de crabe
2 cuil. à soupe rases
de mayonnaise allégée
1 œuf
le jus et le zeste
de 1 citron et demi
10 g de ciboulette
10 g d'aneth
30 g de ciboule
4 tranches de pain
complet (de préférence
sans la croûte)
2 pincées de piment
d'Espelette
2 pincées
de paprika doux
2 cuil. à soupe
d'huile d'olive
sel, poivre
fleur de sel

1. Dans un saladier, mélangez la mayonnaise, l'œuf, le jus d'un demi-citron et le zeste du citron et demi. Ajoutez les herbes et la ciboule finement hachées, ainsi que la mie de pain, émiettée finement également. Mélangez bien le tout, assaisonnez de sel, poivre, ainsi que de piment d'Espelette et de paprika doux, puis ajoutez le crabe.

2. Mélangez à nouveau pour obtenir une préparation homogène et laissez reposer au réfrigérateur pendant 20 minutes.

3. Formez des boules avec la préparation de la taille d'une balle de golf, en les écrasant légèrement avec la paume de la main.

4. Faites chauffer l'huile dans une poêle et faites cuire les crab cakes 3 à 4 minutes de chaque côté environ. Puis placez-les sur du papier absorbant.

5. Dégustez-les chauds ou tièdes avec un filet de jus de citron.

TOAST À L'AVOCAT ET ŒUF POCHÉ

409 KCAL

L 59,3   G 19   P 21,7

PRÉPARATION 20 MIN ● CUISSON 12 MIN ● FACILE ● €

4 avocats prêts à consommer
le jus de 1 citron jaune
le jus de 1 citron vert
3 pincées de piment d'Espelette
1,5 l d'eau
150 ml de vinaigre blanc
1/2 botte de coriandre
1/2 botte de ciboulette
4 œufs
4 grandes tranches de pain complet d'environ 2 cm d'épaisseur
sel, poivre

1. Placez la chair des avocats dans un bol, puis écrasez-la grossièrement à la fourchette.

2. Ajoutez les jus des citrons ainsi que le piment d'Espelette. Salez, poivrez généreusement, puis mélangez bien le tout. Réservez au frais avec un film directement au contact de la préparation pour éviter qu'elle noircisse.

3. Faites bouillir l'eau dans une casserole avec le vinaigre blanc.

4. Ciselez finement les herbes fraîches et réservez.

5. Cassez-les œufs dans des ramequins ou bols individuels et préparez un grand bol d'eau tiède à côté.

6. Lorsque l'eau bout, baissez légèrement le feu pour qu'elle frémisse. À l'aide d'une écumoire, faites un léger tourbillon au centre de la casserole pour y insérer les œufs un à un plus facilement. Vous pourrez ainsi cuire chaque œuf en le faisant glisser dans l'eau tout doucement depuis le ramequin. N'hésitez pas à rassembler un peu le blanc autour du jaune à l'aide de deux cuillères. Au bout de 2 à 3 minutes, sortez les œufs avec l'écumoire et testez la cuisson : le blanc doit être ferme et élastique. Placez ensuite les œufs dans le bol d'eau tiède quelques minutes pour stopper la cuisson.

7. Égouttez bien les œufs, déposez-les sur du papier absorbant pour enlever l'excédent d'eau. Si vous le souhaitez, vous pouvez enlever un peu de blanc à l'aide de ciseaux.

8. Faites griller légèrement les tranches de pain. Déposez dessus une couche épaisse de purée d'avocat. Placez un œuf sur chaque toast. Ajoutez de la fleur de sel, un ou deux tours de moulin à poivre et finissez en parsemant d'herbes fraîches. Dégustez aussitôt !

LE PAMPLEMOUSSE

Compagnon vitaminé contre les carences en fer, cet agrume est aussi
très intéressant pour sa richesse en naringine, néohespéridose et autres flavonoïdes…
qui agissent en protégeant le système digestif.

Le pamplemousse (*Citrus maxima* ou *Citrus grandis*) est classé par les botanistes comme l'une
des quatre espèces originelles d'agrumes à partir desquelles sont apparus tous les autres fruits
de cette grande famille – avec le citron, la mandarine et le combava. C'est un fruit piriforme, de
couleur vert jaunâtre et de grande taille. Considéré comme le plus gros agrume existant, il peut
peser jusqu'à 5 à 8 kilos. Il pousse habituellement dans les forêts tropicales denses d'Asie orientale
et s'acclimate au climat des îles. On en trouve ainsi dans les îles Fidji, dans les archipels de la
Polynésie française et en Jamaïque, où il fut introduit au xviie siècle. Bizarrerie autour de ce fruit :
son nom est couramment employé pour désigner le pomelo (*Citrus paradisi*), un agrume rond
jaune rosé qui est en réalité un hybride entre le véritable pamplemousse et l'orange, avec lequel
il ne faut pas le confondre.

SES PROPRIÉTÉS ANTICANCER

Riche en antioxydants ● Protection de l'appareil digestif

● Les agrumes auraient, dans leur ensemble, une
action préventive contre les cancers du tractus
gastro-intestinal (œsophage, estomac, intestin).
Selon une large étude de l'USDA sur la composition en polyphénols des agrumes, le pamplemousse contiendrait en majorité de la naringine
et du néohespéridose. Ces deux flavonoïdes,
responsables de l'amertume du fruit, ont fait
l'objet de nombreuses études sur des cellules
cancéreuses humaines ; ils ont montré des propriétés antitumorales et antiprolifératives, et agiraient notamment en stimulant l'autodestruction
des cellules endommagées.
● Une étude récente menée sur des rats a par
ailleurs mis en évidence l'intérêt d'une supplémentation en poudre de peau de pamplemousse
pour prévenir la fibrose hépatique, une inflammation chronique du foie pouvant s'aggraver en
cirrhose et en cancer du foie.

● Le pamplemousse est également riche en vitamine C, antioxydant qui joue un rôle contre les radicaux libres responsables du stress oxydatif de l'organisme.

SES ATOUTS NUTRITIONNELS

Comme tous les autres agrumes, le pamplemousse regorge de vitamine C et constitue une source très intéressante à l'arrivée des saisons froides. Ce micronutriment contient des propriétés antifatigue et stimule le système immunitaire ; il possède également des propriétés antioxydantes et améliore l'absorption du fer. Il est donc recommandé pour les femmes en âge de procréer, sujettes aux carences en fer, de consommer simultanément des aliments riches en vitamine C et des aliments riches en fer.

Interactions médicamenteuses. Comme le pomelo, le pamplemousse pourrait augmenter ou diminuer l'efficacité de certains médicaments. Si l'on est concerné par un traitement médicamenteux, il est recommandé d'en parler à son médecin, d'espacer d'environ deux heures la prise de médicaments et de pamplemousse et d'éviter d'en consommer trop régulièrement.

Valeurs nutritionnelles pour 100 grammes	Pamplemousse, chair et pulpe fraîches
Énergie	38 kcal
Eau	89,1 g
Glucides	9,6 g
Fibres	1 g

L'ACHETER ET LE CUISINER

Peu connu il y a encore quelques années dans les pays occidentaux, le pamplemousse (à ne pas confondre avec le pomelo) commence à pointer le bout de son zeste dans les commerces alimentaires de cette partie du monde.

L'Asie à portée de fourchette. Sa présence apporte certes de la confusion – le pomelo étant toujours appelé à tort « pamplemousse » – mais elle est également l'occasion de faire voyager ses papilles jusqu'en Asie. Au Vietnam ou en Thaïlande par exemple. Là-bas, la salade de pamplemousse (respectivement « goi buoi » ou « yam som o ») fait partie des plats traditionnels.

Apprendre à le préparer. Couper sur un plan horizontal les extrémités haute et basse du pamplemousse, puis redécouper verticalement les quartiers à l'aide d'un couteau. Une fois les quartiers prédécoupés, enlever la peau épaisse en enfonçant les pouces depuis l'entaille supérieure d'un quartier jusqu'à son entaille inférieure.

SORBET
PAMPLEMOUSSE-CHAMPAGNE

239 KCAL

L 0,2   G 99,2   P 0,6

PRÉPARATION 1 H ● CUISSON 10 MIN ● REPOS 1 H ● FACILE ● €€

65 ml de jus
de pamplemousse
sans pulpe
300 ml d'eau
200 g de sucre
de canne
100 ml de champagne
1/2 grenade fraîche

MATÉRIEL SPÉCIFIQUE
sorbetière

1. Placez l'eau et le sucre dans une casserole. Faites bouillir jusqu'à obtenir un sirop, soit 5 à 10 minutes à feu moyen.

2. Hors du feu, ajoutez le jus de pamplemousse, puis le champagne.

3. Laissez reposer au frais environ 1 heure.

4. Versez la préparation dans une sorbetière et turbinez environ 45 minutes.

5. Pendant ce temps, égrainez la grenade en essayant de retirer le plus de parties blanches possible. Pour cela, coupez les deux bases de la grenade, puis faites des entailles sur les bords au niveau des alvéoles. Déchirez ensuite doucement la grenade et égrainez-la au-dessus d'un bol d'eau froide, afin de séparer les graines de toutes les parties blanches. Réservez les graines dans un bol.

6. Au moment de servir, placez une à deux boules de sorbet dans un bol et ajoutez quelques graines de grenade. Dégustez aussitôt !

PAMPLEMOUSSETTES

207 KCAL
L 13,9 G 82,8 P 3,3

PRÉPARATION 45 MIN ● CUISSON 1 H ● REPOS 1 H ● MOYEN ● €

3 pamplemousses
sucre
eau
1 gousse de vanille
200 g de chocolat noir
1 cuil. à soupe d'huile
(facultatif)

MATÉRIEL SPÉCIFIQUE
thermomètre
de cuisson

1. Coupez les bases des pamplemousses afin d'enlever la peau sur un agrume stable. Découpez de larges bandes de peau de haut en bas du fruit, puis taillez-les en lamelles.

2. Placez les lamelles dans une casserole, recouvrez d'eau froide. Portez le tout à ébullition. Une fois l'ébullition atteinte, coupez le feu, égouttez les écorces et passez-les rapidement sous l'eau froide. Égouttez à nouveau. Répétez l'opération trois fois en changeant l'eau à chaque fois. Cette étape est impérative pour enlever l'amertume contenue dans la peau des agrumes.

3. Pesez les écorces. Dans une casserole à part, placez l'équivalent du poids des écorces en sucre dans une casserole (donc si vous avez 200 g d'écorces, ajoutez 200 g de sucre). Versez l'équivalent du double du poids de sucre en eau (soit si vous avez 200 g de sucre, versez 400 ml d'eau). Ajoutez la gousse de vanille égrainée avec les grains et portez le tout à ébullition. Ajoutez les écorces et laissez cuire à feu doux pendant 1 heure. Laissez tiédir le tout hors du feu, puis égouttez les écorces.

4. Pendant que les écorces tiédissent, « tempérez » le chocolat afin qu'il soit brillant. Faites fondre le chocolat au bain-marie jusqu'à ce qu'il atteigne 50 °C (sans dépasser 55 °C, sinon des traces blanches apparaîtront). Faites-le alors refroidir jusqu'à 27-28 °C en le remuant régulièrement. Vous pouvez, pour accélérer le processus de refroidissement, plonger le bol de chocolat dans un bol d'eau froide. Remettez le bol au bain-marie jusqu'à ce que votre chocolat soit à 30-32 °C. Une fois le chocolat à cette température, il doit être fondu mais pas chaud. Si cette opération vous semble trop élaborée, faites fondre le chocolat au bain-marie avec 1 cuillerée à soupe d'huile neutre.

5. Préparez une plaque recouverte de papier sulfurisé. Trempez les écorces à moitié dans le chocolat, faites tomber l'excédent de chocolat dans le bol, puis laissez reposer la pamplemoussette sur la plaque. Répétez l'opération pour tous les morceaux d'écorce et laissez sécher tranquillement à température ambiante jusqu'à ce qu'elles durcissent. Vous pouvez conserver les pamplemoussettes dans une boîte en plastique pendant 2 semaines.

LA PAPAYE

La papaye est un fruit exotique à adopter d'urgence. Pourquoi ?
Parce que ses teneurs en vitamine C sont assez incroyables tout comme
ses vertus anticancer, ce qui fait d'elle un fruit de belle synergie.

Originaire d'Amérique centrale, la papaye (*Carica papaya*) pousse dans les régions tropicales et subtropicales. Fruit allongé, piriforme ou arrondi en fonction des variétés, elle mesure entre 10 et 50 cm de long et peut peser plus de 5 kilos pour les plus gros spécimens. Gorgée d'un jus rafraîchissant et parfumé, sa chair juteuse varie du jaune orangé au rouge intense. Sa texture est semblable à celle du melon cantaloup, mais la papaye est plus moelleuse. Sa cavité centrale loge de nombreuses petites graines enrobées de mucilage à la saveur légèrement poivrée. Il existe d'autres espèces proches de la papaye comme la papaye des montagnes – ou chamburo (*Carica pubescens*) – et le babaco (*Carica pentagona*). Comme l'ananas, la papaye renferme une enzyme qui lyse les protéines (les découpe en acides aminés) et présente des propriétés assouplissantes. Les premiers peuples à l'avoir exploitée s'en servaient d'ailleurs pour attendrir la viande. Appelée papaïne, cette enzyme prélevée sur les fruits encore verts est aujourd'hui utilisée en industrie alimentaire, pharmaceutique et dans la fabrication du cuir et du latex.

SES PROPRIÉTÉS ANTICANCER

Aide à lutter contre le stress oxydatif ● **Action anti-inflammatoire et protection de l'ADN**

● La papaye présente une composition riche en lycopène, un caroténoïde proche du bêtacarotène ; comme lui, elle possède des propriétés antioxydantes et aide à lutter contre les dérivés réactifs de l'oxygène responsables du stress oxydatif.

● Plusieurs études effectuées sur des cultures de cellules cancéreuses ont montré que le lycopène agit contre la croissance des tumeurs. Il serait particulièrement efficace contre les effets des radiations. Outre le lycopène, d'autres composés de la papaye intéressent les chercheurs.

● Une étude a ainsi révélé que les graines de papaye, riches en flavonoïdes, pourraient avoir un rôle préventif contre le cancer grâce à leur action antioxydante, anti-inflammatoire et protectrice du génome.

● Le latex de la papaye, ce suc blanc présent dans les fruits encore verts, a également fait l'objet d'une étude aux résultats prometteurs. Les extraits de latex ont en effet présenté une activité antiproliférative sur des cellules cancéreuses des poumons et du cerveau.

SES ATOUTS NUTRITIONNELS

Faible en calories, la papaye est riche en vitamines, et plus particulièrement en vitamine C, avec des teneurs supérieures à la chair d'orange ou de pamplemousse. Cette vitamine est idéale en hiver, car elle contribue au maintien du fonctionnement normal du système immunitaire et participe au système de protection contre les radicaux libres. La papaye est par ailleurs riche en potassium, et contient des caroténoïdes. Le fruit du papayer est aussi source de fibres alimentaires, qui facilitent le transit intestinal et aident à satisfaire l'appétit en apportant une sensation de satiété.

Valeurs nutritionnelles pour 100 grammes	Papaye fraîche, pulpe
Énergie	43,3 kcal
Eau	87,3 g
Glucides (dont sucres)	7,8 g (7,8 g)
Fibres	2 g

L'ACHETER ET LA CUISINER

Comment la choisir. Pour profiter au maximum des qualités organoleptiques de la papaye, il faut la choisir bien mûre : la peau extérieure ne doit plus être verte mais de couleur jaune orangé et ne doit pas présenter de teinte brunâtre. Autre signe de maturité : le fruit doit céder légèrement sous la pression des doigts.

La déguster. La papaye se conserve plusieurs jours au réfrigérateur, mais il est préférable de la consommer tout de suite après achat. En version simple, on peut manger sa chair comme on mangerait un melon ; autrement la papaye se prépare en jus, en salade de fruits ou encore en sorbets. Les papayes vertes et dures peuvent être servies en salade ou dans les plats nécessitant une cuisson. Sous forme de chutney, son goût sucré apportera un peu d'exotisme à vos plats.

Dans les plats salés. Elle peut aussi être cuisinée sans artifices, comme une courge, et accompagner un plat de viande blanche ou de crustacés. Dans les pays d'Amérique centrale, du Sud et en Asie, la papaye verte est souvent consommée sous forme de ceviche (marinade acidulée pour poisson et fruits de mer crus).

CHUTNEY DE PAPAYE

93,6 KCAL

L 2,2   G 92,7   P 5,2

500 g de papaye (soit environ 1/2 papaye)
1 oignon jaune
2 cuil. à soupe de sucre de canne
1/2 cuil. à café de sel
2 pincées de cannelle
100 ml d'eau

PRÉPARATION 5 MIN ● CUISSON 40 MIN ● FACILE ● €

1. Épluchez et coupez la papaye en petits dés.

2. Faites de même avec l'oignon jaune.

3. Placez le tout dans une casserole, avec le sucre, le sel, la cannelle et l'eau.

4. Faites revenir à feu moyen pendant 30 à 40 minutes, en remuant régulièrement pour que la préparation n'accroche pas. Vous devez obtenir une préparation compotée. Selon la consistance de chutney que vous aimez, vous pouvez plus ou moins écraser les morceaux de papaye pendant la cuisson.

5. Laissez refroidir à température ambiante.

6. Vous pouvez déguster ce chutney avec de la volaille, des crevettes ou même du fromage !

BÂTONNETS GLACÉS PAPAYE-ANANAS

PRÉPARATION 20 MIN ● REPOS 1 NUIT ● FACILE ● €

87,4 KCAL

L 2,8   G 90,2   P 7,1

300 g de papaye
(soit 1/3 de papaye)
100 ml d'eau de coco
le jus et le zeste
de 1 citron vert
150 g de chair d'ananas
(soit 1/3 d'un ananas)

1. Épluchez et coupez la papaye grossièrement.

2. Mixez la papaye avec l'eau de coco ainsi que le jus et le zeste du citron vert. Vous devez obtenir une texture lisse, comme pour une soupe.

3. Épluchez l'ananas et coupez-le en petits dés.

4. Ajoutez les dés d'ananas à la préparation, mélangez.

5. Placez cette préparation dans des moules à bâtonnets glacés, ou à défaut dans des moules à cupcakes, ou même dans des pots de yaourt ou de petit-suisse vides.

6. Plantez dans chaque moule un bâtonnet de bois, et placez au congélateur pour toute la nuit.

7. Démoulez et dégustez aussitôt !

LA POIRE

Sa chair douce et fondante est une source naturelle de sucre et de fibres qui facilitent le transit intestinal et ainsi agissent dans la prévention de certains cancers.

La poire, originaire d'Asie centrale, a d'abord été cultivée en Chine puis en Grèce avant d'être implantée dans nos régions par les Romains. Ces derniers ont grandement participé à la diversification des variétés de poires. Aujourd'hui près de 15 000 variétés sont recensées à travers le monde. La belle épine du Mas, la louise-bonne ou la beurré hardy : toutes ces variétés proviennent de croisements dérivés de la poire européenne et de la poire asiatique. Habituellement de couleur jaune, rouge ou vert clair, certaines poires arborent des couleurs insolites, comme la noire de Worcester. La williams reste la variété la plus appréciée et la plus cultivée en Amérique du Nord et en Europe. Pourtant, au Moyen Âge, ce fruit était peu considéré et consommé essentiellement cuit. Ce n'est qu'à l'époque de Louis XIV que la poire sera remise au goût du jour. Elle est désormais cuisinée à toutes les sauces, aussi bien en tant que composante d'entrées et de desserts qu'en accompagnement d'un plat principal.

SES PROPRIÉTÉS ANTICANCER

Action bénéfique sur l'intestin • Protection de l'organisme contre le vieillissement

● La chair de la poire contient des fibres insolubles de type cellulose, hémicellulose et lignine. Les fibres alimentaires jouent un rôle essentiel dans le bon fonctionnement du transit intestinal et sont associées à une diminution du risque de cancer colorectal. Elles accéléreraient notamment le mouvement des matières fécales dans le côlon, diminuant ainsi le temps de contact entre les agents potentiellement cancérigènes et le tissu du gros intestin.

● Plusieurs résultats d'études évoquent par ailleurs un lien possible entre la consommation de fibres et la prévention d'autres cancers, en particulier celui de la prostate. Une étude épidémiologique menée sur plus de 43 000 Japonais a ainsi établi qu'une faible ingestion quotidienne de fibres augmente les risques de cancer de la prostate.

● Enfin, la peau de la poire concentre des composés phénoliques, comme l'acide chlorogénique, la catéchine ou encore l'acide coumarique, qui présentent tous une activité antioxydante – activité qui favoriserait la protection des tissus de l'organisme et de l'ADN face à l'action des radicaux libres, et préviendrait ainsi l'apparition de cancer.

SES ATOUTS NUTRITIONNELS

La poire contient une quantité de sucres simples qui peut différer en fonction de sa variété, des conditions climatiques et de son degré de maturité au moment de la récolte. Avec un index glycémique considéré comme bas, elle permet de fournir à l'organisme de l'énergie utilisée rapidement sans pour autant créer un pic de glycémie élevé dans le sang – comme le feraient par exemple des confiseries ou des biscuits –, ce qui préviendrait à long terme l'apparition de diabète de type 2. Bien qu'elle contienne peu de vitamines et de minéraux, la poire apporte des teneurs non négligeables en vitamine C et en potassium, et constitue surtout une source intéressante de fibres alimentaires.

Valeurs nutritionnelles pour 100 grammes	Poire fraîche, pulpe et peau
Énergie	53 kcal
Eau	85,4 g
Sucres	10,4 g
Fibres	3 g

L'ACHETER ET LA CUISINER

La conserver. Poire d'automne-hiver ou poire d'été, ce fruit est disponible toute l'année. Fruit qui continue à mûrir après sa récolte, on peut l'acheter encore immature et le laisser mûrir après récolte, dans les jours ou semaines qui suivent l'achat. À la maison, la poire mûrira d'autant plus vite qu'elle sera stockée à côté de pommes ou de bananes.

La consommer. Afin de bénéficier de ses propriétés antioxydantes, il est conseillé de sélectionner des fruits issus de l'agriculture biologique ou raisonnée ou bien de laver la peau de la poire à l'eau savonneuse et de bien la rincer avant consommation. Pour ceux qui ont un transit intestinal sensible ou si on donne de la poire à de jeunes enfants, il ne faut pas tomber dans l'excès : une poire en journée suffit, surtout si on varie les sources alimentaires de fibres, vitamines et minéraux. On préférera de surcroît une poire à la chair douce et fondante (comme la williams, la beurré hardy et la doyenné du comice) dont les fibres seront mieux supportées qu'une poire à la chair granuleuse (comme la passe-crassane).

POIRES POCHÉES AUX ÉPICES CHAI, CHANTILLY VANILLE

527 KCAL

L 18,2   G 78   P 3,8

PRÉPARATION 15 MIN ● CUISSON 25 MIN ● REPOS 2 H ● FACILE ● €

1 l d'eau
150 g de sucre de canne
2 étoiles d'anis étoilé
5 graines de cardamome écrasées
3 clous de girofle
1 bâton de cannelle
le zeste de 1/2 orange
1 gousse de vanille
4 poires mûres mais bien fermes
150 ml de crème liquide
150 g de chocolat noir
4 biscuits spéculoos

1. Dans une grande casserole, faites chauffer l'eau avec le sucre, les épices et le zeste d'orange.

2. Égrainez la gousse de vanille : coupez-la en deux sur toute la longueur et grattez-la avec un couteau. Ajoutez la gousse et les grains dans l'eau chaude.

3. Pendant que l'eau chauffe, épluchez les poires en les gardant entières avec leur tige.

4. Une fois l'eau bien chaude, immergez les poires dans le liquide, et laissez-les cuire à frémissement pendant environ 20 minutes selon leur variété et leur niveau de maturité.

5. Laissez refroidir les poires dans le sirop.

6. Préparez la ganache : faites chauffer la crème liquide, et versez-la en trois fois sur le chocolat coupé finement. Mélangez à la spatule pour une ganache lisse. Filmez la ganache directement au contact sans laisser d'air entre la préparation et le film pour éviter qu'une croûte se forme. Réservez au frais pendant au moins 2 heures.

7. Au moment de servir, montez la ganache au fouet. Elle deviendra plus pâle et mousseuse. Servez une poire par personne accompagnée de 1 cuillerée de ganache montée. Finissez par écraser grossièrement le spéculoos pour ajouter du croustillant au dessert.

GRANITÉ DE POIRE AU ROMARIN

172 KCAL

L 0,8   G 97,3   P 1,9

PRÉPARATION 10 MIN LA VEILLE ● CUISSON 20 MIN ● MOYEN ● €

2 poires
le zeste
de 1/2 citron vert

POUR LE GRANITÉ
750 ml de jus de poire
2 branches
de romarin frais
le jus de 1,5 citron vert

1. La veille, préparez le granité : dans une casserole, faites chauffer le jus de poire avec les feuilles de romarin. Laissez infuser le romarin à feu doux pendant environ 20 minutes. Selon la qualité du romarin et du jus de poire, le goût du romarin sera plus ou moins prononcé ; n'hésitez pas à faire infuser un peu plus longtemps si le goût paraît trop léger.

2. Lorsque le jus est infusé, retirez les feuilles de romarin, et ajoutez le jus de citron.

3. Placez dans un plat assez large pour gratter ensuite le granité à la fourchette facilement. Laissez refroidir à température ambiante, puis placez au congélateur 10 heures au minimum ou idéalement toute une nuit.

4. Le lendemain, lorsque le liquide est transformé en glace, grattez avec une fourchette pour obtenir une consistance comme de la glace pilée. Replacez au congélateur.

5. Épluchez et videz les poires, coupez-les en tout petits cubes.

6. Placez au fond de chaque bol de service des cubes de poire, puis du granité. Prélevez le zeste du demi-citron vert et décorez-en les bols. Servez aussitôt !

LA POMME

Ce fruit qui a la réputation d'éloigner le médecin a de nombreux atouts nutritionnels bien connus, notamment pour la minceur. En outre des études montrent que la consommation régulière de pommes contribue à la prévention de certains cancers.

D'Adam et Ève à nos jours, la pomme est LE fruit symbolique par excellence qui a traversé les âges. Pendant la Préhistoire, l'homme découvrit plusieurs variétés comestibles produites par un arbuste qui poussait à l'état sauvage. À l'époque gréco-romaine, la pomme faisait partie des « beaux fruits » et était cultivée pour ses saveurs multiples. Au Moyen Âge, le pommier avait plutôt mauvaise réputation : il était vu comme l'« arbre tentateur » lié au péché originel… et associé au mal ! C'est vrai, l'histoire de la pomme – avec ses rondeurs, sa carnation douce et parfumée – est étroitement liée à celle de la femme. Loin de cette réputation sulfureuse, certaines traditions veulent que la pomme soit symbole de sagesse et d'immortalité. Dans la mythologie (pomme de la discorde), chez les frères Grimm (Blanche-Neige) ou encore dans la loi de l'attraction universelle découverte par Newton, elle est partout et a nourri notre imaginaire. Aujourd'hui, la pomme est le fruit le plus cultivé dans le monde avec plus de 6 000 variétés. Jaunes, rouges, vertes… fraîches, cuites ou en jus, elles sont toutes à déguster !

SES PROPRIÉTÉS ANTICANCER

Protection du côlon, du poumon, du sein chez la femme

● Des études en laboratoire montrent que la consommation régulière de jus de pomme ou d'une pomme ou plus par jour aurait un effet préventif contre les cancers colorectaux, du côlon, du sein et du poumon. Les polyphénols de la pomme et de son jus posséderaient des effets antioxydants et diminueraient la prolifération des cellules cancéreuses.

● La pomme contient de plus un flavonoïde particulier : la quercétine, véritable protection contre le cancer. Pour profiter au maximum de ses bienfaits, croquez la pomme avec la peau, mais pas sans l'avoir soigneusement lavée auparavant !

● La pelure contient en effet un pouvoir antioxydant deux à six fois plus élevé que celui de la chair. De plus, la pelure contient des triterpènes (dont l'acide ursolique) qui auraient la propriété de réduire la multiplication de cellules cancéreuses.

SES ATOUTS NUTRITIONNELS

La pomme est peu énergétique pour un fruit, et ses glucides contribuent à sa saveur sucrée. Elle est désaltérante, source de fibres, de vitamines (A, C, B, E, K), de sels minéraux et d'oligoéléments (potassium, magnésium, phosphore, zinc, cuivre, etc.). C'est un allié minceur : la pomme est un bon « coupe-faim » qui possède une action diurétique et favorise l'élimination. De plus elle régule la cholestérolémie et la glycémie, favorise le bon fonctionnement du transit intestinal grâce à la pectine. « Une pomme chaque matin éloigne le médecin », disaient nos grands-mères. En effet, elle joue un rôle de prévention contre les maladies cardio-vasculaires et améliore la fonction respiratoire. Elle a des vertus antioxydantes grâce à ses nombreux polyphénols – flavonoïdes (dont quercétine) et composés phénoliques. Manger régulièrement des pommes permet de rester en bonne santé. Elles se consomment partout, à tout moment de la journée !

Valeurs nutritionnelles pour 100 grammes	Pomme fraîche, pulpe et peau	Pomme, pur jus
Énergie	53,2 kcal	42,4 kcal
Eau	85,3 g	88,4 g
Sucres	11,3 g	9,7 g
Fibres	2 g	< 0,5 g

L'ACHETER ET LA CUISINER

Savoir les choisir. On peut acheter des pommes toute l'année, mais les meilleures sont disponibles à l'automne. Lorsqu'on les cueille ou les achète, les fruits doivent être bien fermes. Afin de croquer la peau sans scrupules, penser à se fournir *via* une filière qui limite l'utilisation de pesticides !
Savoir les conserver. Les pommes se conservent si possible au réfrigérateur dans le bac à légumes, et de préférence dans un sac perforé ; à la température de la pièce, elles risquent de mûrir et de perdre leur saveur.
Des préparations variées. Crue ou cuite, poêlée ou au four, la pomme se prête à toutes sortes de recettes. Chaque variété se caractérise par un aspect et un goût particuliers : golden, chantecler, reinette, clocharde, reinette grise du Canada, gala ou granny… du sucré à l'acidulé, du fondant au très croquant, il y en a pour tous les goûts !

———————

SLAW
POMME VERTE-PAVOT CROQUANT

287 KCAL

L 36,5   G 60,1   P 3,4

PRÉPARATION 15 MIN ● FACILE ● €

---

150 g de chou blanc
60 g de céleri branche
100 g de fenouil
1,5 pomme verte
100 g de cranberries
séchées

POUR LA SAUCE
le jus de 1 citron jaune
3 grosses cuil. à soupe
de yaourt
1 cuil. à soupe
de vinaigre de cidre
6 cuil. à soupe
d'huile d'olive
8 g de pavot

1. Préparez les crudités : émincez finement le chou blanc et le céleri en coupant les extrémités ainsi que le fenouil horizontalement. N'hésitez pas à utiliser une mandoline si vous en avez une pour avoir des morceaux les plus fins possible.

2. Coupez la pomme verte en fine julienne en gardant la peau : coupez des tranches fines, puis détaillez-les en bâtonnets.

3. Placez les crudités et les bâtonnets de pomme dans un saladier.

4. Préparez la sauce : mélangez le jus de citron, le yaourt, le vinaigre de cidre, l'huile d'olive et le pavot.

5. Versez la sauce sur la salade et mélangez.

6. Ajoutez les cranberries et mélangez une dernière fois.

7. Servez rapidement afin de garder le caractère croquant de cette salade.

GALETTE AUX POMMES
À LA FARINE D'ÉPEAUTRE

511 KCAL   L 32,8   G 58,4   P 8,9

PRÉPARATION 30 MIN ● CUISSON 30 MIN ● FACILE ● €

POUR LA PÂTE
90 g de farine classique
90 g de farine
d'épeautre
30 g de cassonade
1 pincée de cannelle
3 g de sel
130 g de beurre
35 ml d'eau

POUR LA GARNITURE
3 pommes
le jus
de 1/2 citron jaune
30 g de cassonade
1/2 cuil. à café
de cannelle

POUR LA DORURE
1 œuf
20 g de cassonade

1. Préchauffez le four à 180 °C.

2. Préparez la pâte en mélangeant les éléments secs : farines, sucre, cannelle et sel. Ajoutez le beurre découpé en petits cubes et malaxez avec les doigts comme si vous faisiez un crumble. Ajoutez ensuite l'œuf, travaillez la pâte jusqu'à ce qu'elle soit homogène. Placez-la ensuite sur le plan de travail, écrasez-la avec la paume de la main pour bien intégrer tous les ingrédients, sans trop la travailler cette fois. Dès qu'elle est bien homogène, étalez la pâte en un grand cercle ou en quatre petits cercles. Les bords doivent rester irréguliers, c'est ce qui donnera un joli aspect « fait maison ». Placez ensuite le ou les disques de pâte sur une plaque allant au four, recouverte de papier sulfurisé.

3. Videz et coupez les pommes en fines lamelles. Déposez-les dans un bol avec le jus de citron, le sucre et la cannelle. Mélangez délicatement pour que les pommes soient bien imprégnées.

4. Disposez les pommes joliment au centre de la pâte, en laissant un rebord vide assez large. Rabattez les rebords de pâte sur les pommes.

5. À l'aide d'un pinceau, badigeonnez les rebords d'œuf entier battu, puis saupoudrez de sucre cassonade pour avoir un joli doré à la cuisson.

6. Enfournez pendant 30 minutes.

7. Vous pouvez servir la galette chaude, tiède ou froide, selon votre goût.

LA SARDINE

Une chair riche en qualités nutritionnelles, des teneurs très intéressantes en sélénium qui agit en prévention du cancer et des oméga-3 bons pour la santé du cerveau ; ce petit poisson à consommer une fois par semaine peut faire beaucoup pour votre santé.

La sardine commune, ou *Sardina pilchardus*, vit dans une large zone géographique qui s'étend de l'Atlantique Nord jusqu'au large des côtes sénégalaises. Son nom « sardine » aurait des origines grecques et désignerait un petit poisson pêché en Méditerranée, autour de la Sardaigne. Avec sa forme allongée, son ventre argenté et son dos bleuté, ce petit poisson d'environ 15 à 20 cm de long est souvent confondu avec le hareng. Il évolue tout au long de sa vie dans de larges bancs à faible profondeur (entre 10 et 50 m sous la surface) et se nourrit de plancton. Emblématique de la boîte de conserve, la sardine fut l'un des premiers aliments à être préservés grâce à la méthode d'appertisation au XIXᵉ siècle. Conséquence de son succès commercial : les spécialistes ont noté entre 1995 et 2005 une baisse de son stock due à la surpêche. Malgré l'épuisement des ressources en sardine, celle-ci fait toujours partie de la catégorie des espèces abondantes et non menacées selon l'Union internationale pour la conservation de la nature (UICN).

SES PROPRIÉTÉS ANTICANCER

Protection contre le stress oxydatif provoqué par les radicaux libres ● Action préventive du sélénium contre certains cancers

● L'Agence nationale de sécurité sanitaire de l'alimentation (l'Anses) recommande ni plus ni moins qu'une portion hebdomadaire de poisson gras. En effet, en fonction de leur provenance, les tissus de ces animaux marins peuvent être plus ou moins contaminés par les métaux lourds et autres polluants issus de l'activité humaine.

● La sardine étant située en bas de la chaîne alimentaire, ses tissus sont moins concentrés en ces éléments que des poissons gras plus gros comme le thon ou le saumon. Elle est donc à privilégier, en alternance avec le maquereau.

● Ses teneurs en sélénium en font un allié intéressant pour lutter contre le stress oxydatif causé par les radicaux libres dans l'organisme. Un régime alimentaire riche en sélénium a été associé à une diminution des risques de cancer, en particulier de la prostate.

SES ATOUTS NUTRITIONNELS

La sardine fait partie des produits les plus riches en protéines, toutes catégories confondues. Elle est de ce fait à mettre régulièrement dans l'assiette à la place de viandes traditionnelles comme le bœuf ou le porc. Son profil lipidique est par ailleurs excellent, avec un ratio de 2/3 d'acides gras insaturés pour 1/3 d'acides gras saturés ; la consommation suffisante d'acides gras insaturés participe au maintien d'une bonne santé cardio-vasculaire. La sardine est en outre l'un des poissons les plus riches en EPA et DHA, deux acides gras de la famille des oméga-3 qui ne peuvent être fabriqués par l'organisme. En consommer suffisamment favorise le maintien d'une bonne santé cérébrale. Enfin, la sardine est riche en vitamine B12, vitamine D et sélénium, et fournit également des teneurs intéressantes en iode, magnésium et zinc.

Valeurs nutritionnelles pour 100 grammes	Sardine grillée	Sardines, filets à l'huile appertisés, égouttés
Énergie	214 kcal	246 kcal
Eau	55,7 g	60,5 g
Protéines	30 g	24,9 g
Lipides (dont saturés/mono-insaturés/polyinsaturés)	10,4 g (3,1/3,1/3,8 g)	16,3 g (4,6/5,6/5,3 g)

L'ACHETER ET LA CUISINER

Deux écoles. Pour consommer la sardine, il y a ceux qui mangent tout, tête et arêtes comprises, et ceux qui préfèrent ne manger que les filets. Ceux de la première catégorie préféreront les plus petits spécimens car, à partir d'une certaine taille, la consommer non vidée peut être incommodant. Autrement, il faudra apprendre à lever les filets de sardine.

Une multitude de préparations possibles. Fraîche ou en conserve, marinée, grillée ou en rillettes, sur du pain ou dans une tarte… il y en a pour tous les goûts. À éviter néanmoins, la préparation en barbecue qui provoque l'ingestion de composés néoformés cancérigènes – de même qu'il faut limiter les sardines grillées qui finissent carbonisées dans la poêle.

Comme un parfum de Méditerranée. Ne pas hésiter à aromatiser la sardine d'ail, de coriandre, de basilic, de tomates séchées, d'olives, de câpres ou d'autres condiments typiques de cette cuisine ensoleillée.

PÂTES AUX SARDINES

L 14,5   G 65   P 20,6

PRÉPARATION 10 MIN ● CUISSON 15 MIN ● FACILE ● € €

500 g de spaghettis
sel, poivre

POUR LA SAUCE
1 gros fenouil
4 cuil. à soupe
d'huile d'olive
1 oignon jaune
2 gousses d'ail
1/2 cuil. à café
de graines de fenouil
500 g de tomates
cerises
8 sardines, écaillées
et coupées en filets
le jus et le zeste
de 1 citron jaune
1 botte de basilic

1. Faites bouillir de l'eau pour les pâtes dans une grande casserole. Ajoutez une pincée de sel ainsi que la moitié du fenouil coupé grossièrement.

2. Dans une sauteuse, faites chauffer la moitié de l'huile d'olive. Ajoutez l'oignon ciselé finement, les gousses d'ail pelées, entières, et les graines de fenouil. Faites suer les oignons à feu moyen pendant 5 bonnes minutes. Salez, poivrez. Coupez les tomates cerises en deux, ajoutez-les dans la sauteuse. Faites revenir encore pendant 5 minutes à feu moyen, puis baissez à feu doux.

3. Commencez la cuisson des pâtes dans la casserole où cuit le fenouil.

4. Pendant ce temps, ajoutez les filets de sardine dans la sauteuse, cassez-les grossièrement dans la sauce de façon à avoir des morceaux irréguliers. Ajoutez le zeste de citron jaune, puis goûtez et ajustez l'assaisonnement.

5. Coupez l'autre moitié de fenouil cru en très fines lamelles, à la mandoline de préférence, et placez-les dans un bol. Ajoutez le jus de citron, l'autre moitié de l'huile d'olive, salez et poivrez. Réservez.

6. Effeuillez le basilic et réservez également.

7. Une fois les pâtes cuites, égouttez-les en gardant l'équivalent d'un petit verre d'eau de cuisson. Ajoutez-les dans la sauteuse, mélangez, puis versez un peu d'eau de cuisson. Cette eau, ayant absorbé l'amidon contenu dans les pâtes, va permettre à la sauce de bien enrober les pâtes. Augmentez le feu et faites revenir quelques minutes.

8. Disposez les pâtes dans le plat de service, répartissez les lamelles de fenouil crues ainsi que le basilic frais. Dégustez aussitôt !

SARDINES RÔTIES, SAUCE CHIMICHURRI

459 KCAL

L 51,4   G 9,3   P 39,3

12 belles sardines
vidées
1 filet d'huile d'olive
4 gousses d'ail
sel, poivre

POUR LA SAUCE
CHIMICHURRI
7 gousses d'ail
2 échalotes
10 g de coriandre
fraîche lavée
10 g de basilic frais lavé
4 grosses pincées
d'origan séché
1/3 de poivron vert
90 ml d'huile d'olive
1/2 piment rouge
70 ml de vinaigre de vin

1. Préchauffez le four à 210 °C.

2. Préparez la sauce chimichurri : pelez et coupez grossièrement l'ail et les échalotes. Ajoutez les herbes fraîches et sèches, le poivron et le piment tous les deux épépinés et grossièrement coupés. Ajoutez 1/4 de l'huile d'olive. Mixez le tout finement.

3. Ajoutez le reste de l'huile, le vinaigre et mixez à nouveau. Le rendu de la sauce sera celui d'un pesto mais d'une consistance un peu plus liquide. Salez et poivrez à votre convenance. Réservez au frais.

4. Préparez les sardines : faites 1 ou 2 petites entailles de biais sur leur chair, placez-les dans un plat allant au four. Salez, poivrez puis versez un filet d'huile d'olive sur les sardines. Retournez-les plusieurs fois pour qu'elles soient bien recouvertes d'assaisonnement. Ajoutez les gousses d'ail encore dans leur peau.

4. Faites cuire le tout pendant 8 à 10 minutes selon la taille des sardines, en les retournant à mi-cuisson.

5. Lorsque les sardines sont cuites, vous pouvez les recouvrir joliment d'un filet de sauce chimichurri, d'inspiration argentine, ou laisser les convives se servir de la quantité de sauce qu'ils souhaitent. Vous aurez très certainement de l'excédent de sauce que vous pourrez garder au frais pendant cinq jours.

CONCLUSION
DU Pr DAVID KHAYAT

Nous venons de passer en revue, ensemble, 60 aliments « santé » et 120 recettes. Autant de clés pour vous aider à élaborer, jour après jour, une alimentation variée, synonyme de santé. J'ai voulu des recettes légères en viande, plus riches en légumes frais et légumineuses, moins salées, moins sucrées et moins grasses.

J'espère que les informations que nous vous avons fournies vous ont intéressé, et que les recettes vous ont, comme pour nous, permis de vous régaler tout en maintenant votre forme. Ces recettes sont gourmandes, démontrant s'il en était besoin que l'on peut se faire du bien en se faisant plaisir.

Encore une fois, je suis trop attaché à la vérité scientifique pour vous laisser croire qu'il existe un véritable « régime anticancer ». En d'autres termes, qu'en privilégiant tel ou tel aliment ou en en éliminant d'autres, vous allez éviter le cancer ou, pour ceux d'entre vous qui ont déjà été touchés par cette maladie, d'éviter une éventuelle rechute.

En médecine, et encore plus en cancérologie, il n'y a malheureusement pas de miracle. Mais, réellement, mieux manger peut contribuer, même dans une toute petite mesure, à réduire parfois le risque de développer un cancer.

C'est pourquoi, avec Nathalie Hutter et ma fille Cécile, nous avons travaillé pour mettre à votre disposition cet ouvrage et tous les conseils qu'il contient.

Mais attention, une vraie attitude « anticancer » ne peut se limiter à mieux manger ! Il est fondamental d'y associer la pratique quasi quotidienne d'un peu d'exercice physique, le contrôle de son poids, la modération quant à la consommation de charcuteries ou de vin par exemple. Surtout, de ne pas fumer et d'empêcher vos amis de fumer autour de vous.

Le chemin vers la prévention du cancer est encore long et ce livre n'est probablement que l'une des toutes premières étapes sur ce chemin.

Mais, maintenant qu'en lisant ce livre vous avez pris pleinement conscience des enjeux et des dangers, vous venez de commencer à avancer sur ce fameux chemin.

Alors, bonne santé à tous !

LES RÈGLES D'OR POUR RÉDUIRE LE RISQUE DE CANCER

Quand vous êtes en cuisine, n'oubliez pas quelques règles simples de prévention générale et quelques gestes utiles pour la protection de votre santé.

D'UNE MANIÈRE GÉNÉRALE

Ne fumez pas : n'oubliez pas que le tabac est cancérigène dès la première cigarette.
Diversifiez votre alimentation : ne vous privez de rien. Il peut y avoir des dangers à consommer trop régulièrement et en trop grande quantité certains produits potentiellement cancérigènes.
Adaptez votre bilan énergétique : augmentez votre activité physique et réduisez votre apport de calories. Ne grignotez pas entre les repas.
Faites du sport.

EN CUISINE

Diversifiez les modes de cuisson : les cuissons à la vapeur, mijotées ou poêlées légèrement sont bien meilleures pour la santé.
Consommez de préférence des produits artisanaux, du terroir, issus d'une agriculture raisonnée : préférez toujours des produits avec le moins de pesticides possible.
Lavez soigneusement les fruits et légumes, et même avec un peu de savon, avant de les rincer.
Épluchez fruits et légumes.
Mangez un peu moins de viande et un peu plus de légumes frais.
Videz le sang de la viande avant de la faire cuire. Et même si cela peut surprendre, passez-la sous l'eau avant de la préparer.
Ne mangez pas la peau de la volaille chaque fois que vous en consommez.
Réduisez la consommation de charcuterie. N'en mangez pas trop souvent et faites toujours le choix de la qualité.
Mangez moins salé, moins sucré et moins gras.

TABLEAU DES RECETTES PAR VALEUR CALORIQUE

Recette	Kcal par portion	Page
Jus vert au kiwi, céleri et pomme verte	41,9	160
Chips de fraises	52,3	48
Thé glacé au rooïbos	53,8	190
Pickles de radis rose	57,5	74
Bâtonnets glacés papaye-ananas	87,4	362
Chutney de papaye	93,6	360
Cervelle de canut	96,5	66
Rouleaux de printemps veggie	94,9	312
Potiron rôti à la sauge	122	270
Salade d'artichaut à la poutargue	122	202
Bouchées vapeur aux crevettes	141	232
Hot cross buns	145	276
Confiture de tomate	146	98
Granité de poire au romarin	172	368
Salade tiède de chou-fleur rôti au cumin, feta et grenade	175	330
Granité d'eau de coco, pomelo et grenade fraîche	177	264
Huîtres au soja et gingembre	187	246

Recette	Kcal par portion	Page
Sorbet framboise express à la fleur de sureau et rhubarbe pochée	188	142
Boulettes de dinde parfumées	191	102
Cinnamon rolls à la farine d'épeautre	196	240
Crab cakes	197	348
Pamplemoussettes	207	356
Limonade aux baies de goji	211	26
Frittata aux courgettes, ricotta et menthe	224	134
Plaque de mendiant aux baies de goji	236	24
Sauce putanesca de Julie	236	56
Boulettes de cabillaud de ma grand-mère	237	320
Blinis au cresson et au haddock fumé	239	228
Sorbet pamplemousse-champagne	239	354
Salade d'automne	240	268
Brocolis pimentés aux amandes	251	124
Papillotes de crevettes	252	234
Huîtres, crème au raifort	253	244

Recette	Kcal par portion	Page
Carottes nouvelles rôties et granola aux graines	255	300
Ceviche de daurade	257	72
Houmous d'édamames	258	92
Pavlova au yaourt à la grecque	268	50
Bol d'açaï du petit déjeuner	286	110
Slaw pomme verte-pavot croquant	287	372
Latkes de patates douces	290	62
Soupe Tom Kha Kai	293	214
Pêches rôties au poivre et au miel	294	172
Salade asiatique au pomelo	304	262
Soufflés framboise-chocolat	304	140
Upside down cake aux prunes	304	178
Salade de courgettes et tomates rôties au miel	305	136
Tarte à l'ananas	307	296
Purée d'avocat, asperges vertes, vinaigrette tiède	312	210
Scones au chocolat	312	308
Pesto de brocoli	317	122
Salade de carottes aux noix du Brésil	322	250
Crumble bars aux myrtilles	328	164
Pudding aux graines de chia	333	332

Recette	Kcal par portion	Page
Curry veggie	340	148
Pav bhaji	349	318
Brioche aux fruits rouges	359	166
Salade de pousses d'épinards, feta et cranberries	370	220
Pop tarts aux prunes	380	176
Panzanella	383	96
Feuilleté aux blettes	393	36
Pains plats aux oignons nouveaux	397	60
Bircher muësli aux abricots rôtis	398	194
Socca niçoise en pizza	407	336
Toast à l'avocat et œuf poché	409	350
Le ragoût de Gaby	411	38
Ricotta maison à la roquette	412	86
Bouillon de nouilles soba	418	282
Omelette verte, « green omelet »	424	30
Gnocchis de roquette	427	84
Focaccia	430	54
Bo bun au bœuf	435	90
Salade de cresson aux agrumes	435	226
Fruits exotiques, mousse mascarpone à la vanille	453	68
Chaussons au chou kale	459	152
Sardines rôties, sauce chimichurri	459	380

Recette	Kcal par portion	Page
Falafels light aux lentilles corail	462	338
Salade tiède de kale	467	154
Salade de pommes de terre au maquereau	476	342
Riz aux œufs de Barbara	479	80
Frozen yogurt	492	196
Tarte betterave, pavot et chèvre frais	505	116
Cookies aux flocons d'avoine	506	222
Salade trévise au sarrasin grillé	506	280
Galette aux pommes à la farine d'épeautre	511	374
Far aux pruneaux	521	326
Gâteau de crêpes thé vert matcha-chocolat	526	288
Poires pochées aux épices chai, chantilly vanille	527	366
Ragoût de la mer	549	32
Carrot cake	563	302
Salade César light	572	20
Choux Paris-Brest	580	252
Quinoa comme un riz au lait	580	184
Pommes croustillantes, citron, câpres et romarin	588	44
Pancakes à l'açaï et aux myrtilles	593	112
Granola maison	595	324
Riz à la cannelle, pignons et raisins secs	608	274
Champignons farcis	609	216

Recette	Kcal par portion	Page
Tourte aux poireaux	613	258
Gâteau chocolat-betterave	616	118
Vitello tonnato	620	42
Galettes de quinoa veggie	633	182
Cobbler à l'ail rôti et aux tomates cerises	636	18
Cannellonis aux artichauts et épinards	639	204
Poulet inspiration asiat'	639	104
Pâtes au chou-fleur	644	314
Wrap de maquereau grillé, riz complet	646	344
Gratin de courgettes de ma mère	670	78
Mousse au chocolat et au rooïbos	681	188
Risotto poireaux-petits pois	701	256
Tarte cappuccino	711	306
Spaghetti cacio e pepe	756	170
Orzotto citron-kale	786	128
Petit épeautre aux coques	803	238
Tacos de crevette, salsa kiwi	819	158
Ochazuke au maquereau	839	286
Salade de pâtes à la niçoise	917	146
Salade de nouilles soba	932	208
Pâtes aux sardines	956	378
Gâteau au citron sans gluten	1016	130
Poulet aigre-doux	1081	294

INDEX DES RECETTES PAR TYPE DE PLAT

Purée d'avocat, asperges vertes,
vinaigrette tiède 210
Ricotta maison à la roquette 86
Rouleaux de printemps veggie 312
Tacos de crevette, salsa kiwi 158

FRIANDISES

Bol d'açaï du petit déjeuner 110
Chips de fraises 48
Confiture de tomate 98
Granola maison 324
Pamplemoussettes 356
Plaque de mendiant aux baies de goji 24
Scones au chocolat 308

PLATS D'OEUF

Frittata aux courgettes, ricotta
et menthe 134
Omelette verte, « green omelet » 30
Riz aux œufs de Barbara 80

PLATS DE POISSONS

Ceviche de daurade 72
Crab cakes 348
Ochazuke au maquereau 286
Papillotes de crevettes 234
Pâtes aux sardines 378
Petit épeautre aux coques 238
Ragoût de la mer 32
Sardines rôties, sauce chimichurri 380
Wrap de maquereau grillé, riz complet 344

PLATS DE VIANDE

Bo bun au bœuf 90
Boulettes de cabillaud
de ma grand-mère 320
Boulettes de dinde parfumées 102
Le ragoût de Gaby 38
Poulet aigre-doux 294
Poulet inspiration asiat' 104
Tourte aux poireaux 258
Vitello tonnato 42

PLATS VÉGÉTARIENS

Cannellonis aux artichauts et épinards 204
Champignons farcis 216
Cobbler à l'ail rôti et aux tomates cerises 18
Curry veggie 148
Falafels light aux lentilles corail 338
Galettes de quinoa veggie 182
Gnocchis de roquette 84
Orzotto citron-kale 128
Pav bhaji 318
Risotto poireaux-petits pois 256
Socca niçoise en pizza 336
Tarte betterave, pavot et chèvre frais 116

SALADES

Panzanella 96
Salade asiatique au pomelo 262
Salade César light 20
Salade d'artichaut à la poutargue 202
Salade d'automne 268
Salade de carottes aux noix du Brésil 250
Salade de courgettes et tomates rôties au
miel 136
Salade de cresson aux agrumes 226
Salade de nouilles soba 208
Salade de pâtes à la niçoise 146
Salade de pommes de terre au maquereau 342
Salade de pousses d'épinards, feta et
cranberries 220
Salade tiède de chou-fleur rôti au cumin,
feta et grenade 330
Salade tiède de kale 154
Salade trévise au sarrasin grillé 280
Slaw pomme verte-pavot croquant 372

SAUCES

Pesto de brocoli 122
Sauce putanesca de Julie 56

SOUPES ET POTAGES

Bouillon de nouilles soba 282
Soupe Tom Kha Kai 214

INDEX GÉNÉRAL DES RECETTES

TABLE DES MATIÈRES

PRINTEMPS

ÉTÉ

AUTOMNE

HIVER

REMERCIEMENTS DE DAVID KHAYAT

À mes parents qui m'ont donné le goût des bons plats.

À ma femme et mes filles, mes cobayes préférés, qui ont goûté toutes ces recettes, même lorsqu'elles n'étaient pas encore abouties.

À mes amis qui me supportent en train d'écrire pendant que je suis censé être en vacances avec eux :
Gilbert et Danièle,
Claude et Bénédicte,
René et Adèle,
Hubert et Catherine.
À Laura Zuili pour son aide.

À Odile Jacob qui m'a toujours guidé de ses bons conseils.

REMERCIEMENTS DE CÉCILE KHAYAT

Je remercie chaleureusement Caroline, pour sa patience sans faille, ainsi que Pierre-Louis et Valéry pour leurs magnifiques photos.

Un grand merci à mon père pour ce beau projet ! Et, plus généralement, de m'avoir transmis sa passion pour la cuisine, et les valeurs de partage et de générosité qu'on retrouve autour d'une table.

Je remercie également ma maman, ma famille et mes amis d'avoir partagé avec moi toutes leurs idées, leurs inspirations et leurs conseils.

Enfin, un immense merci à Olivier pour son soutien et son enthousiasme, même face aux pires ratés !

DU MÊME AUTEUR CHEZ ODILE JACOB

Prévenir le cancer, ça dépend aussi de vous, 2014.

De larmes et de sang, 2013.

Les Recettes gourmandes du vrai régime anticancer, avec Caroline Rostang, 2011.

Le Vrai Régime anticancer, avec Nathalie Hutter-Lardeau, 2010.

Guide pratique du cancer. S'informer, s'orienter, se soigner, avec Odilon Wenger et Dominique Delfieu, 2007.

Les Chemins de l'espoir, 2003.

Conception graphique et réalisation : Claire Rouyer
Photogravure : NordCompo

N° d'édition : 7381-3375-X
Dépôt légal : avril 2016

Imprimé en France